# Ação e Reação

Francisco Cândido Xavier

# Ação e Reação

Pelo Espírito
**André Luiz**

*Copyright* © 1956 *by*
FEDERAÇÃO ESPÍRITA BRASILEIRA – FEB

30ª edição – 18ª impressão – 6 mil exemplares – 7/2025

ISBN 978-85-7328-792-9

Todos os direitos reservados. Nenhuma parte desta publicação pode ser reproduzida, armazenada ou transmitida, total ou parcialmente, por quaisquer métodos ou processos, sem autorização do detentor do *copyright*.

FEDERAÇÃO ESPÍRITA BRASILEIRA – FEB
SGAN 603 – Conjunto F – Avenida L2 Norte
70830-106 – Brasília (DF) – Brasil
www.febeditora.com.br
editorial@febnet.org.br
+55 61 2101 6161

Pedidos de livros à FEB
Comercial
Tel.: (61) 2101 6161 – comercial@febnet.org.br

Adquirindo esta obra, você está colaborando com as ações de assistência e promoção social da FEB e com o Movimento Espírita na divulgação do Evangelho de Jesus à luz do Espiritismo.

Dados Internacionais de Catalogação na Publicação (CIP)
( Federação Espírita Brasileira – Biblioteca de Obras Raras)

---

L953a      Luiz, André (Espírito)

         Ação e reação / pelo Espírito André Luiz; [psicografado por] Francisco Cândido Xavier. – 30. ed. – 18. imp. – Brasília: FEB, 2025.

         304 p.; 21 cm – (Coleção A vida no mundo espiritual; 9)

         Inclui índice geral

         ISBN 978-85-7328-792-9

         1. Espiritismo. 2. Obras psicografadas. I. Xavier, Francisco Cândido, 1910-2002. II. Federação Espírita Brasileira. III. Título. IV. Coleção.

                                                         CDD 133.93
                                                         CDU 133. 7
                                                         CDE 00.06.02

# Sumário

Ante o centenário ................................................................. 7
1   Luz nas sombras ........................................................... 11
2   Comentários do instrutor ............................................ 21
3   A intervenção na memória .......................................... 33
4   Alguns recém-desencarnados ..................................... 47
5   Almas enfermiças ......................................................... 59
6   No círculo de oração ................................................... 75
7   Conversação preciosa ................................................... 89
8   Preparando o retorno ................................................. 103
9   A história de Silas ...................................................... 121
10  Entendimento ............................................................. 139
11  O templo e o parlatório ............................................. 159
12  Dívida agravada .......................................................... 173
13  Débito estacionário .................................................... 185
14  Resgate interrompido ................................................ 197
15  Anotações oportunas ................................................. 213
16  Débito aliviado ........................................................... 225
17  Dívida expirante ......................................................... 241

| 18 | Resgates coletivos | 253 |
| 19 | Sanções e auxílios | 265 |
| 20 | Comovente surpresa | 275 |

Índice geral .................................................. 287

# Ante o centenário

A 18 de abril de 1957, a Codificação Kardequiana, sob a égide do Cristo de Deus, celebrará o seu primeiro centenário de valiosos serviços à humanidade terrestre.

Um século de trabalho, de renovação e de luz...

Para contribuir nas homenagens ao memorável acontecimento, grafou André Luiz as páginas deste livro.

Escrevendo-o, nosso amigo desvelou uma nesga das regiões inferiores a que se projeta a consciência culpada, além do corpo físico, para definir a importância da existência carnal como verdadeiro favor da Divina Misericórdia, a fim de que nos adaptemos ao mecanismo da Justiça indefectível.

É por isso que entretece os fios de suas considerações com a narrativa das relações entre a esfera dos Espíritos encarnados e os círculos de purgação, onde se demoram os companheiros desenfaixados da carne que se acumpliciaram na delinquência, criando, pelos desvarios da própria conduta, o inferno exterior, que nada mais é que o reflexo de nós mesmos, quando, pelo relaxamento e pela crueldade, nos entregamos à prática de ações deprimentes, que nos constrangem a temporária segregação nos resultados deploráveis de nossos próprios erros.

Von Liszt, eminente criminalista dos tempos modernos, observa que o Estado, em sua expressão de organismo superior, e excetuando-se, como é claro, os grupos criminosos que por vezes transitoriamente o arrastam a funestos abusos do poder, não prescinde da pena, a fim de sustentar a ordem jurídica. A necessidade da conservação do próprio Estado justifica a pena. Com essa conclusão, apagam-se quase que totalmente as antigas controvérsias entre as teorias de Direito Penal, uma vez que, nesse ou naquele clima de arregimentação política, a tendência a punir é congenial ao homem comum, em face da necessidade de manter, tanto quanto possível, a intangibilidade da ordem no plano coletivo.

André Luiz, contudo, faz-nos sentir que o Espiritismo revela uma concepção de justiça ainda mais ampla.

A criatura não se encontra simplesmente subordinada ao critério dos penólogos do mundo, categorizados à conta de cirurgiões eficientes no tratamento ou na extirpação da gangrena social. Quanto mais esclarecida a criatura, tanto mais responsável, entregue naturalmente aos arestos[1] da própria consciência, na Terra ou fora dela, toda vez que se envolve nos espinheiros da culpa.

Suas páginas, desse modo, guardam o objetivo de salientar que os princípios codificados por Allan Kardec abrem uma nova era para o espírito humano, compelindo-o à auscultação de si mesmo, no reajuste dos caminhos traçados por Jesus ao verdadeiro progresso da alma, e explicam que o Espiritismo, por isso mesmo, é o disciplinador de nossa liberdade não apenas para que tenhamos na Terra uma vida social dignificante, mas também para que mantenhamos, no campo do espírito, uma vida

---

[1] N.E.: Soluções; resoluções de uma dificuldade.

individual harmoniosa, devidamente ajustada aos impositivos da vida universal perfeita, consoante as normas de Eterna Justiça, elaboradas pelo supremo equilíbrio das Leis de Deus.

Eis por que, apresentando-as ao leitor amigo, reconhecemos nos postulados que abraçamos não somente um santuário de consolações sublimes, mas também um templo de responsabilidades definidas, para considerar que a reencarnação é um estágio sagrado de recapitulação das nossas experiências e que a Doutrina Espírita, revivendo o Evangelho do Senhor, é facho resplendente na estrada evolutiva, ajudando-nos a regenerar o próprio destino, para a edificação da felicidade real.

Em síntese, demonstra-nos o autor que as nossas possibilidades de hoje nos vinculam às sombras de ontem, exigindo-nos trabalho infatigável no bem, para a construção do amanhã, sobre as bases redentoras do Cristo.

Exaltando, assim, os méritos inestimáveis da obra de Allan Kardec, saudamos-lhe, comovidamente, o abençoado centenário.

EMMANUEL
Pedro Leopoldo (MG), 1 de janeiro de 1957.

# 1
# Luz nas sombras

**1.1** — Sim — afirmava-nos o instrutor Druso, sabiamente —, o estudo da situação espiritual da criatura humana após a morte do corpo não pode ser relegado a plano secundário. Todas as civilizações que antecederam a glória ocidental nos tempos modernos consagraram especial atenção aos problemas de Além-Túmulo. O Egito mantinha incessante intercâmbio com os trespassados e ensinava que os mortos sofriam rigoroso julgamento entre Anúbis, o gênio com cabeça de chacal, e Hórus, o gênio com cabeça de gavião, diante de Maât, a deusa da justiça, decidindo se as almas deveriam ascender ao esplendor solar ou se deveriam voltar aos labirintos da provação, na própria Terra, em corpos deformados e vis; os hindus admitiam que os desencarnados, conforme as resoluções do Juiz dos Mortos, subiriam ao paraíso ou desceriam aos precipícios do reino de Varuna, o gênio das águas, para serem insulados em câmaras de tortura, amarrados uns aos outros por serpentes infernais; hebreus, gregos, gauleses e romanos sustentavam crenças mais ou menos semelhantes, convictos de que a elevação celeste se reservava aos Espíritos retos e bons, puros e nobres, guardando-se os tormentos do inferno para quantos se rebaixavam na perversidade e no crime, nas regiões de suplício, fora do mundo ou no próprio mundo, por meio da reencarnação em formas envilecidas pela expiação e pelo sofrimento.

A conversação fascinava-nos.

1.2

Hilário e eu visitávamos a Mansão Paz, notável escola de reajuste de que Druso era o diretor abnegado e amigo.

O estabelecimento, situado nas regiões inferiores, era bem uma espécie de "mosteiro São Bernardo", em zona castigada por natureza hostil, com a diferença de que a neve, quase constante em torno do célebre convento encravado nos desfiladeiros entre a Suíça e a Itália, era ali substituída pela sombra espessa, que, naquela hora, se adensava, movimentada e terrível, ao redor da instituição, como se tocada por ventania incessante.

O pouso acolhedor, que permanece sob a jurisdição de Nosso Lar,[2] está fundado há mais de três séculos, dedicando-se a receber Espíritos infelizes ou enfermos, decididos a trabalhar pela própria regeneração, criaturas essas que se elevam a colônias de aprimoramento na vida superior ou que retornam à esfera dos homens para a reencarnação retificadora.

Em razão disso, o casario enorme, semelhante a vasta cidadela instalada com todos os recursos de segurança e defesa, mantém setores de assistência e cursos de instrução, nos quais médicos e sacerdotes, enfermeiros e professores encontram, depois da morte terrestre, aprendizados e quefazeres da mais elevada importância.

Pretendíamos efetuar algumas observações com referência às leis de causa e efeito — o carma dos hindus — e, convenientemente recomendados pelo Ministério do Auxílio, achávamo-nos

---

[2] Nota do autor espiritual: Cidade espiritual na esfera superior.

ali, encantados com a palavra do orientador, que prosseguia, atencioso, após longa pausa:

**1.3** — Acresce notar que a Terra é vista sob os mais variados ângulos. Para o astrônomo, é um planeta a gravitar em torno do Sol; para o guerreiro, é um campo de luta em que a geografia se modifica a ponta de baionetas; para o sociólogo, é amplo reduto em que se acomodam raças diversas, mas para nós, é valiosa arena de serviço espiritual, assim como um filtro em que a alma se purifica, pouco a pouco, no curso dos milênios, acendrando qualidades divinas para a ascensão à glória celeste. Por isso, há que sustentar a luz do amor e do conhecimento no seio das trevas, como é necessário manter o remédio no foco da enfermidade.

Enquanto nos entendíamos, reparávamos lá fora, através do material transparente de larga janela, a convulsão da Natureza.

Ventania ululante, carreando consigo uma substância escura, semelhante à lama aeriforme, remoinhava com violência, em torvelinho estranho, à maneira de treva encachoeirada...

E do corpo monstruoso do turbilhão terrível rostos humanos surdiam em esgares de horror, vociferando maldições e gemidos.

Apareciam de relance, jungidos uns aos outros como vastas correntes de criaturas agarradas entre si, em hora de perigo, na ânsia instintiva de dominar e sobreviver.

Druso, tanto quanto nós, contemplou o triste quadro com visível piedade a marcar-lhe o semblante.

Fixou-nos em silêncio como a chamar-nos para a reflexão. Parecia dizer-nos quanto lhe doía o trabalho naquela paragem de sofrimento, quando Hilário interrogou:

— Por que não descerrar as portas aos que gritam lá fora? Não é este um posto de salvação?

— Sim — respondeu o instrutor sensibilizado —, mas a salvação só é realmente importante para aqueles que desejam salvar-se.

E, depois de pequeno intervalo, continuou:

**1.4**

— Para cá do túmulo, a surpresa para mim mais dolorosa foi essa, o encontro com feras humanas, que habitavam o templo da carne à feição de pessoas comuns. Se acolhidas aqui sem a necessária preparação, atacar-nos-iam de pronto, arrasando-nos o instituto de assistência pacífica. E não podemos esquecer que a ordem é a base da caridade.

Apesar da explicação firme e serena, concentrava-se Druso no painel exterior, tal a compaixão a desenhar-se-lhe na face.

Logo após, recompondo a expressão fisionômica, o instrutor aduziu:

— Somos hoje defrontados por grande tempestade magnética, e muitos caminheiros das regiões inferiores são arrebatados pelo furacão como folhas secas no vendaval.

— E guardam consciência disso? — indagou Hilário, perplexo.

— Raros deles. As criaturas que se mantêm assim desabrigadas, depois do túmulo, são aquelas que não se acomodam com o refúgio moral de qualquer princípio nobre. Trazem o íntimo turbilhonado e tenebroso, qual a própria tormenta, em razão dos pensamentos desgovernados e cruéis de que se nutrem. Odeiam e aniquilam, mordem e ferem. Alojá-los, de imediato, nos santuários de socorro aqui estabelecidos será o mesmo que asilar tigres desarvorados entre fiéis que oram num templo.

— Mas conservam-se, interminavelmente, nesse terrível desajuste? — insistiu meu companheiro agoniado.

O orientador tentou sorrir e respondeu:

— Isso não. Semelhante fase de inconsciência e desvario passa também como a tempestade, embora a crise, por vezes, persevere por muitos anos. Batida pelo temporal das provações que lhe impõem a dor de fora para dentro, refunde-se a alma, pouco a pouco, tranquilizando-se para abraçar, por fim, as responsabilidades que criou para si mesma.

**1.5** — Quer dizer, então — disse por minha vez —, que não basta a romagem de purgação do Espírito depois da morte, nos lugares de treva e padecimento, para que os débitos da consciência sejam ressarcidos...

— Perfeitamente — aclarou o amigo, atalhando-me a consideração reticenciosa —, o desespero vale por demência a que as almas se atiram nas explosões de incontinência e revolta. Não serve como pagamento nos tribunais divinos. Não é razoável que o devedor solucione com gritos e impropérios os compromissos que contraiu mobilizando a própria vontade. Aliás, dos desmandos de ordem mental a que nos entregamos, desprevenidos, emergimos sempre mais infelizes, por mais endividados. Cessada a febre de loucura e rebelião, o Espírito culpado volve ao remorso e à penitência. Acalma-se como a terra que torna à serenidade e à paciência, depois de insultada pelo terremoto, não obstante amarfanhada e ferida. Então, como o solo que regressa ao serviço da plantação proveitosa, submete-se de novo à sementeira renovadora dos seus destinos.

Atormentada expectativa baixara sobre nós, quando Hilário considerou:

— Ah! se as almas encarnadas pudessem *morrer no corpo* alguns dias por ano, não à maneira do sono físico em que se refazem, mas com plena consciência da vida que as espera!...

— Sim — ajuntou o orientador —, isso realmente modificaria a face moral do mundo; entretanto, a existência humana, por mais longa, é simples aprendizado em que o Espírito reclama benéficas restrições para restaurar o seu caminho. Usando nova máquina fisiológica entre os semelhantes, deve atender à renovação que lhe diz respeito, e isso exige a centralização de suas forças mentais na experiência terrena a que transitoriamente se afeiçoa.

A palavra fluente e sábia do instrutor era para nós motivo de singular encantamento, e, porque me supunha no dever de aproveitar os minutos, ponderava em silêncio, de mim para comigo, quanto à qualidade das almas desencarnadas que sofriam a pressão da tormenta exterior.

Druso percebeu-me a indagação mental e sorriu, como a esperar por minha pergunta clara e positiva. 1.6

Instado pela força de seu olhar, observei respeitoso:

— Diante do espetáculo penoso a que nos é dado assistir, somos naturalmente constrangidos a pensar na procedência dos que experimentam o mergulho nesse torvelinho de horror... São delinquentes comuns ou criminosos acusados de grandes faltas? Encontraríamos por aí seres primitivos como os nossos indígenas por exemplo?

A resposta do amigo não se fez esperar.

— Tais inquirições — disse ele —, quando de minha vinda para cá, me assomaram igualmente à cabeça. Há cinquenta anos sucessivos estou neste refúgio de socorro, oração e esperança. Penetrei os umbrais desta casa como enfermo grave, após o desligamento do corpo terrestre. Encontrei aqui um hospital e uma escola. Amparado, passei a estudar minha nova situação, anelando servir. Fui padioleiro, cooperador da limpeza, enfermeiro, professor, magnetizador, até que, de alguns anos para cá, recebi jubilosamente o encargo de orientar a instituição, sob o comando positivo dos instrutores que nos dirigem. Obrigado a pacientes e laboriosas investigações, por força de meus deveres, posso adiantar-lhes que às densas trevas em torno somente aportam as consciências que se entenebreceram nos crimes deliberados, apagando a luz do equilíbrio em si mesmas. Nestas regiões inferiores não transitam as almas simples, em qualquer aflição purgativa, situadas que se encontram nos erros naturais das experiências primárias. Cada ser está jungido, por impositivos da atração magnética, ao círculo de evolução que lhe é próprio. Os selvagens, em grande maioria, até que se lhes desenvolva o mundo mental, vivem quase sempre

Ação e reação | Capítulo 1

confinados à floresta que lhes resume os interesses e os sonhos, retirando-se vagarosamente do seu campo tribal, sob a direção dos Espíritos benevolentes e sábios que os assistem; e as almas notoriamente primitivas, em grande parte, caminham ao influxo dos gênios beneméritos que as sustentam e inspiram, laborando com sacrifício nas bases da instituição social e aproveitando os erros, filhos das boas intenções, à maneira de ensinamentos preciosos que garantem a educação dessas almas. Asseguro-lhes, assim, que, nas zonas infernais propriamente ditas, apenas residem aquelas mentes que, conhecendo as responsabilidades morais que lhes competiam, delas se ausentaram deliberadamente, com o louco propósito de ludibriarem o próprio Deus. O inferno, a rigor, pode ser, desse modo, definido como vasto campo de desequilíbrio, estabelecido pela maldade calculada, nascido da cegueira voluntária e da perversidade completa. Aí vivem domiciliados, às vezes, por séculos, Espíritos que se bestializaram, fixos que se acham na crueldade e no egocentrismo. Constituindo, porém, larga província vibratória em conexão com a humanidade terrestre, uma vez que todos os padecimentos infernais são criações dela mesma, estes lugares tristes funcionam como crivos necessários para todos os Espíritos que escorregam nas deserções de ordem geral, menosprezando as responsabilidades que o Senhor lhes outorga. Dessa forma, todas as almas já investidas no conhecimento da verdade e da justiça e por isso mesmo responsáveis pela edificação do bem, e que, na Terra, resvalam nesse ou naquele delito, desatentas para com o dever nobilitante que o mundo lhes assinala, depois da morte do corpo estagiam nestes sítios por dias, meses ou anos, reconsiderando as suas atitudes, antes da reencarnação que lhes compete abraçar, para o reajustamento tão breve quanto possível.

**1.7** — Desse modo...

Dispunha-se Hilário a ensaiar conclusões, mas Druso, apreendendo-lhe a ideia, atalhou, sintetizando:

— Desse modo, os gênios infernais que supõem governar esta região, com poder infalível, aqui vivem por tempo indeterminado. As criaturas perversas que com eles se afinam, embora lhes padeçam a dominação, aqui se deixam prender por largos anos. E as almas transviadas na delinquência e no vício, com possibilidades de próxima recuperação, aqui permanecem em estágios ligeiros ou regulares, aprendendo que o preço das paixões é demasiado terrível. Para as criaturas desencarnadas desse último tipo, que passam a sofrer o arrependimento e o remorso, a dilaceração e a dor, apesar de não totalmente livres das complexidades escuras com que se arrojaram às trevas, as casas de fraternidade e assistência como esta funcionam, ativas e diligentes, acolhendo-as quanto possível e habilitando-as para o retorno às experiências de natureza expiatória na carne. 1.8

Lembrava-me do tempo em que perlustrara, por minha vez, semiconsciente e conturbado, os trilhos da sombra, na ocasião de meu desligamento do veículo físico, confrontando meus próprios estados mentais do passado e do presente, quando o orientador prosseguiu:

— Segundo é fácil reconhecer, se a treva é a moldura que imprime destaque à luz, o inferno, como região de sofrimento e desarmonia, é perfeitamente cabível, representando um estabelecimento justo de filtragem do Espírito a caminho da vida superior. Todos os lugares infernais surgem, vivem e desaparecem com a aprovação do Senhor, que tolera semelhantes criações das almas humanas, como um pai que suporta as chagas adquiridas pelos seus filhos e que se vale delas para ajudá-los a valorizar a saúde. As inteligências consagradas à rebeldia e à criminalidade, em razão disso, não obstante admitirem que trabalham para si, permanecem a serviço do Senhor, que corrige o mal com o próprio mal. Por esse motivo, tudo na vida é movimentação para a vitória do bem supremo.

**1.9**     Druso ia prosseguir, mas invisível campainha vibrou no ar e, mostrando-se alertado pela imposição das horas, levantou-se e disse-nos simplesmente:

— Amigos, chegou o instante de nossa conversação com os internados que já se revelam pacificados e lúcidos. Dedicamos algumas horas, duas vezes por semana, a semelhante mister.

Erguemo-nos sem divergir e acompanhamo-lo prestamente.

## 2
# Comentários do instrutor

**2.1**   O recinto a que demandáramos era confortável e amplo, mas a expressiva assembleia que o lotava era, em grande parte, desagradável e triste.

Ao clarão de vários lampadários, podíamos observar, do largo estrado em que nos instaláramos com o orientador, os semblantes disformes que, em maioria, ali se congregavam.

Aqui e ali se acomodavam assistentes e enfermeiros, cuja posição espiritual era facilmente distinguível pela presença simpática com que encorajavam os sofredores.

Calculei em duas centenas, aproximadamente, o número de enfermos que à nossa frente se reuniam.

Mais de dois terços apresentavam deformidades fisionômicas.

Quem terá visitado um sanatório de moléstias da pele, analisando em conjunto os doentes mais graves, poderá imaginar o que fosse aquele agregado de almas silenciosas e dificilmente reconhecíveis.

Notando a quase completa quietude ambiente, indaguei **2.2**
de Druso quanto à tempestade que se contorcia lá fora, informando-me o generoso amigo que nos achávamos em salão interior da cidadela, exteriormente revestido de abafadores de som.

Integrando a equipe dirigente, Hilário e eu passamos a conhecer companheiros agradáveis e distintos, os assistentes Silas e Honório e a irmã Celestina, três dos mais destacados assessores na condução daquela morada socorrista.

Não nos foi possível qualquer entendimento além das saudações comuns, porque o orientador, após indicar um dos enfermos para proferir a oração de início, que ouvimos emocionadamente, tomou a palavra e falou com naturalidade, qual se estivesse conversando numa roda de amigos:

— Irmãos, continuemos hoje em nosso comentário acerca do bom ânimo.

"Não me creiam separado de vocês por virtudes que não possuo.

"A palavra fácil e bem posta é, muita vez, dever espinhoso em nossa boca, constrangendo-nos à reflexão e à disciplina.

"Também sou aqui um companheiro à espera da *volta*.

"A prisão redentora da carne acena-nos ao regresso.

"É que o propósito da vida trabalha em nós e conosco, através de todos os meios, para guiar-nos à perfeição. Cerceando-lhe os impulsos, agimos em sentido contrário à Lei, criando aflição e sofrimento em nós mesmos.

"No plano físico, muitos de nós supúnhamos que a morte seria ponto final aos nossos problemas, enquanto outros muitos se acreditavam privilegiados da infinita Bondade por haverem abraçado atitudes de superfície nos templos religiosos.

"A viagem do sepulcro, no entanto, ensinou-nos uma lição grande e nova — a de que nos achamos indissoluvelmente ligados às nossas próprias obras.

**2.3** "Nossos atos tecem asas de libertação ou algemas de cativeiro, para nossa vitória ou nossa perda.

"A ninguém devemos o destino senão a nós próprios.

"Entretanto, se é verdade que nos vemos hoje sob as ruínas de nossas realizações deploráveis, não estamos sem esperança.

"Se a sabedoria de nosso Pai Celeste não prescinde da justiça para evidenciar-se, essa mesma justiça não se revela sem amor.

"Se somos vítimas de nós mesmos, somos igualmente beneficiários da tolerância divina, que nos descerra os santuários da vida para que saibamos expiar e solver, restaurar e ressarcir.

"Na retaguarda, aniquilávamos o tempo, instilando nos outros sentimentos e pensamentos que não desejávamos para nós, quando não estabelecíamos pela crueldade e pelo orgulho vasta sementeira de ódio e perseguição.

"Com semelhantes atitudes, porém, levantamos em nosso prejuízo a desarmonia e o sofrimento, que nos sitiam a existência quais inexoráveis fantasmas.

"O pretérito fala em nós com gritos de credor exigente, amontoando sobre as nossas cabeças os frutos amargos da plantação que fizemos... Daí, os desajustes e enfermidades que nos assaltam a mente, desarticulando-nos os veículos de manifestação.

"Admitíamos que a transição do sepulcro fosse lavagem miraculosa, liberando-nos o Espírito, mas ressuscitamos no corpo sutil de agora com os males que alimentamos em nosso ser.

"Nossas ligações com a retaguarda, por essa razão, continuam vivas. Laços de afetividade mal dirigida e cadeias de aversão aprisionam-nos, ainda, a companheiros encarnados e desencarnados, muitos deles em desequilíbrios mais graves e constringentes que os nossos.

"Nutrindo propósitos de regeneração e melhoria, somos hoje criaturas despertando entre o Inferno e a Terra, que se afinam tão entranhadamente um com o outro, como nós e nossos feitos.

"Achamo-nos imbuídos do sonho de renovação e paz, as- **2.4** pirando à imersão na vida superior; entretanto, quem poderia adquirir respeitabilidade sem quitar-se com a Lei?

"Ninguém avança para a frente sem pagar as dívidas que contraiu.

"Como trilhar o caminho dos anjos, de pés amarrados ao carreiro dos homens, que nos acusam as faltas, compelindo-nos a memória ao mergulho nas sombras?!..."

Druso fez ligeira pausa e, depois de significativo gesto, como que indicando a torturada paisagem exterior, prosseguiu em tom comovente:

— Em derredor do nosso pouso de trabalho e esperança, alongam-se flagelos infernais...

"Quantas almas petrificadas na rebelião e na indisciplina aí se desmandam no aviltamento de si mesmas?

"O Céu representa uma conquista, sem ser uma imposição.

"A Lei Divina, alicerçada na justiça indefectível, funciona com igualdade para todos.

"Por esse motivo, nossa consciência reflete a treva ou a luz de nossas criações individuais.

"A luz, aclarando-nos a visão, descortina-nos a estrada. A treva, enceguecendo-nos, agrilhoa-nos ao cárcere de nossos erros.

"O Espírito em harmonia com os desígnios superiores descortina o horizonte próximo e caminha, corajoso e sereno, para diante, a fim de superá-lo; no entanto, aquele que abusa da vontade e da razão, quebrando a corrente das bênçãos divinas, modela a sombra em torno de si mesmo, insulando-se em pesadelos aflitivos, incapaz de seguir à frente.

"Definindo, assim, a posição que nos é peculiar, somos almas entre a luz das aspirações sublimes e o nevoeiro dos débitos escabrosos, para quem a reencarnação, como recomeço de aprendizado, é concessão da Bondade excelsa que nos cabe aproveitar no resgate imprescindível.

2.5 "Em verdade, por muito tempo ainda sofreremos os efeitos das ligações com os nossos cúmplices e associados de intemperança e desregramento, mas, dispondo de novas oportunidades de trabalho no campo físico, é possível refazer o destino, solvendo escuros compromissos, e, sobretudo, promovendo novas sementeiras de afeição e dignidade, esclarecimento e ascensão.

"Sujeitando-nos às disposições das leis que prevalecem na esfera carnal, teremos a felicidade de reencontrar velhos inimigos, sob o véu de temporário esquecimento, facilitando-se-nos, assim, a reaproximação preciosa.

"Dependerá, desse modo, de nós mesmos convertê-los em amigos e companheiros, uma vez que, padecendo-lhes a incompreensão e a antipatia, com humildade e amor, sublimaremos nossos sentimentos e pensamentos, plasmando novos valores de vida eterna em nossas almas."

Ante a pausa que o instrutor imprimiu às suas considerações, voltei-me para a assembleia que o escutava, suspensa nas flamas de elevada meditação.

Alguns dos enfermos ali enfileirados tinham lágrimas nos olhos, enquanto outros mostravam o semblante extático dos que se conservam entre o consolo e a esperança.

Druso, que também sentia o efeito das suas palavras nos ouvintes reconfortados, continuou:

— Somos Espíritos endividados, com a obrigação de dar tudo em favor da nossa renovação. Comecemos a articular ideias redentoras e edificantes, desde agora, favorecendo a reconstrução do nosso futuro.

"Disponhamo-nos a desculpar os que nos ofenderam, com o sincero propósito de rogar perdão às nossas vítimas.

"Cultivando a oração com serviço ao próximo, reconheçamos na dificuldade o gênio bom que nos auxilia, a desafiar-nos ao maior esforço.

2.6

"Reunindo todas as possibilidades ao nosso alcance, espalhemos, nas províncias de treva e dor que nos rodeiam, o socorro da prece e o concurso do braço fraternal, preparando o regresso ao campo de luta — o plano carnal —, em que o Senhor pela bênção de um corpo novo nos ajudará a esquecer o mal e replantar o bem.

"Para nós, herdeiros de longo passado culposo, a esfera das formas físicas simboliza a porta de saída do inferno que criamos.

"Superando nossas enfermidades morais e extinguindo antigas viciações, no triunfo sobre nós mesmos, acrisolaremos nossas qualidades de espírito, a fim de que, elevando-nos, possamos estender mãos amigas aos que jazem na lama do infortúnio.

"Nós, que temos errado nas sombras, atormentados viajores do sofrimento, nós, que conhecemos o deserto de gelo e o suplício do fogo na alma opressa, poderíamos, acaso, encontrar maior felicidade que a de subir alguns degraus no Céu para descer, com segurança, aos infernos, de modo a salvar aqueles que mais amamos, perdidos hoje, como nos achávamos ontem, nas furnas da miséria e da morte?"

Dezenas de circunstantes entreolhavam-se admirados e felizes.

A essa altura, mostrava-se o mentor nimbado de doce claridade a se lhe irradiar do tórax em cintilações opalinas.

Fitei meu companheiro e, reparando-lhe os olhos enevoados de pranto, busquei sufocar minha própria comoção.

O instrutor não falava como quem ensinasse teorizando. Estampava na voz a inflexão de quem trazia uma dor imensamente sofrida e dirigia-se aos companheiros humildes, ali congregados, como se lhe fossem, todos eles, filhos queridos ao coração.

**2.7**     — Supliquemos ao Senhor — prosseguiu comovidamente — nos conceda forças para a vitória —, vitória que nascerá em nós para a grande compreensão. Somente assim, ao preço de sacrifício no reajuste, conseguiremos o passaporte libertador!...

Calando-se o dirigente da casa, levantou-se da assembleia uma senhora triste e, caminhando até nós, dirigiu-se a ele em lágrimas:

— Meu amigo, releve-me a intromissão. Quando partirei para o campo terrestre com meu filho? Tanto quanto posso, visito-o nas trevas... Não me vê nem me escuta... Sem se dar conta da miséria moral a que se acolhe, continua autoritário e orgulhoso... Paulo, no entanto, não é para mim um inimigo... é um filho inolvidável... Ah! como pode o amor contrair tamanho débito?!

— Sim... — exclamou Druso, reticencioso —, o amor é a força divina que frequentemente aviltamos. Tomamo-la pura e simples da vida com que o Senhor nos criou e com ela inventamos o ódio e o desequilíbrio, a crueldade e o remorso, que nos fixam indefinidamente nas sombras... Quase sempre, é mais pelo amor que nos enredamos em pungentes labirintos no tocante à Lei... amor mal interpretado... malconduzido...

Como se voltasse de rápida fuga ao seu mundo interior, acendeu novo brilho no olhar, afagou as mãos da torturada mulher e anunciou:

— Esperamos possa você reunir-se, em breve, ao seu rapaz na valiosa empresa do resgate. Pelos informes de que dispomos, não se demorará ele nas inibições em que ainda se encontra. Tenhamos serenidade e confiança...

Enquanto a pobrezinha se retirava com um sorriso de paciência, o instrutor ponderava conosco:

— Nossa irmã guarda consigo excelentes qualidades morais, mas não soube orientar o sentimento materno para com o filho que jaz nas sombras. Instilou nele ideias de superioridade malsã, que se lhe cristalizaram na mente, favorecendo-lhe os acessos de rebeldia e brutalidade. Transformando-se em tiranete social, o infeliz foi fisgado, sem perceber, ao pântano tenebroso, em seguida à morte do corpo, e a desventurada genitora, sentindo-se responsável pela sementeira de enganos que lhe arruinou a vida, hoje se esforça por reavê-lo.

— E realizará semelhante propósito? — perguntou Hilário com interesse.  **2.8**

— Não podemos duvidar — replicou nosso amigo, convincente.

— Mas... como?

— Nossa amiga, que amoleceu a fibra da responsabilidade moral no excesso de reconforto, voltará à reencarnação em círculo paupérrimo, recebendo aí, quando novamente mulher jovem, então desprotegida, o filho que ela própria complicou nas antigas fantasias de mulher fútil e rica. Ser-lhe-á, na carência de recursos econômicos, a inspiradora de heroísmo e coragem, regenerando-lhe a visão da vida e purificando-lhe as energias na forja da dificuldade e do sofrimento.

— E vencerão no difícil tentame? — indagou meu companheiro, de novo, evidentemente intrigado.

— A vitória é a felicidade que todos lhes desejamos.

— E se perderem na batalha projetada?

— Decerto — falou o orientador com expressiva inflexão de voz — regressarão em piores condições aos precipícios que nos circundam...

Depois de um sorriso triste, Druso ajuntou:

— Cada um de nós, os Espíritos endividados, renascendo na carne, transporta consigo para o ambiente dos homens uma réstia do Céu que sonha conquistar e um vasto manto do inferno que plasmou para si mesmo. Quando não temos força suficiente para seguir ao encontro do Céu que nos confere oportunidades de ascensão até ele, retornamos ao inferno que nos fascina à retaguarda...

**2.9**  Nosso anfitrião ia continuar; no entanto, um velhinho cambaleante veio até nós e disse-lhe humildemente:

— Ah! meu instrutor, estou cansado de trabalhar nos tropeços daqui!... Há vinte anos carrego doentes loucos e revoltados para este asilo!... Quando terei meu corpo na Terra para descansar no esquecimento da carne, aos pés dos meus?...

Druso afagou-lhe a cabeça e respondeu comovido:

— Não desfaleça, meu filho! Console-se! Também nós, faz muitos anos, estamos presos a esta casa, por injunções de nosso dever. Sirvamos com alegria. O dia de nossa mudança será determinado pelo Senhor.

Calou-se o ancião, de olhos tristes.

Logo após, o orientador fez vibrar pequena campainha e a assembleia se colocou à vontade para a livre conversação.

Um moço de expressão simpática abeirou-se de nós e, depois de saudar-nos afetuosamente, observou inquieto:

— Instrutor amigo, ouvindo-lhe a palavra educativa e ardente, fico a cismar nos enigmas da memória... Por que este olvido para cá da morte física? Se tive existências outras, antes da última, cujos erros agora procuro reparar, por que razão não me lembro delas? Antes de partir para o campo físico, na romagem que me fixou o nome pelo qual hoje respondo, devo ter deixado bons amigos na Vida Espiritual, assim como alguém que, viajando na Terra de um continente para outro, comumente deixa no cais afeições queridas que não o esquecem... Como justificar a amnésia que me não permite recordar os companheiros que devo possuir à distância?

— Bem — ponderou o interpelado, sabiamente —, os Espíritos que na vida física atendem aos seus deveres com exatidão retomam pacificamente os domínios da memória, tão logo se desenfaixam do corpo denso, reentrando em comunhão com os laços nobres e dignos que os aguardam na vida superior, para a continuidade do serviço de aperfeiçoamento e sublimação que lhes diz respeito; contudo, para nós, consciências intranquilas, a morte no veículo carnal não exprime libertação. Perdemos o carro fisiológico, mas prosseguimos atados ao pelourinho invisível de nossas culpas; e a culpa, meu amigo, é sempre uma nesga de sombra eclipsando-nos a visão. Nossas faculdades mnemônicas,[3] ante as nossas quedas morais, assemelham-se, de certo modo, às películas sensíveis do serviço fotográfico que se inutilizam sempre que mantidas em posição imprópria, pela qual se fazem vítimas de lamentáveis perturbações.

O mentor fez breve pausa em suas considerações e continuou: **2.10**
— Imaginemos a mente como um lago. Se as águas se acham pacificadas e límpidas, a luz do firmamento pode retratar-se nele com segurança. Mas se as águas vivem revoltas, as imagens se perdem ao quebro das ondas móveis, principalmente quando o lodo acumulado no fundo aparece à superfície. A rigor, somos aqui, nas zonas inferiores, seres humanos muito distantes da renovação espiritual, não obstante desencarnados.

O consulente escutava-o, visivelmente surpreendido, e dispunha-se a formular interrogações novas ante a pausa que se fizera, mas Druso, antecipando-se-lhe à palavra, acentuou em tom amigo:
— Observe a realidade em si mesmo. A despeito dos estudos a que presentemente se confia e apesar das sublimes esperanças que lhe ocupam agora o coração, seu pensamento vive preso aos sítios e paisagens de que, pela morte, supostamente se desvencilhou. Em pleno caminho da Espiritualidade, você se identifica com as escuras reminiscências que permanecem

---
[3] N.E.: Relativas à memória.

ao longe, no tempo: o lar, a família, os compromissos imperfeitamente solucionados... Tudo isso é lastro, inclinando a sua mente para o mundo físico, onde nossos débitos reclamam sacrifício e pagamento.

**2.11** — É verdade, é verdade... — suspirou o rapaz, compungidamente.

O instrutor prosseguiu:

— Sob a hipnose provocada, nossa memória pode regredir e recuperar-se por momentos. Isso, porém, é um fenômeno de compulsão... E em tudo convém satisfazer à sabedoria da Natureza. Libertemos o espelho da mente que jaz sob a lama do arrependimento e do remorso, da penitência e da culpa, e esse espelho divino refletirá o Sol com todo o esplendor de sua pureza.

Druso ia continuar, mas a chegada de um colaborador impeliu-nos à conclusão do assunto.

# 3
# A intervenção na memória

**3.1**  O novo companheiro que o dirigente da casa nos apresentou como assistente Barreto, exibindo recôndita aflição a sombrear-lhe os olhos, comunicou:
— Instrutor Druso, na Enfermaria Cinco, três dos irmãos recém-acolhidos entraram em crise de angústia e rebeldia...
— Já sei — replicou o interpelado —, é a loucura por telepatia alucinatória. Ainda não se encontram suficientemente fortes para resistir ao impacto das forças perversas que lhes são desfechadas, a distância, pelos companheiros infelizes.
— Que fazer?
— Retire os enfermos normais e aplique na enfermaria os raios de choque. Não dispomos de outro recurso.
Despediu-se o mensageiro, renteando conosco, e outro funcionário já se apresentava, notificando:
— Instrutor, a tela de aviso que não funcionava, em consequência da tormenta agora em declínio, acaba de transmitir

aflitiva mensagem... Duas das nossas expedições de pesquisas estão em dificuldade nos desfiladeiros das Grandes Trevas...
— A posição foi precisamente indicada?
— Sim.
— Conduza os textos recebidos à consideração do diretor de operações urgentes. O auxílio deve ser enviado o mais breve possível.

De inesperado, outro colaborador veio até nós e pediu:
— Instrutor, rogo-lhe providências na solução do caso Jonas. Recolhemos agora um recado de nossos irmãos, cientificando-nos de que a reencarnação dele talvez seja frustrada em definitivo.

Pela primeira vez, notei que o dirigente da Mansão mostrou intensa preocupação no olhar. Patenteando enorme surpresa, indagou do emissário:
— Em que consiste o obstáculo?
— Cecina, a futura mãezinha, sentindo-lhe os fluidos grosseiros, nega-se a recebê-lo. Estamos presenciando a quarta tentativa de aborto, no terceiro mês de gestação, e vimos fazendo o que é possível por mantê-la na dignidade maternal.

Druso esboçou no semblante um sinal de serena firmeza e acentuou:
— É inútil. A jovem mãe aceitá-lo-á segundo os compromissos dela própria. Além disso, precisamos da internação de Jonas, no corpo físico, pelo menos durante sete anos terrestres. Tragam Cecina até aqui, ainda hoje, logo se entregue ao sono natural, para que possamos auxiliá-la com a necessária intervenção magnética.

Outros elementos de serviço vinham chegando e, faminto de esclarecimentos qual me achava, procurei um recanto próximo, em companhia do assistente Silas, a quem crivei de indagações em tom discreto, de modo a não perturbar o recinto.

**3.3**    Quem eram aqueles funcionários? Seria justo que o diretor da casa fosse molestado, assim, com tantas consultas, quando os trabalhos de administração poderiam ser compreensivelmente subdivididos?

O amigo deu-se pressa em elucidar-me, informando que os mensageiros não eram simples tarefeiros, mas condutores de serviço em subchefias determinadas, todos eles assistentes e assessores, cultos e dignos, com enormes responsabilidades, e que somente demandavam a presença de Druso depois de movimentarem todas as providências cabíveis no âmbito da autoridade a eles inerente. O problema não era, pois, de centralização, mas de luta intensiva.

— E aquele caso de reencarnação pendente? — ousei perguntar, respeitoso. — A casa podia opinar com segurança na solução de semelhante assunto?

O interpelado sorriu benevolente e respondeu:

— Para que me faça compreendido, convém esclarecer que, se existem reencarnações ligadas aos planos superiores, temos aquelas que se enraízam diretamente nos planos inferiores. Se a penitenciária vigora entre os homens em função da criminalidade corrente no mundo, o inferno existe, na Espiritualidade, em função da culpa nas consciências. E assim como já podemos contar na esfera carnal com uma justiça sinceramente interessada em auxiliar os delinquentes na recuperação, por meio do livramento condicional e das prisões-escolas, organizadas pelas próprias autoridades que dirigem os tribunais humanos em nome das leis, aqui também os representantes do Amor Divino podem mobilizar recursos de misericórdia, beneficiando Espíritos devedores, desde que se mostrem dignos do socorro que lhes abrevie o resgate e a regeneração.

— Quer dizer — exclamei — que, em boa lógica terrena, e utilizando-me de uma linguagem de que usaria um homem na experiência física, há reencarnações em perfeita conexão com os planos infernais...

— Sim. Como não? Valem como preciosas oportunidades de libertação dos círculos tenebrosos. E como tais renascimentos na carne não possuem senão característicos de trabalho expiatório, em muitas ocasiões são empreendimentos planejados e executados daqui mesmo, por benfeitores credenciados para agir e ajudar em nome do Senhor.

3.4

— E, nesses casos — aduzi —, o instrutor Druso dispõe da necessária delegação de competência para resolver os problemas dessa espécie?

— Nosso dirigente — falou o amigo prestimoso —, como é razoável, não goza de faculdades ilimitadas e esta instituição é suficientemente ampla para absorver-lhe os maiores cuidados. Entretanto, nos processos reencarnatórios, funciona como autoridade intermediária.

— De que modo?

— Duas vezes por semana reunimo-nos no Cenáculo[4] da Mansão e os mensageiros da luz, por instrumentos adequados, deliberam quanto ao assunto, apreciando os processos que a nossa casa lhes apresenta.

— Mensageiros da luz?

— Sim, são prepostos das inteligências angélicas que não perdem de vista as plagas infernais, porque, ainda que os gênios da sombra não o admitam, as forças do Céu velam pelo inferno que, a rigor, existe para controlar o trabalho regenerativo na Terra.

E sorrindo:

— Assim como o doente exige remédio, reclamamos a purgação espiritual, a fim de que nos habilitemos para a vida nas

---

[4] Nota do autor espiritual: Templo íntimo da instituição.

esferas superiores. O inferno para a alma que o erigiu em si mesma é aquilo que a bigorna constitui para o ferro bruto. Purifica e modela convenientemente...

**3.5** O companheiro ia continuar, mas estranho ruído nos tomou a atenção, ao mesmo tempo que um emissário varou uma das portas, situada rente a nós, e, abeirando-se de Druso, anunciou:

— Instrutor, depois de amainada a tormenta, voltou o assalto dos raios desintegrantes...

O orientador esboçou um gesto de preocupação e recomendou:

— Liguem as baterias de exaustão. Observaremos a defensiva, instalados na Agulha de Vigilância.

Em seguida, convidou-nos a acompanhá-lo.

Silas, Hilário e eu seguimo-lo sem hesitar.

Atravessamos vastíssimos corredores e largos salões, em sentido ascendente, até que começamos a subir de maneira direta.

O local conhecido por Agulha de Vigilância era uma torre provida de escadaria helicoidal, algumas dezenas de metros acima do grande e complicado edifício.

No topo, descansamos em pequeno gabinete, em cujo recinto interessantes aparelhos nos facultaram a contemplação da paisagem exterior.

Assemelhavam-se a telescópios diminutos, que funcionavam como lançadores de raios que eliminavam o nevoeiro, permitindo-nos exata noção do ambiente constrangedor que nos cercava, povoado de criaturas agressivas e exóticas, que fugiam, espavoridas, ante vasto grupo de entidades que manobravam curiosas máquinas à guisa de pequenos canhões.

— Estaremos assediados por um exército atacante? — perguntei intrigado.

— Isso mesmo — confirmou Druso, calmamente —; esses ataques, porém, são comuns. Com semelhante invasão, pretendem nossos irmãos infelizes deslocar nossa casa e levar-nos à inércia, a fim de senhorearem a região.

— E aquelas equipagens? Que vêm a ser? — enunciou meu companheiro assombrado. **3.6**

— Podemos defini-las como canhões de bombardeio eletrônico — informou o orientador. — As descargas sobre nós são cuidadosamente estudadas, a fim de que nos atinjam sem erro na velocidade de arremesso.

— E se nos alcançassem? — perguntou meu colega.

— Decerto provocariam aqui fenômenos de desintegração, suscetíveis de conduzir-nos à ruína total, sem nos referirmos às perturbações que estabeleceriam em nossos irmãos doentes, ainda incapazes de qualquer esforço para a emigração, porque os raios desfechados contra nós contêm princípios de flagelação que provocam as piores crises de pavor e loucura.

Não longe de nós, ruído soturno vibrava na atmosfera.

Tínhamos a impressão de que milhares de projéteis invisíveis cortavam o ar violentamente, sibilando a reduzida distância e acabando em estalidos secos, a nos infundirem pavorosa impressão.

Talvez porque Hilário e eu demonstrássemos insofreável espanto, Druso ponderou paternal:

— Estejamos tranquilos. Nossas barreiras de exaustão movem-se com eficiência.

E designou-nos ao olhar assustadiço longa muralha, constituída por milhares de hastes metálicas, cercando a cidadela em toda a extensão, qual se fosse larga série de para-raios habilmente dispostos.

Em todos os lances do flanco atacado, surgiam faíscas elétricas a fulgurarem nos pontos de contato, atraídas pelas pontas a prumo.

O espetáculo, em sua beleza terrível, caracterizava-se, a olho nu, pela cintilação dos contrastes entre a sombra imensa e a luz relampagueante.

**3.7**   — Os conflitos aqui são incessantes — disse-nos o orientador com dignidade serena —; no entanto, temos aprendido nesta Mansão que a paz não é conquista da inércia, mas sim fruto do equilíbrio entre a fé no Poder Divino e a confiança em nós mesmos, no serviço pela vitória do bem.

Nesse instante, porém, um servidor da casa penetrou no recinto e disse:

— Instrutor Druso, conforme as recomendações havidas, o doente recolhido na noite passada foi instalado no gabinete de socorro magnético, aguardando-lhe a intervenção.

— Conseguiu dizer algo?

— Não. Continua apenas com os gemidos periódicos.

— Nenhum indício de identificação?

— Nenhum.

O mentor infatigável convidou-nos a segui-lo, explicando que a operação em perspectiva poderia oferecer importantes elementos de estudo ao trabalho que nos propúnhamos realizar.

A breve trecho de tempo, vimo-nos os quatro numa sala de regulares proporções, que primava pela simplicidade e pelo azul repousante.

Em mesa desmontável, um homem disforme estirava-se em decúbito dorsal, respirando apenas.

Para referir-nos com franqueza à criatura sob nossos olhos, cabe-nos afirmar que o aspecto do infeliz chegava a ser repelente, apesar dos cuidados de que já fora objeto.

Parecia sofrer inqualificável hipertrofia, mostrando braços e pernas enormes. Entretanto, onde o aumento volumétrico do instrumento perispirítico se fazia mais desagradável era justamente na máscara fisionômica, em que todos os traços se confundiam, qual se estivéssemos à frente de uma esfera estranha, à guisa de cabeça.

Seria um homem desencarnado em algum atropelamento 3.8
terrestre, aguardando, ali, o imediato alívio que se deve aos acidentados comuns?

Druso sentiu-nos a pergunta silenciosa e explicou:

— Trata-se de um companheiro, dificilmente identificável, trazido até aqui por uma de nossas expedições socorristas.

— Mas terá sido recentemente liberto do mundo físico? — indagou meu colega, tanto quanto eu, dolorosamente impressionado.

— Por enquanto, não sabemos — elucidou o orientador. — É uma dessas pobres almas que terá deixado o círculo carnal sob o império de terrível obsessão, tão terrível que não terá podido recolher o amparo espiritual das caridosas legiões que operam nos túmulos. Indubitavelmente, largou o corpo denso sob absoluta subjugação mental, caindo em problemas angustiantes.

— Mas por que semelhante calamidade? — inquiriu Hilário, empolgado de assombro.

— Meu amigo — replicou Druso, benevolente —, não será mais justo sondar os motivos pelos quais nos decidimos a contrair débitos assim tão escabrosos?

E, modificando o tom de voz que se fez algo triste e comovedor, aconselhou:

— As regiões infernais estão superlotadas do sofrimento que nós mesmos criamos. Precisamos equilibrar a coragem e a compaixão no mesmo nível, para atender com segurança aos nossos compromissos nestes lugares.

Fitei o irmão desventurado que se mantinha em funda prostração, qual enfermo em estado de coma, e, considerando os imperativos de nosso aprendizado, indaguei:

— Poderemos conhecer a razão da surpreendente deformidade sob nosso exame?

O orientador percebeu a essência construtiva de minha perquirição e respondeu:

**3.9** — O fenômeno, todo ele, é de natureza espiritual. Recorda-se você de que a dor no veículo físico é um acontecimento real no encéfalo, mas puramente imaginário no órgão que supõe experimentá-la. A mente, por meio das células cerebrais, registra a desarmonia corpórea, constrangendo a urdidura orgânica ao serviço, por vezes torturado e difícil, do reajuste. Aqui, também, o aspecto descontínuo ou monstruoso, resulta dos desequilíbrios dominantes na mente que, viciada por certas impressões ou vulcanizada pelo sofrimento, perde temporariamente o governo da forma, permitindo que os delicados tecidos do corpo perispirítico se perturbem, tumultuados, em condições anormais. Em tal situação, a alma pode cair sob o cativeiro de inteligências perversas e daí procedem as ocorrências deploráveis pelas quais se despenha em transitória animalização por efeito hipnótico.

Notei, contudo, que o instrutor, compadecido, não desejava alongar entendimentos que se não reportassem ao socorro devido ao infortunado, e calei-me.

Druso inclinou-se sobre ele com a ternura de alguém que auscultasse um irmão muito amado e anunciou:

— Procuremos ouvi-lo.

Incapaz de conter o assombro que me empolgava, inquiri:

— Ele dorme?

O mentor fez um gesto afirmativo, notificando:

— Nosso desventurado amigo encontra-se sob terrível hipnose. Inegavelmente, foi conduzido a essa posição por adversários temíveis, que, decerto, para torturá-lo, fixaram-lhe a mente em alguma penosa recordação.

— Mas — insisti emocionado — semelhante martírio poderia sobrevir sem razão justa?

— Meu amigo — falou o orientador, expressivamente —, com exceção do caminho glorioso das grandes almas, que elegem no sacrifício próprio o apostolado de amor com que ajudam os companheiros da Humanidade, não se ergue o espinheiro do sofrimento sem as raízes da culpa. Para atingir a miserabilidade em que se encontra, nosso irmão terá acumulado débitos sobremaneira escabrosos.

Em seguida, contrariando-nos qualquer propósito de divagação, acentuou: **3.10**

— Desintegremos as forças magnéticas que lhe constringem os centros vitais e ajudemos-lhe a memória, para que se liberte e fale.

E talvez porque o meu olhar lhe endereçasse mudo apelo a esclarecimento mais amplo, acrescentou:

— Não seria lícito agir à base de hipóteses. É indispensável ouvir os delinquentes e as vítimas, a fim de que, com as informações deles mesmos, saibamos por onde começar a obra de auxílio.

Procurei sopitar inquirições extemporâneas e entreguei-me à expectativa.

Logo após, o assistente, Hilário e eu, de maneira instintiva, estabelecemos uma corrente de oração, sem prévia consulta, e nossas forças reunidas como que fortaleciam o instrutor, que, demonstrando fisionomia calma e otimista, passou a operar magneticamente, aplicando passes dispersivos no companheiro em prostração.

O enfermo reagiu com movimentação gradativa, qual se acordasse de longo sono.

Decorridos alguns minutos, o orientador pousou a destra sobre a cabeça disforme, como se lhe chamasse a memória ao necessário despertamento, e, logo em seguida, o desventurado começou a gemer, revelando o pavor de quem suspira por desvencilhar-se de um pesadelo.

Porque Druso interrompesse a operação, detendo-o nesse estado, Hilário indagou aflito:

**3.11** — Deverá permanecer, então, assim, à beira da vigília, sem reapossar-se de si mesmo?

— Não lhe convém o imediato retorno à realidade — esclareceu o mentor amigo. — Poderia sofrer deplorável crise de loucura, com graves consequências. Conversará conosco, assim qual se vê, com a mente enovelada à ideia fixa que lhe encarcera os pensamentos no mesmo círculo vicioso, a fim de que lhe venhamos a conhecer o problema crucial, sem qualquer distorção.

A palavra do orientador denotava grande experiência na psicologia dos Espíritos vitimados nas trevas.

Depois de nova intervenção do mentor sobre a glote, o infeliz descerrou as pálpebras e, mostrando os olhos esgazeados, começou a bramir:

— Socorro! Socorro!... Sou culpado, culpado!... Não posso mais... Perdão! Perdão!

Dirigindo-se a Druso, e tomando-o decerto por magistrado, exclamou:

— Senhor juiz, senhor juiz!... Até que enfim, posso falar! Deixem-me falar!...

O dirigente da Mansão afagou-lhe a cabeça atormentada e replicou em tom amigo:

— Diga, diga o que deseja.

O rosto do asilado cobriu-se de lágrimas, entremostrando a superexcitação dos sonâmbulos que transformam a própria fraqueza em energia inesperada, e começou a falar compungidamente:

— Sou Antônio Olímpio... o criminoso!... Contarei tudo. Em verdade, pequei, pequei... por isso é justo... que eu sofra no inferno... O fogo tortura minha alma sem consumi-la... É o remorso, bem sei... Se eu soubesse, não teria... cometido a falta... entretanto, não pude resistir à ambição... Depois da morte de meu pai... vi-me obrigado... a partilhar nossa grande fazenda com meus dois irmãos mais novos... Clarindo e Leonel... Trazia, porém, a cabeça... dominada de planos... Pretendia converter a propriedade... que eu administrava... em larga fonte de renda, contudo... a partilha me estorvava... Notei que os manos... tinham ideias diferentes das minhas... e comecei a maquinar o projeto que acabei... executando...

Uma crise de soluços embargou-lhe a voz, mas Druso, amparando-o magneticamente, insistiu:

— Continue, continue...

— Admiti — continuou o enfermo com acento mais firme — que somente poderia ser feliz aniquilando meus irmãos e... quando o inventário estava prestes a decidir-se, convidei-os a passear comigo... de barco... inspecionando grande lago de nosso sítio... Antes, porém, dei-lhes a beber um licor entorpecente... Calculei o tempo que a droga reclamaria para um efeito seguro e... quando a nossa conversação ia acesa... percebendo-lhes os sinais de fadiga... num gesto deliberado desequilibrei a embarcação, em conhecido trecho... onde as águas eram mais fundas... Ah! que calamidade inesquecível!... Ainda agora, escuto-lhes os brados arrepiantes de horror, implorando socorro... mas... de nervos dormentes... a breves minutos... encontraram a morte... Nadei de consciência pesada, mas firme em meus aloucados propósitos... abordando a praia e clamando por auxílio... Com atitudes estudadas, pintei um imaginário acidente... Foi assim que me apossei da fazenda inteira, legando-a, mais tarde, a Luís... o meu filho único... Fui um homem rico e tido por honesto... O dinheiro granjeou-me considerações sociais e privilégios públicos que a política distribui com todos aqueles que se fazem vencedores no mundo... pela sagacidade e pela inteligência... De quando em quando... recordava meu crime... nuvem constante a sombrear-me a consciência... mas... em companhia

**3.12**

de Alzira... a esposa inolvidável... procurava distrações e passeios que me tomassem a atenção... Nunca pude ser feliz... Quando meu filho se fez jovem... minha mulher adoeceu gravemente... e da febre que a devorou por muitas semanas... passou à loucura... com a qual se afogou no lago... numa noite de horror. Viúvo... perguntava a mim mesmo se não estava sendo joguete... do fantasma de minhas vítimas... entretanto... temia todas as referências acerca da morte... e busquei simplesmente gozar a fortuna que era bem minha...

**3.13**     O infeliz entregou-se a larga pausa de repouso, diante de nossa expectativa, continuando logo após:

— Ai de mim, porém!... Tão logo cerrei os olhos físicos... diante do sepulcro... não me valeram as preces pagas... porque meus irmãos que eu supunha mortos... se fizeram visíveis à minha frente... Transformados em vingadores, ladearam-me o túmulo... Atiraram-me o crime em rosto... cobriram-me de impropérios e flagelaram-me sem compaixão... até que... talvez... cansados de me espancarem... conduziram-me a tenebrosa furna... onde fui reduzido ao pesadelo em que me encontro... Em meu pensamento... vejo apenas o barco no crepúsculo sinistro... ouvindo os brados de minhas vítimas... que soluçam e gargalham estranhamente... Ai de mim!... estou preso à terrível embarcação... sem que me possa desvencilhar... Quem me fará dormir ou morrer?...

Como se o término da confissão lhe trouxesse algum descanso, arrojou-se o doente a enorme apatia.

Druso enxugou-lhe o pranto, dirigiu-lhe palavras de consolo e carinho e recomendou ao assistente recolhê-lo à enfermaria especializada e, em seguida, falou-nos pensativo:

— Já sabemos o necessário para estabelecer um ponto de partida na tarefa assistencial. Tornaremos ao caso em momento oportuno.

E acrescentou, cismativo, depois de longa pausa:

— Que Jesus nos ampare.

3.14

Não nos foi possível, contudo, aditar observações, porque um mensageiro vinha comunicar ao instrutor que uma caravana de recém-desencarnados estava prestes a chegar e acompanhamo-lo ao serviço que ele nomeou como "tarefa de inspeção".

# 4
# Alguns recém-desencarnados

**4.1** Atingíramos largo recinto construído à feição de um pátio interior de proporções corretas e amplas.

Tive a ideia de penetrar em enorme átrio, algo semelhante a certas estações ferroviárias terrestres, porque nas acomodações marginais, caprichosamente dispostas, se encontravam dezenas de entidades em franca expectativa.

A dizer verdade, não vi sinais de alegria completa em rosto algum.

Os grupos variados, alguns deles em discreto entendimento, dividiam-se entre a preocupação e a tristeza.

De passagem, podíamos ouvir diálogos diferentes.

Em círculo reduzido, registramos frases como estas:

— Acreditas possa ela, agora, devotar-se à mudança justa?

— Dificilmente. Centralizou-se, por muito tempo, no descontrole da própria vida.

Mais além, escutamos dos lábios de uma senhora que se 4.2
dirigia a um rapaz de agoniado semblante:

— Meu filho, guarde serenidade. Segundo informações do assistente Cláudio, seu pai não virá em condições de reconhecer-nos. Precisará muito tempo para retornar a si.

Em trânsito, não assinalava senão alguns retalhos de conversação como esses.

A certa altura, na praça em movimentação, Druso, generoso, confiou-nos aos cuidados de Silas, mencionando obrigações urgentes que lhe absorveriam a atenção.

Encontrar-nos-íamos no dia seguinte, informou.

A promessa gentil obrigou-me a considerar o aspecto do tempo.

Pela sombra reinante, não poderíamos saber se era dia, se era noite.

Por isso, o grande relógio ali existente, com largo mostrador abrangendo as 24 horas, funcionou aos meus olhos como a bússola para o viajante, deixando-me perceber que estávamos em noite alta.[5]

Sons de campanas invisíveis cortavam agora o ar e, assinalando-nos a curiosidade, Silas esclareceu que a caravana-comboio penetraria no recinto em alguns minutos.

Aproveitei os momentos para indagações que julguei necessárias.

Que espécie de criaturas aguardávamos ali? Recém-desencarnados em que condições? Como se organizaria a caravana-comboio? Vinha diariamente à instituição atendendo a horário certo?

O companheiro que se dispusera a assistir-nos informou que as entidades prestes a entrar integravam uma equipe de

---

[5] Nota do autor espiritual: Reportamo-nos a regiões encravadas nos domínios do próprio globo terrestre, submetidas às mesmas leis que lhe regulam o tempo.

19 pessoas, acompanhadas por dez servidores da casa, que lhes orientavam a excursão, tratando-se de recém-desencarnados em desequilíbrio mental, mas credores de imediata assistência, uma vez que não se achavam em desesperação, nem se haviam comprometido de todo com as forças dominantes nas trevas. Notificou, ainda, que a caravana se constituía de trabalhadores especializados, sob a chefia de um atendente, e que viajavam com simplicidade, sem carros de estilo, apenas conduzindo o material indispensável à locomoção no pesado ambiente das sombras, auxiliados por alguns cães inteligentes e prestimosos.

**4.3**   A Mansão contava com dois grupos dessa natureza.

Diariamente um deles atingia aquele domicílio de reajuste, revezando-se no piedoso mister socorrista.

Entretanto — aclarou —, não possuíam horário certo para a chegada, uma vez que a peregrinação pelos domínios das trevas obedecia comumente a fatores circunstanciais.

Mal terminara o interlocutor e a expedição penetrava o enorme átrio.

Os cooperadores responsáveis estavam aparentemente calmos, evidenciando alguns, entretanto, no olhar, funda preocupação.

Os recolhidos, no entanto, exceção de cinco que vinham de maca, desmemoriados e dormentes, revelavam perturbações manifestas que, em alguns, se expressavam por loucura desagradável, se bem que pacífica.

Enquanto os enfermeiros se desvelavam em ajudá-los, carinhosos e atentos, e os cães se deitavam extenuados, aqueles seres recém-chegados falavam e reclamavam, demonstrando absoluta ausência mental da realidade e provocando piedade e constrangimento.

Silas convidou-nos à movimentação.

Efetivamente, cabia-nos algo fazer na cooperação.

O chefe da caravana aproximou-se de nós e o assistente no-lo apresentou num gesto amigo.

Era o atendente Macedo, valoroso condutor de tarefas socorristas. **4.4**

Afeiçoados e parentes dos recém-vindos cercavam-nos, agora, com expressões de alegria e sofrimento.

Algumas senhoras que vira, antes, em ansiosa expectativa derramavam lágrimas discretas.

Notei que as criaturas recém-desligadas do corpo denso, conturbadas qual se achavam, traziam consigo todos os sinais das moléstias que lhes haviam imposto a desencarnação.

Ligeiro exame clínico poderia sem dúvida favorecer a leitura da diagnose individual.

Dama simpática abeirara-se de uma jovem senhora que vinha amparada pela ternura de uma das enfermeiras da instituição, e, abraçando-a, chorava sem palavras. A moça recém-liberta recebia-lhe os carinhos, rogando comoventemente:

— Não me deixem morrer!... Não me deixem morrer!...

Mostrando-se enclausurada na lembrança dos momentos derradeiros no corpo terrestre, de olhos torturados e lacrimosos, avançou para Silas, exclamando:

— Padre! Padre, deixa cair sobre mim a bênção da extrema-unção; contudo, afasta de minha alma a foice da morte!... Tentei apagar minha falta na fonte da caridade para com os desprotegidos da sorte, mas a ingratidão, praticada com minha mãe, fala muito alto em minha consciência infeliz!... Ah! por que o orgulho me encegueceu, assim tanto, a ponto de condená-la à miséria?!... Por que não possuía eu, há vinte anos, a compreensão que tenho agora? Pobrezinha, meu padre! Lembra-se dela? Era uma atriz humilde que me criou com imensa doçura!... Concentrou em mim a existência... Da ribalta festiva, desceu a rude labor doméstico para conquistar nosso pão... Tinha a sociedade contra ela, e meu pai, sem ânimo de lutar pela felicidade de todos nós, deixou-a arrastar-se na extrema pobreza, acovardado e infiel aos compromissos que livremente assumira...

**4.5**    A infortunada criatura fez ligeiro interregno, misturando as próprias lágrimas com as da nobre matrona que a conchegava de encontro ao peito, e, de mente aprisionada à confissão que fizera *in extremis*,[6] continuou qual se tivesse o sacerdote ao pé de si:

— Padre, perdoe-me, em nome de Jesus; entretanto, quando me vi jovem e senhora do vultoso dote que meu pai me conferira, envergonhei-me do anjo maternal que sobre os meus dias estendera as brancas asas e, aliando-me ao homem vaidoso que desposei, expulsei-a de nossa casa!... Oh! ainda sinto o frio daquela terrível noite de adeus!... Atirei-lhe ao rosto frases cruéis... Para justificar minha vileza de coração, caluniei-a sem piedade!... Pretendendo elevar-me no conceito do homem que desposara, menti que ela não era minha mãe! Apontei-a como ladra comum que me roubara ao nascer!... Lembro-me do olhar de dor e compaixão que ela me lançou ao despedir-se... Não se queixou, nem reagiu... Apenas contemplou-me, tristemente, com os olhos túrgidos de chorar!...

Nessa altura, a dama que a sustentava afagou-lhe os cabelos em desalinho e buscou reconfortá-la:

— Não se excite. Descanse... descanse...

— Ah! que voz é esta? — bradou a moça a desvairar-se de angústia.

E, tateando as mãos afetuosas que lhe acariciavam as faces, exclamou sem vê-las:

— Ó padre, dir-se-ia que ela se encontra aqui, junto de mim!

E, voltando para o alto os olhos apagados e súplices, rogava em pranto:

— Ó Deus, não me deixeis encontrá-la sem que pague os meus débitos!... Senhor, compadecei-vos de mim, pecadora que vos ofendi, humilhando e ferindo a amorosa mãe que me destes!...

---

[6] N.E.: Expressão latina que significa "nos últimos instantes de vida".

Com o auxílio de duas enfermeiras, porém, a simpática **4.6** senhora que a acalentava situou-a em leito portátil e fê-la emudecer, à força de inexcedível ternura.

Percebendo-me a emotividade, Silas, depois de amparar o serviço de acomodação da doente, explicou:

— A dama generosa que a recolheu nos braços é a genitora que veio ao encontro da filha.

— Que nos diz?! — exclamou Hilário, assombrado.

— Sim, acompanhá-la-á carinhosamente, sem identificar-se, para que a pobre desencarnada não sofra abalos prejudiciais. O traumatismo perispirítico vale por muito tempo de desequilíbrio e aflição.

— E por que motivo teria a doente decidido confessar-se dessa maneira? — perguntou meu colega, intrigado.

— É fenômeno comum — elucidou o assistente. — As faculdades mentais de nossa irmã sofredora estagnaram-se no remorso, em razão do delito máximo de sua existência última, e, desde que foi mais intensamente tocada pelas reflexões da morte, entregou-se, de modo total, a semelhantes reminiscências. Por haver cultivado a fé católica romana, imagina-se ainda diante do sacerdote, acusando-se pela falta que lhe maculou a vida...

O espetáculo ferira-me fundo.

A rudeza do quadro que a verdade me oferecia obrigava-me a dolorida meditação.

Não havia, então, males ocultos na Terra!...

Todos os crimes e todas as falhas da criatura humana se revelariam algum dia, em algum lugar!

Silas entendeu a amargura de minhas reflexões e veio em meu socorro, observando:

— Sim, meu amigo, você repara com acerto. A Criação de Deus é gloriosa luz. Qualquer sombra de nossa consciência jaz impressa em nossa vida até que a mácula seja lavada por nós mesmos, com o suor do trabalho ou com o pranto da expiação...

**4.7** E ante os apelos agoniados e afetivos nos reencontros a se processarem, ali, sob nossos olhos, em que filhos e pais, esposos e amigos se reaproximavam uns dos outros, o assistente acrescentou:

— Geralmente a estas plagas de inquietação aportam aqueles que trouxeram mais amplas faixas de inferno em si mesmos e que se cristalizaram em perigosas ilusões, mas a bondade infinita do Senhor permite que as vítimas edificadas no entendimento e no perdão se transformem, felizes, em abnegados cireneus dos antigos verdugos. Como é fácil verificar, o incomensurável amor de nosso Pai Celeste cobre não somente os territórios glorificados do paraíso, mas também as províncias atormentadas do inferno que criamos...

Pobre mulher prorrompeu em choro convulso junto de nós, cortando a palavra de nosso amigo.

De punhos cerrados, reclamava a infeliz:

— Quem me libertará de Satã? Quem me livrará do poder das trevas? Santos anjos, socorrei-me! Socorrei-me contra o temível Belfegor!...

Silas convocou-nos ao amparo magnético imediato.

Enfermeiros presentes acorreram solícitos, impedindo o agravamento da crise.

— Maldito! Maldito!... — repetia a demente, persignando-se.

Invocando o socorro divino por meio da oração, procurei anular-lhe os movimentos desordenados, adormecendo-a pouco a pouco.

Asserenado o ambiente, convidou-nos Silas a sondar-lhe a mente conturbada, agora sob o império de profunda hipnose.

Busquei pesquisar-lhe a desarmonia em rápido processo de análise mental e verifiquei, espantado, que a pobre amiga era portadora de pensamentos horripilantes.

Como que a se lhe enraizar no cérebro, via escapar-lhe do **4.8** campo íntimo a figura animalesca de um homem agigantado, de longa cauda, com a fisionomia de um caprino degenerado, exibindo pés em forma de garras e ostentando dois chifres, sentado numa cadeira tosca, qual se vivesse em perfeita simbiose com a infortunada criatura, em mútua imanização.

Diante da minha pergunta silenciosa, o assistente informou:

— É um clichê mental, criado e nutrido por ela mesma.

As ideias macabras da magia aviltante, quais sejam as da bruxaria e do demonismo que as igrejas denominadas cristãs propagam, a pretexto de combatê-los, mantendo crendices e superstições, ao preço de conjurações e exorcismos, geram imagens como esta, a se difundirem nos cérebros fracos e desprevenidos, estabelecendo epidemias de pavor alucinatório. As inteligências desencarnadas entregues à perversão valem-se desses quadros mal contornados que a literatura feiticista ou a pregação invigilante distribuem na Terra, a mancheias, e imprimem-lhes temporária vitalidade, assim como um artista do lápis se aproveita dos debuxos de uma criança, tomando-os por base dos desenhos seguros com que passa a impressionar o ânimo infantil.

O esclarecimento se me deparava como oportuna chave para a solução de muitos enigmas no capítulo da obsessão, em que os doentes começam atormentando a si mesmos e acabam atormentados por seres que se afinam com o desequilíbrio que lhes é próprio.

Hilário, que observava atentamente o duelo íntimo entre a enferma prostrada e a forma-pensamento que se lhe superpunha à cabeça, falou comovido:

— Lembro-me de haver manuseado, há muitos anos, na Terra, um livro da autoria de Collin de Plancy, aprovado pelo arcebispo de Paris, que trazia a descrição minuciosa de diversos demônios, e creio haver visto, gravada nessa obra, uma figura semelhante à que temos sob nossa direta observação.

**4.9**   Silas adiantou, confirmando:

— Isso mesmo. É o demônio Belfegor, segundo as anotações de Jean Weier, que imprevidentes autoridades da Igreja permitiram se espalhasse nos círculos católicos. Conhecemos o livro a que se refere. Tem criado empecilhos tremendos a milhares de criaturas que inadvertidamente acolhem tais símbolos de Satanás, oferecendo-os a Espíritos bestializados que os aproveitam para formar terríveis processos de fascinação e possessão.

Refletia quanto ao problema dos moldes mentais na vida de cada um de nós, quando o assistente, certo me surpreendendo a indagação, acentuou bem-humorado:

— Aqui, é fácil reconhecer que cada coração edifica o inferno em que se aprisiona, de acordo com as próprias obras. Assim, temos conosco os diabos que desejamos, segundo o figurino escolhido ou modelado por nós mesmos.

O serviço assistencial, porém, exigia cautelosa atenção e, por isso, removemos a enferma para o aposento limpo e bem posto que a esperava.

Decorridos alguns minutos, voltamos ao átrio, então descongestionado e silencioso.

Apenas algumas sentinelas da noite velavam, infatigáveis e atentas.

Os tormentos entrevistos compeliam-me a pensar. Muito já estudara acerca de pensamento e fixação mental; todavia, a angústia daquelas almas recém-desencarnadas me infundia compaixão e quase terror.

Confiei ao amigo que nos acompanhava bondoso, a indefinível tortura de que me via objeto, e o assistente esclareceu com sabedoria:

— Em verdade, estamos ainda longe de conhecer todo o poder criador e aglutinante encerrado no pensamento puro e simples, e, em razão disso, tudo devemos fazer por libertar os entes humanos de todas as expressões perturbadoras da vida íntima. Tudo o que nos escravize à ignorância e à miséria, à preguiça e ao egoísmo, à crueldade e ao crime é fortalecimento da treva contra a luz e do inferno contra o Céu.

**4.10** E talvez porque desejasse ardentemente mais alguma anotação a respeito do transcendente assunto, Silas ajuntou:

— Recorda-se de haver lido alguma memória alusiva às primeiras experiências de Marconi, nos albores do telégrafo sem fio?

— Sim — respondi —, lembro-me de que o sábio, ainda muito jovem, se consagrou ao estudo das observações de Heinrich Hertz, o grande engenheiro alemão que realizou importantes experiências sobre as ondulações elétricas, comprovando as teorias da identidade da transmissão entre a eletricidade, a luz e o calor irradiante, e sei que, certa feita, tomando-lhe o oscilador e conjugando-o com a antena de Popoff e com o receptor de Branly, no jardim da casa paterna, conseguiu transmitir sem fio os sinais do alfabeto Morse. Mas... que tem isso a ver com o pensamento?

O assistente sorriu e falou:

— A referência é significativa para as nossas considerações. Além dela, volvamos à televisão, uma das maravilhas da atualidade terrestre...

E acrescentou:

— Reporto-me ao assunto para lembrar que na radiofonia e na televisão os elétrons que carreiam as modulações da palavra e os elementos da imagem se deslocam no espaço com velocidade igual à da luz, ou seja, a trezentos mil quilômetros por segundo. Ora, num só local podem funcionar um posto de emissão e outro de recepção, compreendendo-se que, num segundo, as palavras e as imagens podem ser irradiadas e captadas simultaneamente, depois de atravessarem imensos domínios do espaço, em fração infinitesimal de tempo. Imaginemos agora o pensamento, força viva e atuante, cuja velocidade supera a da luz. Emitido por nós, volta inevitavelmente a nós mesmos, compelindo-nos a viver, de maneira espontânea, em sua onda de formas criadoras, que naturalmente se nos fixam no Espírito quando alimentadas pelo combustível de nosso desejo ou de nossa atenção. Daí, a necessidade imperiosa de nos situarmos nos ideais mais nobres e nos propósitos mais puros da vida, porque energias atraem energias da mesma natureza, e, quando estacionários na viciação ou na sombra, as forças mentais que exteriorizamos retornam ao nosso Espírito, reanimadas e intensificadas pelos elementos que com elas se harmonizam, engrossando, dessa forma, as grades da prisão em que nos detemos irrefletidamente, convertendo-se-nos a alma num mundo fechado, em que as vozes e os quadros de nossos próprios pensamentos, acrescidos pelas sugestões daqueles que se ajustam ao nosso modo de ser, nos impõem reiteradas alucinações, anulando-nos, de modo temporário, os sentidos sutis.

4.11    E, depois de ligeira pausa, concluiu:

— Eis por que, efetuada a supressão do corpo somático, no fenômeno vulgar da morte, a criatura desencarnada, movimentando-se num veículo mais plástico e influenciável, pode permanecer longo tempo sob o cativeiro de suas criações menos construtivas, detendo-se em largas faixas de sofrimento e ilusão com aqueles que lhe vivem os mesmos enganos e pesadelos.

A explicação não podia ser mais clara.

Calamo-nos, Hilário e eu, dominados por igual sentimento de respeito e reflexão.

Silas percebeu-nos a atitude interior e generosamente convidou-nos ao descanso em que, por algumas horas, conseguiríamos repousar e... pensar.

# 5
# Almas enfermiças

**5.1**   Findo o repouso a que nos dedicáramos, Silas, por inspiração do dirigente da casa, veio convidar-nos a rápido passeio pelos arredores.

Druso, aliás, com semelhante lembrete, atendia-nos ao propósito de algo estudar sobre os princípios de causa e efeito, nas criaturas recém-desencarnadas.

Sabíamos que a morte do corpo denso era sempre o primeiro passo para a colheita da vida e, por isso, não ignorávamos que o ambiente era dos mais favoráveis à nossa investigação construtiva, porque o imenso umbral, à saída do campo terrestre, vive repleto de homens e mulheres que vararam a grande fronteira, em plena conexão com a experiência carnal.

Hilário e eu, alegremente, pusemo-nos no encalço do companheiro que, transpondo conosco largo portão de acesso ao exterior, nos disse bem-humorado, decerto ciente de nossos objetivos:

— Sem qualquer dúvida para nós, que voltamos recentemente da Terra, as províncias infernais, muito mais do que as celestes, são adequadas às nossas pesquisas sobre a Lei de Causa e Efeito, uma vez que o crime e a expiação, o desequilíbrio e a dor fazem parte de nossos conhecimentos mais simples nas lides cotidianas, ao passo que a glória e o regozijo angélicos representam estados superiores de consciência que nos transcendem a compreensão.

E, espraiando o olhar pelos quadros tristes em derredor, acrescentou, reconduzindo a frase a comovente inflexão:

5.2

— Estamos psiquicamente mais perto do mal e do sofrimento... Em razão disso, entendemos sem qualquer discrepância os problemas aflitivos que se multiplicam aqui...

À medida que nos afastávamos, empreendíamos mais vasta penetração na sombra densa, a espessar-se cada vez mais, alumiada, porém, aqui e ali, por tochas mortiças, como se a luz, nos sítios em torno, lutasse terrivelmente para nutrir-se e sobreviver.

Soluços e gritos, imprecações e blasfêmias emergiam da treva.

Compreendemos de relance que o espaço ocupado pela instituição era de forma retangular e que o terreno sob nosso exame se lhe localizava à retaguarda, à maneira de enorme povoação extramuros.

Percebendo-nos a curiosidade e o interesse, o assistente veio ao encontro de nossas indagações, explicando:

— Achamo-nos efetivamente na zona posterior ao nosso instituto, em larga faixa superlotada de Espíritos conturbados e sofredores.

Hilário, que não se via menos surpreendido que eu, observou sem rebuços:

— Mas toda essa gente parece relegada à intempérie. Não seria razoável que a Mansão se estendesse, abarcando-a com o seu amparo e defendendo-a com seus muros?

**5.3**     — Logicamente — respondeu Silas sem alterar-se —, esse plano é o mais desejável; entretanto, estamos à frente de compacta multidão de almas em reajuste. Este imenso conglomerado de criaturas sem o corpo de carne começou num grupo de seres desencarnados que clamavam pelo socorro da Mansão sem os necessários requisitos para recolher-lhe a assistência. Firme na execução do programa que lhe assiste, nossa casa não lhes podia abrir as portas de imediato, em face do desespero e da revolta em que se comprazem, mas também não desdenhava a possibilidade de prestar-lhes a ajuda possível, fora do campo de ação em que vive sediada. Iniciou-se, dessa forma, a presente organização, que, contra a nossa vontade, é um abismo de sofrimento. Aqui se reúnem, de maneira indiscriminada, milhares de entidades, vítimas dos seus pensamentos desvairados e sombrios. Quando superam a crise de perturbação ou de angústia de que são portadoras, o que pode perdurar por dias, meses ou anos, são trazidas à nossa instituição que, tanto quanto possível, evita abrir-se às consciências ainda positivamente encravadas na revolta sistemática.

Talvez porque evocássemos em silêncio os episódios da véspera, lembrando os desencarnados acolhidos no grande asilo, nosso companheiro acrescentou:

— Vocês acompanharam ontem o socorro prestado a um irmão infeliz, seviciado nas trevas, e viram a chegada de sofredores arrebatados à carne, em libertação recentíssima. Contudo, entre os beneficiados, viram Espíritos inconscientes e devedores, mas não insensatos e rebelados.

Depois da observação que, de alguma sorte, nos asserenava a mente inquieta, Hilário indagou:

— E este ambiente, assim tumultuado pelo infortúnio, conta com o amparo de que necessita?

— Sim — aclarou nosso amigo —, muitas criaturas recuperadas na Mansão aceitam aqui preciosas tarefas de auxílio, incumbindo-se da assistência fraterna, em largos setores desta região torturada. Melhoradas lá, trazem para aqui as bênçãos recolhidas, transformando-se em valiosos elementos de serviço de ligação. Com a ajuda delas, a administração do nosso instituto atende a milhares de consciências necessitadas e sabe com segurança quais os irmãos sofredores que se fazem dignos de acesso a nossa casa, após a transformação gradual a que se ajustam. Espalhando-se nos campos de sombra, em pequenos santuários domésticos, aqui continuam a própria restauração, aprendendo e servindo.

— Entretanto — continuou Hilário, curioso —, tão infortunada colônia de almas em desajuste não sofrerá o domínio das inteligências perversas, quais as que vimos ontem no lado oposto a estes sítios? **5.4**

— Sim, os assaltos dessa ordem são aqui constantes e inevitáveis, principalmente em torno das entidades que largaram cúmplices bestializados em antros infernais ou em núcleos de atividades terrestres. Em tais casos, as vítimas de semelhantes feras humanas desencarnadas padecem longos e inenarráveis suplícios, por meio da fascinação hipnótica de que muitos gênios do mal são cultores exímios.

E, depois de ligeira pausa, Silas acentuou:

— São esses alguns dos fenômenos de flagelação compreensível que alguns místicos do mundo, em desdobramento mediúnico, no reino das trevas, classificaram como *vastação purificadora*. Para eles, as almas culpadas, depois da morte, experimentam horríveis torturas por parte dos demônios aclimatados nas sombras.

As informações do assistente, casadas aos gemidos e lamentações que ouvíamos sem cessar, impunham-nos desagradável impressão.

**5.5**    Foi por isso talvez que Hilário, penosamente tocado pelos gritos em torno, interrogou surpreendido:

— Mas por que diz você *flagelação compreensível*?

E, num desabafo:

— Acha justo que tanta gente aqui se aglutine em semelhante desolação?

Silas sorriu, triste, e obtemperou:

— Compreendo-lhe o pesar. Indiscutivelmente, tanta dor reunida não seria justa se não viesse de quantos preferiram no mundo o trato diário com a injustiça. Não é claro, porém, que todos venhamos a colher o fruto da plantação que nos pertence? Na mesma leira de terra dadivosa e neutra, quem acalenta a urtiga recolhe a urtiga que fere, e quem protege o jardim tem a flor que perfuma. O solo da vida é idêntico para nós todos. Não encontraremos aqui, neste imenso palco de angústia, almas simples e inocentes, mas sim criaturas que abusaram da inteligência e do poder, e que, voluntariamente surdas à prudência, se extraviaram nos abismos da loucura e da crueldade, do egoísmo e da ingratidão, fazendo-se temporariamente presas das criações mentais, insensatas e monstruosas, que para si mesmas teceram.

Nossa conversação foi interrompida de imediato, à frente de pequena casa a confundir-se com o nevoeiro, de cujo interior brotava reconfortante jorro de luz.

Cães enormes que podíamos divisar cá fora, na faixa de claridade bruxuleante, ganiam de estranho modo, sentindo-nos a presença.

De súbito, um companheiro de alto porte e rude aspecto apareceu e saudou-nos da diminuta cancela que nos separava do limiar, abrindo-nos passagem.

Silas no-lo apresentou alegremente.

Era Orzil, um dos guardas da Mansão, em serviço nas sombras.

A breves instantes, achávamo-nos na intimidade de 5.6 pouso tépido.

Aos ralhos do guardião, dois dos seis grandes cães acomodaram-se junto de nós, deitando-se-nos aos pés.

Orzil era de constituição agigantada, figurando-se-nos um urso em forma humana.

No espelho dos olhos límpidos mostrava sinceridade e devotamento.

Tive a nítida ideia de que éramos defrontados por um penitenciário confesso, a caminho de segura regeneração.

Na sala estreita e simples, alinhavam-se alguns bancos e, acima deles, salientava-se um nicho ovalado, em cujo bojo havia uma cruz tosca, alumiada por uma candeia estruturada em forma de concha.

Afastou-se Orzil para sossegar os grandes animais menos domesticados, no interior da choupana, e, enquanto isso, o assistente informou-nos:

— É um amigo de cultura ainda escassa que se comprometeu em delitos lamentáveis no mundo. Sofreu muito sob o império de antigos adversários, mas presentemente, após longo estágio na Mansão, vem prestando valioso concurso nesta vasta região em que o desespero se refugia. É ajudado, ajudando. E, servindo com desinteresse e devoção fraternal, não somente se reeduca, como também suavizará o campo da nova existência que o aguarda na esfera carnal, pelas simpatias que vem atraindo em seu favor.

— Vive só? — perguntei, mal sopitando a curiosidade.

— Dedica-se a meditações e estudos de natureza pessoal — comentou Silas, paciente —, mas, como acontece a muitos outros auxiliares, tem consigo algumas celas ocupadas por entidades em tratamento, prestes a serem recebidas em nossa instituição.

Nesse ponto do entendimento, Orzil voltou até nós e o assistente interpelou-o com bondade:

**5.7**   — Como passamos de serviço?
— Muito trabalho, chefe — respondeu ele, humilde. — A tempestade de ontem trouxe imensa devastação. Creio ter havido muito sofrimento nos pântanos.

Percebendo que se referia aos precipícios abismais em que se debatiam milhares de almas infelizes e conturbadas, Hilário perguntou:

— E não será possível atingir semelhantes lugares para aliviar a quem padece?

Nosso novo amigo esboçou dolorosa carantonha de tristeza e resignação, ajuntando:

— Impossível...

Como quem se punha em socorro do companheiro, Silas aduziu:

— Os que se agitam nestas furnas jazem, de modo geral, quase sempre extremamente revoltados e, na insânia a que se entregam, fazem-se verdadeiros demônios de insensatez. É necessário se disponham à conformação clara e pacífica para que, ainda mesmo semi-inconscientes, consigam acolher com proveito o auxílio que se lhes estende aos corações.

E como se quisesse passar à demonstração do que asseverava, convidou-nos a inspecionar as celas próximas.

— Quantos doentes agora internados?

Orzil, atencioso, respondeu sem titubear:

— Temos três amigos em franca situação de inconsciência.

Depois de alguns passos, ouvimos gritaria estentórica.

As acomodações reservadas aos enfermos jaziam ao fundo, à maneira de largos boxes de confortável cavalariça. Essa é a figura mais adequada à nossa tarefa descritiva, porque a construção em si denunciava rusticidade e segurança, naturalmente adstrita aos objetivos de contenção.

À medida que nos acercávamos do refúgio, desagradável **5.8** odor nos afetava as narinas.

Respondendo-nos à inquirição íntima, o assistente salientou:

— Vocês não ignoram que todas as criaturas vivem cercadas pelo halo vital das energias que lhes vibram no âmago do ser e esse halo é constituído por partículas de força a se irradiarem por todos os lados, impressionando-nos o olfato, de modo agradável ou desagradável, segundo a natureza em que se expressam. Assim sendo, qual ocorre na própria Terra, cada entidade aqui se caracteriza por exalação peculiar.

— Sim, sim... — confirmamos Hilário e eu, simultaneamente.

Entretanto, o cheiro alarmante de carne em decomposição era para nós, ali, um acontecimento excepcional.

Silas percebeu-nos a estranheza e endereçou interrogativo olhar ao encarregado daquele oratório de purgação, o qual informou presto:

— Temos conosco o irmão Corsino, cujo pensamento continua enrodilhado ao corpo sepulto, de maneira total. Enredado à lembrança dos abusos a que se entregou na carne, ainda não conseguiu desvencilhar-se da lembrança daquilo que foi, trazendo a imagem do próprio cadáver à tona de todas as suas recordações.

Silas não teceu qualquer comentário novo, porque atingíamos, de chofre, o primeiro abrigo, cuja porta gradeada nos deixava contemplar, lá dentro, um homem envelhecido, de cabeça pendida entre as mãos e a clamar:

— Chamem meus filhos! Chamem meus filhos...

— É o nosso irmão Veiga — disse Orzil, prestimoso. — Mantém fixa a ideia na herança que perdeu ao desencarnar: vasta quantidade de ouro e bens que passou à propriedade dos filhos, três rapazes que concorrem no mundo ao melhor e maior quinhão, prevalecendo-se, para isso, de juízes venais e rábulas[7] inconsequentes.

**5.9** Acostados agora aos varais da porta, Silas recomendou-nos observar com atenção mais detida o ambiente que formava a psicosfera do enfermo.

Efetivamente, de minha parte percebi quadros que surgiam e desapareciam, fugazes, semelhantes às figurações efêmeras que se desprendem, silenciosas, dos fogos de artifício.

Desses painéis que se avivavam e se apagavam ao mesmo tempo, transpareciam três jovens, cujas imagens passageiras vagueavam entre documentos esparsos, cédulas e cofres refertos de valores, como que pincelados no ar com tinta tenuíssima, que se adelgaçava e se recompunha sucessivamente.

Compreendi que registrávamos as formas-pensamentos criadas pelas reminiscências do nosso amigo que, decerto, na situação em que se nos apresentava, não podia, de momento, senão viver o seu drama íntimo, tal a insistência da fixação mental em que se encarcerava.

Amparado evidentemente pelas vibrações de auxílio que o assistente lhe enviava, segundo percebi, esfregou os olhos como quem buscava liberar-se de garoa imperceptível e assinalou-nos a presença. Avançou de um salto para nós e, apoiando-se nas grades que nos separavam, gritou, dementado:

— Quem sois? Juízes? Juízes?...

E derramou-se em lamúrias que nos tocavam o coração:

— Lutei por 25 anos para reaver a herança que me cabia por morte de meus avós... E, quando a vi nas mãos, a morte me arrebatou ao corpo, sem piedade... Não me resignei a essa injunção e permaneci em minha velha casa... Desejava, pelo menos, acompanhar a partilha do espólio que me interessava, mas meus

---

[7] N.E.: Advogados que se utilizam de astúcia e má-fé para enredar as questões; pessoas que advogam sem serem formadas em Direito.

rapazes amaldiçoaram-me a influência, impondo-me, a cada passo, frases venenosas e hostis... Não satisfeitos com as agressões mentais que me infligiam, começaram a perseguir minha segunda esposa, que lhes foi mãe em vez de madrasta, administrando-lhe tóxicos por medicação inocente, até que a pobrezinha foi internada numa casa de loucos, sem esperança de recuperação... Tudo por causa do nosso rico dinheiro que os malandros querem pilhar... Diante de tal injustiça, pensei suplicar o favor dos seres que povoam as trevas, porque somente os gênios do mal devem ser os fiéis executores da grande vingança...

Tentou enxugar as lágrimas de desespero e acrescentou: **5.10**

— Dizei-me!... Por que motivo terei alimentado infelizes ladrões, julgando acariciar filhos de minha alma? Casei-me quando moço, acalentando sonhos de amor, e gerei espinheiros de ódio!...

E como a voz de Silas se fez ouvir, rogando calma, o infortunado vociferou, desabrido:

— Nunca, nunca perdoarei!... Recorri aos infernos sabendo que os santos me aconselhariam conformidade e sacrifício... Quero que os demônios torturem meus filhos, tanto quanto meus filhos me torturam...

Transformando o choro convulso em gargalhadas estridentes, passou a bradar:

— Meu dinheiro, meu dinheiro, exijo meu dinheiro!

O assistente voltou-se para Orzil e considerou, compadecido:

— Sim, por agora a situação de nosso amigo é demasiado complexa. Não pode ausentar-se da grade, sem prejuízo.

Deixamos o doente imprecando contra nós, de punhos cerrados, e abeiramo-nos de outra cela.

Ante a palavra de Silas, que nos recomendava observar o quadro em foco, fitamos o novo enfermo, um homem profundamente triste, sentado ao fundo da prisão, de cabeça pendida entre as mãos e de olhos fixos em parede próxima.

5.11 Seguindo-lhe a atenção no ponto que concentrava os seus raios visuais, a modo de espelho invisível retratando-lhe o próprio pensamento, vimos larga tela viva em que se destacava enluarada rua de grande cidade, e, na rua, conseguimos distingui-lo no volante de um carro, perseguindo um transeunte bêbado até matá-lo, sem compaixão.

Achávamo-nos diante de um homicida preso a constrangedores quadros mentais que o encerravam em punitivas recordações.

Notava-se-lhe a intraduzível angústia, entre o remorso e o arrependimento.

A leve chamado de Silas, despertou como fera roubada à quietação do sono.

Instintivamente precipitou-se sobre nós, num salto espetaculoso que a enxovia[8] conteve, e bramiu:

— Não há testemunhas... Não há testemunhas!... Não fui eu quem atropelou o infeliz, não obstante o odiasse com razão... Que pretendem de mim? Denunciar-me? Covardes! Espreitavam, então, a rua morta?

Não respondemos.

Silas, após fitá-lo compadecido, falou:

— Deixemo-lo. Está completamente enleado às recordações do crime que cometeu, crendo continuar, depois da morte, a escarnecer da justiça.

Hilário, estupefato, interferiu, ponderando:

— Naquele doente que vimos cercado pela figura de três mancebos, e neste companheiro que contempla uma cena de morte...

---

[8] N.E.: Parte térrea ou subterrânea das prisões, úmida e escura, que, outrora, abrigava os presos por crimes graves ou de alta periculosidade.

Nosso amigo apreendeu-lhe o pensamento e completou-lhe a anotação, asseverando:   5.12

— Vimos dois irmãos infelizes, vivendo entre as imagens mantidas por eles mesmos, por meio da força mental com que as alimentam.

Nesse instante, alcançávamos o terceiro cubículo, em que um homem feridento esvurmava[9] as feias chagas, usando as próprias unhas.

A atmosfera francamente pestilencial exigia enorme disciplina contra a eclosão de nossas náuseas.

Assinalando-nos a presença, avançou para nós, clamando amargamente:

— Compadecei-vos de mim! Sois médicos? Atendei-me por Amor de Deus! Vede os detritos em que me apoio!...

Voltei-me, de imediato, para o chão, seguindo-lhe os gestos, e notei, efetivamente, que o mísero se movimentava num montão de sujeira, coberto por filetes de sangue podre.

Somente depois de mais ampla atenção, averiguei que o quadro repugnante era constituído pelas emanações mentais do companheiro infeliz sob nossos olhos.

— Doutores — continuou ele, em tom de súplica —, há quem diga que roubei dos outros a fim de satisfazer meus vícios no alcoice[10] que eu frequentava... Mas é mentira, é mentira!... Juro-vos que morava no bordel por espírito de caridade... As mulheres desditosas requeriam defesa... Auxiliei-as quanto pude... Ainda assim, adquiri, junto delas, a enfermidade que me aniquilou o corpo físico e que ainda me empesta a respiração, convertendo-se aqui em meu próprio hálito!... Socorrei-me por quem sois!... Socorrei-me por quem sois!...

---

[9] N.E.: Esvurmar – espremer pus de algo.
[10] N.E.: Casa de prostituição.

**5.13**     A repetição dos rogos, contudo, derramava-se em tom imperativo, como se as palavras humildes do petitório fossem apenas o disfarce de uma ordem tiranizante.

O assistente convidou-nos à retirada e explicou:

— É um antigo e inveterado gozador que despendeu em prazeres inúteis largos recursos que lhe não pertenciam. Por muito tempo ainda, a mente dele oscilará entre a irritação e o desencanto, nutrindo o ambiente horrível de que se fez o fulcro desequilibrado.

De regresso ao tugúrio de Orzil, perguntei sem preâmbulos:

— Nossos irmãos doentes, desse modo, estarão segregados, até que se renovem?

— Perfeitamente — aclarou Silas, bondoso.

— E que devem fazer para atingir a melhora necessária? — indagou Hilário com insofreável assombro.

Nosso amigo sorriu e obtemperou:

— O problema é de natureza mental. Modifiquem as próprias ideias e modificar-se-ão.

Entregou-se a ligeira pausa, mostrou novo brilho no olhar percuciente e acentuou com segurança:

— Isso, porém, não é tão fácil. Consagram-se vocês, presentemente, a estudos especiais dos princípios de causa e efeito. Fiquem, pois, sabendo que nossas criações mentais preponderam fatalmente em nossa vida. Libertam-nos quando se enraízam no bem que sintetiza as Leis divinas, e encarceram-nos quando se firmam no mal, que nos expressa a delinquência responsável, enleando-nos por essa razão ao visco sutil da culpa. Afirma velho aforismo popular na Terra que "o criminoso volta ao local do crime". Daqui podemos asseverar que, mesmo desfrutando a possibilidade de ausentar-se da paisagem do crime, o pensamento do criminoso está preso ao ambiente e à própria substância da falta cometida.

E, reparando em nossa perplexidade, acrescentou:  5.14

— Recordemos, ainda, o pensamento, atuando à feição de onda, com velocidade muito superior à da luz, e lembremo-nos de que toda mente é dínamo gerador de força criativa. Ora, sabendo que o bem é expansão da luz e que o mal é condensação da sombra, quando nos transviamos na crueldade para com os outros, nossos pensamentos, ondas de energia sutil, de passagem pelos lugares e criaturas, situações e coisas que nos afetam a memória, agem e reagem sobre si mesmos, em circuito fechado, e trazem-nos, assim, de volta, as sensações desagradáveis, hauridas ao contato de nossas obras infelizes. Estudamos três tipos de almas que deixaram na existência última somente quadros tristes e lamentáveis, nos quais não dispõem de atenuantes que lhes empalideçam as faltas indiscutíveis. Os filhos do nosso amigo que sofre a fixação de usura não receberam dele quaisquer recursos de educação dignificante que os habilitem a ajudá-lo, quando visitados pelas ondas do pensamento paternal, que voltam ao centro de origem carregadas pelos princípios mentais de ódio e egoísmo dos jovens litigantes. Nosso irmão que padece a fixação de remorso, não tendo expiado nos cárceres da justiça humana o crime que perpetrou deliberadamente, recolhe, de retorno, as ondas de pensamento que emite, sem qualquer auxílio que lhe amenize o arrependimento doloroso; e o nosso companheiro que se detém no vício reabsorve as ondas de seu próprio campo mental, acumuladas de fatores deprimentes, que a elas se incorporam nos lugares por onde passam, restituídas a ele mesmo com multiplicados elementos de corrupção.

Diante de nosso espanto, o assistente inquiriu:
— Compreenderam?
Sim, havíamos entendido...
Sob forte emoção, Hilário considerou:

**5.15**  — Agora percebo com mais clareza o benefício concreto da oração e da piedade, da simpatia e do socorro que, na Terra, deveríamos dispensar, sinceramente, aos chamados mortos...

— Sim, sim... — respondeu Silas, prestimoso — todos estamos ligados uns aos outros, na carne e fora da carne, e achamo-nos livres ou prisioneiros, no campo da experiência, segundo as nossas obras, por meio dos vínculos de nossa vida mental. O bem é a luz que liberta, o mal é a treva que aprisiona... Estudando as leis do destino, é preciso atentar para semelhantes realidades indefectíveis e eternas.

Calamo-nos, preocupados e meditativos.

Em razão disso, nosso regresso à Mansão, depois de breve repouso na choupana de Orzil, foi consagrado à meditação e ao silêncio acerca das preciosas lições colhidas.

# 6
# No círculo de oração

**6.1**   Na terceira noite de nossa permanência na casa, o instrutor Druso convidou-nos para o círculo de oração.

Silas explicava-nos, generoso, que teríamos oportunidade para interessantes estudos.

O serviço da prece em conjunto, duas vezes por semana, era realizado na Mansão em local próprio e, no decurso das atividades que lhe eram afetas, materializavam-se, habitualmente, um ou outro dos orientadores que, de esferas mais altas, superintendiam a instituição.

Nessas ocasiões, Druso e os assessores mais responsáveis recolhiam ordens e instruções variadas, atinentes aos numerosos processos de serviço em movimento. Questões eram respondidas, providências de trabalho eram, com segurança, indicadas. E, decerto, mesmo nós, adventícios no estabelecimento, poderíamos apresentar qualquer dúvida ou indagação para esclarecimento oportuno.

Regozijei-me.

Hilário, algo preocupado, inquiriu se devíamos obedecer a **6.2** algum programa especial, informando o assistente que nos cabia apenas manter no santuário próximo o coração e a mente escoimados de quaisquer ideias ou sentimentos indignos da reverência e da confiança que nos compete dedicar à Providência Divina e incompatíveis com a fraternidade que devemos sinceramente uns aos outros.

Vali-me de alguns instantes rápidos e roguei a inspiração de Jesus para que a minha presença não fosse motivo de perturbação no ambiente amigo que se propunha acolher-nos.

Logo após, seguindo o companheiro, Hilário e eu tivemos acesso a uma sala simples, em que Druso nos recebeu sorridente e bondoso.

Vasta mesa, ladeada de poltronas modestas em que se acomodavam dez pessoas simpáticas, sete mulheres e três homens, apresentava cabeceira ampla, pondo em destaque a grande poltrona em que o diretor da casa se sentaria.

Do outro lado, à nossa frente, surgia larga tela translúcida, medindo aproximadamente seis metros quadrados.

Fora do círculo de pessoas que evidentemente emprestariam cooperação mais ampla à tarefa em perspectiva, achavam-se três assistentes, cinco enfermeiros, duas senhoras de aspecto humilde, Silas e nós.

Dispúnhamos, ainda, de tempo para a conversação edificante e discreta.

Aproveitei o ensejo para indagar do prestimoso amigo quanto às funções dos dez companheiros que se formalizavam, em derredor do chefe da casa, como a lhe sustentarem o pensamento.

Silas não se fez rogado e aclarou de pronto:

— São amigos nossos que aprimoraram condições mediúnicas favoráveis à realização dos serviços a se desdobrarem aqui. Colaboram com fluidos vitais e elementos radiantes, altamente sublimados, de que os nossos Instrutores se servem com eficiência para se manifestarem.

**6.3** Admirado, meu colega considerou:

— Podemos interpretá-los como santos em atividade na Mansão?

— De modo algum — obtemperou Silas, bem-humorado. — São trabalhadores prestimosos. Tanto quanto nós, padecem ainda a pressão de reminiscências perturbadoras do plano físico, carreando consigo as raízes dos débitos que adquiriram no passado, para o justo resgate em porvir talvez próximo, na reencarnação. Ainda assim, pela disciplina a que se afeiçoam no devotamento aos semelhantes, conquistam simpatias providenciais que funcionam à maneira de valores expressivos a lhes atenuarem dificuldades e provas nas lutas porvindouras.

— Isto quer dizer...

A palavra reticenciosa de Hilário, no entanto, ficou no ar, uma vez que o nosso amigo, apreendendo-lhe a inquirição, asseverou, otimista:

— Sim, isso quer dizer que, nas zonas infernais, também dispomos de preciosas oportunidades de trabalho, não somente vencendo as aflições purgatoriais que estabelecemos em nós mesmos, como também preparando novos caminhos para o céu interior que devemos edificar.

O ensinamento resumia imensas consolações para nós.

A essa altura do entendimento, Hilário centralizou a atenção nas duas damas presentes, cuja apresentação exterior demonstrava singular diferença do meio a que nos ajustávamos, pela extrema tristeza que lhes senhoreava a fisionomia, e perguntou respeitoso:

— Meu caro Silas, quem são essas irmãs nossas que, francamente, se distanciam do tom psíquico aqui reinante?

O interpelado sorriu e informou:

— São irmãs que, por mérito em serviço, receberam o direito de partilhar a reunião de hoje, de modo a suplicarem auxílio na solução dos problemas que lhes tocam a alma de perto. Conheço-as pessoalmente. São mulheres desencarnadas que primam pela abnegação, atuando em socorro de Espíritos familiares que sofrem nestas regiões as duras consequências dos delitos a que se entregaram imprevidentes.

**6.4**

Após lhes dirigir um olhar fraterno, aduziu:

— Madalena e Sílvia desposaram na existência última dois irmãos consanguíneos que se odiaram terrivelmente, desde a mocidade até à morte, e, em razão dessas desavenças, cometeram erros deliberados e clamorosos nos setores da política regional em que estiveram situados. Nutriram vastas sementeiras de egoísmo e discórdia, impedindo o progresso da coletividade que lhes cabia servir e alimentando a cizânia e a crueldade entre os companheiros que lhes abraçavam os pontos de vista. Muitos crimes foram postos em execução, incitados por eles ambos, que estimavam acalentar a discórdia incessante entre os consócios de arregimentação partidária, e, por essa razão, expiam nas linhas inferiores do sofrimento os delitos de lesa-fraternidade que praticaram contra si próprios.

Pretendia indagar em que consistiam as provações dos amigos infortunados a que nos referíamos, mas a palavra de Druso se fez ouvida, concitando-nos à necessária preparação.

Certamente ajuizando quanto às faltas involuntárias em que poderíamos incorrer, pediu para que nós outros, os que partilhávamos a prece, ali, pela primeira vez, guardássemos plena abstenção de pensamentos menos dignos, abolindo quaisquer recordações desagradáveis, para que não se verificassem interferências na *câmara cristalina*, nome pelo qual designou o grande espelho à nossa frente, durante a manifestação do venerável mensageiro, cuja visita aguardava.

**6.5**    Explicou que as forças associadas dos médiuns presentes caracterizar-se-iam por extremo poder plástico e que uma simples ideia nossa, incompatível com a dignidade do recinto, poderia materializar-se, criando imagens impróprias, não obstante temporárias, na face do aparelho sob nossa vista.

Convidados finalmente pelo generoso diretor a externar qualquer dúvida ou preocupação que nos assomassem à mente, perguntei se poderíamos apresentar uma ou outra indagação ao emissário prestes a chegar, ao que ele assentiu plenamente, recomendando-nos, porém, conservar em qualquer assunto a nobreza espiritual de quem se consagra ao bem de todos, sem se deter em perquirições ociosas, alusivas às estreitas inquietações da esfera particular.

Logo após, avisou que, por meio de dispositivos especiais, todos os recursos dos medianeiros presentes seriam concentrados na câmara que, daquele minuto em diante, estaria sensibilizada para os misteres da hora em curso.

Brando silêncio passou a reinar sobre nós.

Em atitude respeitosa e expectante, o diretor da instituição ergueu-se e orou comovidamente:

*Mestre Divino, digna-te abençoar-nos a reunião nesta casa de paz e serviço.*

*Por tua Bondade, em nome do Infinito Amor de nosso Pai Celeste, recebemos a sublime dádiva do trabalho regenerador.*

*Somos, porém, nestas regiões atormentadas, vastas falanges de Espíritos extraviados no sofrimento expiatório, depois dos crimes impensados em que chafurdamos a nossa consciência.*

*Apesar de prisioneiros, agrilhoados às penas que geramos para nós mesmos, saudamos-te a glória divina, tocados de reconforto.*

*Concede-nos, Senhor, a assistência de teus abnegados e sublimes embaixadores, a fim de que não desfaleçamos nos bons propósitos.*

*Sabemos que, sem o calor de tuas mãos compassivas, nos fenece* **6.6**
*a esperança, à maneira de planta frágil sem a bênção do Sol!...*
*Mestre, somos também tutelados teus, embora permaneçamos no cárcere de clamorosas defecções, suportando as lamentáveis consequências de nossos crimes.*
*Destes lugares tenebrosos e ermos, partem angustiosos gemidos, em busca de tua piedade incomensurável... Somos nós, os calcetas da penitência, que, muitas vezes, soluçamos desarvorados, suspirando pelo retorno à paz... Somos nós, os homicidas, os traidores, os ingratos e perversos trânsfugas das Leis Divinas, que recorremos à tua intercessão, para que as nossas consciências, em purgação dolorosa, se depurem e reergam ao teu encontro!*
*Compadece-te de nós, que merecemos as dores que nos retalham os corações! Ajuda-nos para que a aflição nos seja remédio salutar e socorre os nossos irmãos que, nas trevas destes sítios, se entregam à irresponsabilidade e à indisciplina, dificultando sua própria regeneração, por multiplicarem as lavas de desespero que vertem, arrasadoras, de suas almas!...*

Nesse ponto da rogativa, Druso fez longa pausa para enxugar as lágrimas que lhe transbordavam dos olhos.

A inflexão de suas palavras, repletas de dor, como se ele próprio fosse ali um Espírito recluso em padecimentos amargos, impressionava-me vivamente. Não conseguia desviar dele a atenção. Incoercível emotividade constringia-me o peito e o pranto jorrou-me, irresistível.

— *Confiaste-nos, Senhor* — prosseguiu ele, compungido —, *a tarefa de examinar os problemas dos irmãos desventurados que nos batem à porta... Somos, assim, compelidos a sondar-lhes o infortúnio para, de algum modo, encaminhá-los ao reajuste. Não permitas, ó Eterno Benfeitor, que nosso coração se enrijeça, ainda mesmo diante da suprema perversidade!... Não desconhecemos que as moléstias da alma são mais aflitivas e mais graves que as doenças da carne... Enche--nos, desse modo, de infatigável compaixão para que sejamos fiéis instrumentos de teu Amor!*

**6.7** *Permite que teus prepostos nos amparem as decisões nos compromissos por assumir.*
*Não nos relegues à fraqueza que nos é peculiar.*
*Dá-nos, Cristo de Deus, a tua inspiração de Amor e Luz!*

Nesse instante, ainda mesmo que o tom de voz não anunciasse o fim da oração, o generoso amigo não conseguiria continuar, porque a emoção lhe estrangulava a prece na garganta.

Todos chorávamos, contagiados por suas lágrimas abundantes...

Quem era Druso, afinal, para entregar-se daquele modo à oração, como se ele próprio fosse, entre nós, o maior dos torturados?

Não tive tempo para estender qualquer consideração, porquanto, respondendo ao apelo ardente que ouvíramos, extensa massa de vaporosa neblina cobriu a face do espelho próximo. Fixei-a, admirado, e pareceu-me identificar largo floco de névoa primaveril a distender-se alva e móvel.

Extáticos e felizes, vimos emergir da leitosa nuvem a figura respeitável de um homem aparentemente envelhecido na forma, revelando, porém, a mais intensa juvenilidade no olhar.

Vasta auréola de safirino esplendor coroava-lhe os cabelos brancos que nos infundiam inexcedível respeito, a derramar-se em sublimes cintilações na túnica simples e acolhedora que lhe velava o corpo esguio. No semblante nobre e calmo, vagava um sorriso que não chegava a fixar-se. Após um minuto de silenciosa contemplação, levantou a destra, que despediu grande jorro de luz sobre nós, e saudou:

— A paz do Senhor seja conosco!  6.8

Havia tanta doçura e tanta energia, tanto carinho e tanta autoridade naquela voz que procurei manter o melhor governo das emoções para não cair de joelhos.

— Ministro Sânzio — exclamou Druso, reverente —, bendita seja a sua presença entre nós.

A claridade a irradiar-se do venerável visitante e a dignidade com que se nos revelava impunham-nos fervoroso respeito; entretanto, como querendo desfazer a impressão de nossa inferioridade, o ministro, surpreendentemente materializado, mantendo o campo vibratório em que nos encontrávamos, avançou para nós, estendeu-nos as mãos num gesto paternal e colocou-nos à vontade.

— Não desejava cerimônias — acrescentou, entre afetuoso e convincente.

Em seguida, demonstrando o valor das horas, recomendou ao diretor apresentasse os processos em estudo.

Com admiração, vi Druso exibir os documentos solicitados: 22 fichas de largo tamanho, cada qual condensando a síntese das informações necessárias ao socorro de 22 entidades, recentemente internadas na instituição.

Naquele momento, não pude ensaiar qualquer pergunta direta; todavia, mais tarde, Silas me esclareceu que Sânzio, investido nas elevadas funções de ministro da Regeneração, tinha grandes poderes sobre aquela casa de reajuste, com o direito de apoiar ou determinar qualquer medida referente à obra assistencial em benefício dos sofredores, podendo homologar e ordenar providências de segregação e justiça, reencarnação e banimento.

O emissário, atento, examinou todos os autos ali expressos em rápidas súmulas, das quais transpareciam não apenas informes escritos, mas também microfotografias e recursos de identificação que lembram os elementos dactiloscópicos da Terra, aceitando ou não as sugestões de Druso, depois de ligeiras considerações acerca de cada caso particular, apondo em cada ficha o selo que lhe assinalava a responsabilidade das decisões.

6.9     Adventícios no ambiente, sentíamo-nos estranhos a todos os estudos e deliberações efetuados, menos, porém, quanto ao derradeiro processo em lide, que se reportava justamente a Antônio Olímpio, o internado da véspera, a cujo despertar assistíramos.

A presteza com que os dados do ex-fazendeiro haviam sido relacionados era de causar o maior espanto.

Convidados pelo instrutor a compulsá-los, porque percebia ele a importância de que o assunto se revestia para nós, Hilário e eu reconhecemos-lhe o retrato e a legitimidade das declarações que prestara sob a influência magnética a que fora submetido.

Interessando-nos vivamente pela solução do problema, ouvimos a palavra do ministro, que concordava com o parecer da casa quanto à conveniência de socorro imediato ao irmão infeliz e breve reencarnação dele no círculo em que delinquira, a fim de restituir aos irmãos espoliados os sítios de que haviam sido expulsos. Acentuou, contudo, que o criminoso, conforme as alegações dele mesmo, não desfrutava qualquer atenuante das culpas que lhe eram imputadas.

Antônio Olímpio — concordou o dirigente da casa — vivera para si, entregue a desvairada egolatria. Não conhecera senão as suas conveniências. Conservara no mundo o dinheiro e o tempo, sem benefícios para ninguém que não fosse ele próprio. Isolara-se em prazeres perniciosos e, por isso, não trouxera ao campo espiritual a gratidão alheia funcionando em seu favor, porquanto, em matéria de apoio afetivo, dispunha somente da simpatia a nascer no quadro diminuto em que se lhe encerrava o estreito mundo familiar. Era, pois, um companheiro realmente complexo, com extremas dificuldades para ser auxiliado no retorno à experiência física.

O magnânimo mensageiro, entretanto, recordou que a esposa e o filho lhe eram devedores de insuperável carinho. Esses dois corações surgiam, ali, segundo a Lei, como valores benéficos para o delinquente, porque todo bem realizado, com quem for e seja onde for, constitui recurso vivo atuando em favor de quem o pratica.

Resumindo as conclusões suscitadas, notificou à pequena assembleia que pediria o comparecimento da irmã Alzira, para que se manifestasse com alusão às medidas em andamento, abstendo-se de qualquer apelo imediato ao irmão Luís, o filho favorecido pela fortuna indébita, por encontrar-se internado no corpo físico, apelo esse que somente se justificaria em condições excepcionais.

Confiou-se o ministro à prece silenciosa e, respondendo-lhe à petição, notamos que a tênue matéria justaposta ao espelho se movimentava, de leve, dando passagem agora a uma figura suave de linda mulher.

A irmã Alzira revelava-se-nos ao olhar.

Parecia integrada na experiência da hora em curso, porquanto não demonstrava qualquer surpresa.

Saudou-nos com graciosa gentileza e, às primeiras interpelações de Sânzio, respondeu humilde:

— Venerável benfeitor, compreendo a difícil posição de meu antigo companheiro nos compromissos assumidos e ofereço-me de boa vontade para coadjuvar-lhe o serviço restaurador. Aliás, venho suspirando por essa possibilidade que significa para mim valiosa bênção. Antônio Olímpio terá sido um carrasco dos próprios irmãos, aniquilando-lhes o corpo para usurpar-lhes os haveres; contudo, para meu filho e para mim foi sempre um amigo e um protetor, abnegado e queridíssimo. Ajudá-lo a reerguer-se, para a minha alma, não é apenas dever, mas também inexprimível felicidade...

6.11 O ministro fitou-a satisfeito, como se não lhe esperasse outra resposta, e ponderou:

— Sabes, no entanto, que os irmãos assassinados perseveram no ódio e perseguiram-no, até agora, sem tréguas...

— Sim, sei tudo isso — aclarou a simpática senhora —; conheço-lhes o poder vingador... Arrebataram meu esposo da quietação do túmulo para se saciarem no desforço terrível e nunca me permitiram qualquer aproximação com ele, no vale de trevas em que se demoram por tantos anos... Além disso, ressarcindo meus débitos do passado, sucumbi por minha vez às mãos deles dois, em tremenda obsessão, no mesmo lago em que perderam o corpo físico. Isso, porém, não é motivo para recuo. Estou pronta para o serviço em que possa ser útil.

Meditou Sânzio alguns instantes rápidos e aduziu:

— A recuperação de Olímpio, para a reencarnação, exigirá tempo. Contudo, podes, com o auxílio deste pouso, iniciar a obra socorrista...

E, à frente da atitude expectante da esposa abnegada, continuou:

— As vítimas de ontem, hoje transformadas em verdugos enrijecidos, moram na herdade[11] que lhes foi arrebatada pelo irmão fratricida, alimentando o ódio contra os seus descendentes e conturbando-lhes a vida. É necessário que vás em pessoa suplicar-lhes melhores disposições mentais para que se habilitem ao amparo de nossa organização, preparando-se para o renascimento físico em época oportuna. Conseguida essa fase inicial de assistência, colaborarás na volta de Olímpio ao lar do próprio filho, e, por tua vez, tornarás à carne logo após, a fim de que

---

[11] N.E.: Propriedade rural.

de novo te consorcies com ele, em abençoado futuro, para que recebas nos braços Clarindo e Leonel, por filhos do coração, aos quais Olímpio restituirá a existência terrestre e os haveres...

Um sorriso de ventura brilhou no semblante da sublime **6.12** mulher e, talvez porque enunciasse pensamentos de temor, Sânzio acudiu-a, exclamando:

— Não desfaleças. Serás sustentada por esta Mansão, em todos os teus contatos com os nossos amigos fixados na vingança, e atenderemos pessoalmente a todos os assuntos que se refiram à transferência de tuas atividades para este sítio, perante as autoridades a que te subordinas. Nossos irmãos infortunados não estarão insensíveis aos teus rogos... Sofreste-lhes impiedosos golpes nos derradeiros dias de tua permanência no mundo, e a humildade dos que sofrem é fator essencial na renovação dos que fazem sofrer...

A digna criatura, em lágrimas de jubiloso reconhecimento, osculou-lhe a destra e afastou-se.

A cena tocante e simples emocionara-nos fundamente.

Senti o incomensurável Amor de Deus alicerçando os fundamentos de sua Justiça indefectível e, no imo da alma, bradei para os meus próprios ouvidos: "Louvado sejas Tu, Pai de Infinita Bondade, que semeias a esperança e a alegria até nos infernos do crime, como desabotoas rosas de beleza e perfume no seio dos sarçais!".

Autorizadas por Druso, Madalena e Sílvia aproximaram-se do ministro, implorando-lhe a intercessão para que os esposos fossem atendidos naquele estabelecimento de paz e fraternidade, para a reconstrução do destino à frente do porvir. Sânzio acolheu-lhes as súplicas com benevolência e carinho, determinando o recolhimento de ambos os infelizes no clima do instituto e prometendo facilitar-lhes a reencarnação para breve.

**6.13**     Ligeiro sinal do diretor fez-nos sentir que o instante era agora livre para os entendimentos educativos; assim, impressionados com o que víramos e observáramos, Hilário e eu acercamo-nos do venerável mensageiro, com o propósito de ouvi-lo, a fim de aproveitarmos aquela hora de conversação rara e bela.

# 7
# Conversação preciosa

**7.1**    Facilitando-nos a tarefa, Druso apresentou-nos mais intimamente ao ministro Sânzio, informando que estudávamos, em alguns problemas da Mansão, as leis de causalidade. Anelando penetrar mais amplas esferas de conhecimento acerca do destino, indagávamos sobre a dor...

O grande mensageiro como que abdicou por momentos a elevada posição hierárquica que lhe quadrava à personalidade distinta, e, tanto pelo olhar quanto pela inflexão da voz, parecia agora mais particularmente associado a nós, mostrando-se mais à vontade.

— A dor, sim, a dor... — murmurou, compadecido, como se perscrutasse transcendente questão nos escaninhos da própria alma.

E, fitando-nos, a Hilário e a mim, com inesperada ternura, acentuou quase doce:

— Estudo-a igualmente, filhos meus. Sou funcionário humilde dos abismos. Trago comigo a penúria e a desolação de muitos. Conheço irmãos nossos, portadores do estigma de padecimentos atrozes, que se encontram animalizados, há séculos, nos despenhadeiros infernais; entretanto, cruzando as trevas densas, embora o enigma da dor me dilacere o coração, nunca surpreendi criatura alguma esquecida pela divina Bondade.

Registrando-lhe a palavra amorosa e sábia, inexprimível sentimento me invadiu a alma toda. **7.2**

Até ali, não obstante ligeiramente, convivera com numerosos instrutores. De muitos deles conseguira ensinamentos e observações magistrais, mas nenhum, até então, me trouxera ao espírito aquele amálgama de enlevo e carinho, admiração e respeito que me assomava ao sentimento.

Enquanto Sânzio falava, generoso, cintilações roxo-prateadas nimbavam-lhe a cabeça, mas não era a sua dignidade exterior que me fascinava. Era o caricioso magnetismo que ele sabia exteriorizar.

Tinha a impressão de achar-me à frente de meu pai ou de minha própria mãe, ao lado de quem me cabia dobrar os joelhos.

Sem que me fosse possível governar a comoção, lágrimas ardentes rolavam-me pela face.

Não pude saber se Hilário estava preso ao mesmo estado da alma, porque, diante de mim, passei a ver Sânzio somente, dominado por sua grandeza humilde.

"De onde vinha, Senhor" — perguntava sem palavras nos refolhos do coração —, "aquele ser tocado de gloriosa simplicidade? Onde conhecera eu aqueles olhos belos e límpidos? Em que lugar lhe recebera, um dia, o orvalho de Amor Divino, assim como o verme na caverna sente a bênção do calor do Sol?"

O ministro percebeu-me a emotividade, como o professor assinala a perturbação do aprendiz, e, qual se quisesse acordar-me para a bênção das horas advertir-me sobre o aproveitamento, avançou para mim e observou carinhosamente:

— Pergunte, meu filho, sobre questões não pessoais, e responderei quanto puder.

**7.3**   Percebi-lhe a nobre intenção e confiei-me ao reequilíbrio.

— Grande benfeitor — exclamei, comovido, buscando olvidar os meus próprios sentimentos —, poderemos ouvi-lo, de algum modo, acerca do "carma"?

Sânzio retomou a posição que lhe era habitual, junto ao espelho cristalino, e obtemperou:

— Sim, o "carma", expressão vulgarizada entre os hindus, que em sânscrito quer dizer "ação", a rigor, designa "causa e efeito", uma vez que toda ação ou movimento deriva de causa ou impulsos anteriores. Para nós expressará a conta de cada um, englobando os créditos e os débitos que, em particular, nos digam respeito. Por isso mesmo, há conta dessa natureza, não apenas catalogando e definindo individualidades, mas também povos e raças, estados e instituições.

O ministro fez uma pausa, como quem dava a perceber que o assunto era complexo, e continuou:

— Para melhor entender o "carma" ou "conta do destino criada por nós mesmos", convém lembrar que o Governo da vida possui igualmente o seu sistema de contabilidade, a se lhe expressar no mecanismo de justiça inalienável. Se no círculo das atividades terrenas qualquer organização precisa estabelecer um regime de contas para basear as tarefas que lhe falem à responsabilidade, a Casa de Deus, que é todo o Universo, não viveria igualmente sem ordem. A administração divina, por isso mesmo, dispõe de sábios departamentos para relacionar, conservar, comandar e engrandecer a vida cósmica, tudo pautando sob a magnanimidade do mais amplo amor e da mais criteriosa justiça. Nas sublimadas regiões celestes de cada orbe entregue à inteligência e à razão, ao trabalho e ao progresso dos filhos de Deus, fulguram os gênios angélicos encarregados do rendimento e da beleza, do aprimoramento e da ascensão da obra excelsa, com ministérios apropriados à concessão de empréstimos e moratórias, créditos especiais e recursos extraordinários a todos os Espíritos encarnados ou desencarnados, que os mereçam, em função dos serviços referentes ao Bem eterno; e, nas regiões atormentadas como esta, varridas por ciclones de dor regenerativa, temos os poderes competentes para promover a cobrança e a fiscalização, o reajustamento e a recuperação de quantos se fazem devedores complicados ante a Divina Justiça, poderes que têm a função de purificar os caminhos evolutivos e circunscrever as manifestações do mal. As religiões na Terra, por esse motivo, procederam acertadamente, localizando o Céu nas esferas superiores e situando o inferno nas zonas inferiores, porquanto, nas primeiras, encontramos a crescente glorificação do Universo e, nas segundas, a purgação e a regeneração indispensáveis à vida, para que a vida se acrisole e se eleve ao fulgor dos cimos.

**7.4** Ante o intervalo espontâneo e reparando que o ministro se propunha a manter contato conosco por meio da conversação, aduzi com interesse:

— Comove saber que sendo a Providência Divina a magnanimidade perfeita, gerando valores infinitos de amor para distribuí-los com abundância em favor de todas as criaturas, é também a equidade vigilante, na direção e na aplicação dos bens universais.

— Efetivamente, não poderia ser de outro modo — ajuntou Sânzio, bondoso. — Em assuntos da Lei de Causa e Efeito, é imperioso não olvidar que todos os valores da vida, desde as mais remotas constelações à mínima partícula subatômica, pertencem a Deus, cujos inabordáveis desígnios podem alterar e renovar, anular ou reconstruir tudo o que está feito. Assim, pois, somos simples usufrutuários da Natureza que consubstancia os tesouros do Senhor, com responsabilidade em todos os nossos atos, desde que já possuamos algum discernimento. O Espírito, seja onde for, encarnado ou desencarnado, na Terra ou noutros mundos, gasta, em verdade, o que lhe não pertence, recebendo por empréstimos do Eterno Pai os recursos de que se vale para efetuar a própria sublimação no conhecimento e na virtude. Patrimônios materiais e riquezas da inteligência, processos e veículos de manifestação, tempo e forma, afeições e rótulos honoríficos de qualquer procedência são de propriedade do Todo-Misericordioso, que no-los concede a título precário, a fim de que venhamos a utilizá-los no aprimoramento de nós mesmos, marchando nas largas linhas da experiência, de modo a entrarmos na posse definitiva dos valores eternos, sintetizados no amor e na sabedoria com que, em futuro remoto, lhe retrataremos a Glória Soberana. Desde o elétron aos gigantes astronômicos da tela cósmica, tudo constitui reservas das energias de Deus, que usamos em nosso proveito, por permissão d'Ele, de sorte a promovermos, com firmeza, nossa própria elevação à Sua Majestade Sublime. Dessa maneira, é fácil perceber que, após conquistarmos a coroa da razão, de tudo se nos pedirá contas no momento oportuno, mesmo porque não há progresso sem justiça na aferição de valores.

**7.5** Lembrei-me instintivamente da nossa errada conceituação de vida na Terra, quando nos achamos sempre dispostos a senhorear indebitamente os recursos do estágio humano, em terras e casas, títulos e favores, prerrogativas e afetos, arrastando, por toda a parte, as algemas do mais gritante egoísmo...

Sânzio registrou-me os pensamentos, porque acentuou com paternal sorriso, após ligeira pausa:

— Realmente, no mundo o homem inteligente deve estar farto de saber que todo conceito de propriedade exclusiva não passa de simples suposição. Por empréstimo, sim, todos os valores da existência lhe são adjudicados pela Providência Divina, por determinado tempo, uma vez que a morte funciona como juiz inexorável, transferindo os bens de certas mãos para outras e marcando com inequívoca exatidão o proveito que cada Espírito extrai das vantagens e concessões que lhe foram entregues pelos agentes da Infinita Bondade. Aí, vemos os princípios de causa e efeito, em toda a força de sua manifestação, porque, no uso ou no abuso das reservas da vida que representam a eterna propriedade de Deus, cada alma cria na própria consciência os créditos e os débitos que lhe atrairão inelutavelmente as alegrias e as dores, as facilidades e os obstáculos do caminho. Quanto mais amplitude em nossos conhecimentos, mais responsabilidade em nossas ações. Pelos nossos pensamentos, palavras e atos, que nos fluem, invariáveis, do coração, gastamos e transformamos constantemente as energias do Senhor, em nossa viagem evolutiva, nos setores da experiência, e, do quilate de nossas intenções e aplicações, nos sentimentos e práticas da marcha, a vida organiza, em nós mesmos, a nossa conta agradável ou desagradável ante as leis do destino.

Nesse ponto do valioso esclarecimento, Hilário inquiriu com humildade: **7.6**

— Amado instrutor, diante da gravidade de que a lição se reveste para nós, que devemos entender como "bem" e "mal"?

Sânzio fez um gesto de tolerância bondosa e replicou:

— Evitemos o mergulho nos labirintos da Filosofia, não obstante o respeito que ela nos merece, porquanto não nos achamos num cenáculo simplesmente destinado à esgrima da palavra. Busquemos, antes de tudo, simplificar. É fácil conhecer o bem quando o nosso coração se nutre de boa vontade à frente da Lei. O bem, meu amigo, é o progresso e a felicidade, a segurança e a justiça para todos os nossos semelhantes e para todas as criaturas de nossa estrada, aos quais devemos empenhar as conveniências de nosso exclusivismo, mas sem qualquer constrangimento por parte de ordenações puramente humanas, que nos colocariam em falsa posição no serviço, por atuarem de fora para dentro, gerando, muitas vezes, em nosso cosmo interior, para nosso prejuízo, a indisciplina e a revolta. O bem será, desse modo, nossa decidida cooperação com a Lei, a favor de todos, ainda mesmo que isso nos custe a renunciação mais completa, visto não ignorarmos que, auxiliando a Lei do Senhor e agindo de conformidade com ela, seremos por ela ajudados e sustentados no campo dos valores imperecíveis. E o mal será sempre representado por aquela triste vocação do bem unicamente para nós mesmos, a expressar-se no egoísmo e na vaidade, na insensatez e no orgulho que nos assinalam a permanência nas linhas inferiores do Espírito.

**7.7** Finda breve pausa, o ministro ajuntou:

— Possuímos em Nosso Senhor Jesus Cristo o paradigma do eterno bem sobre a Terra. Tendo dado tudo de si em benefício dos outros, não hesitou em aceitar o supremo sacrifício no auxílio a todos, para que o bem de todos prevalecesse, ainda mesmo que a ele, em particular, se reservassem a incompreensão e o sofrimento, a flagelação e a morte.

Em vista da pausa que se fizera espontânea, ousei ainda interrogar, faminto de luz:

— Generoso amigo, poderíamos ouvi-lo, de alguma sorte, quanto aos sinais cármicos que trazemos em nós mesmos?

Sânzio refletiu alguns momentos e ponderou:

— É muito difícil penetrar o sentido das Leis Divinas com os recursos limitados da palavra humana. Ainda assim, iniciemos o tentame, recorrendo a imagens tão simples quanto seja possível. Apesar da impropriedade, comparemos a esfera humana ao reino vegetal. Cada planta produz na época própria, segundo a espécie a que se ajusta, e cada alma estabelece para si mesma as circunstâncias felizes ou infelizes em que se encontra, conforme as ações que pratica, por meio de seus sentimentos e ideias, decisões e atos na peregrinação evolutiva. A planta, de começo, jaz encerrada no embrião, e o destino, ao princípio de cada nova existência, está guardado na mente. Com o tempo, a planta germina, desenvolve-se, floresce e frutifica, e, também com o tempo, a alma desabrocha ao sol da eternidade, cresce em conhecimento e virtude, floresce em beleza e entendimento e frutifica em amor e sabedoria. A planta, porém, é uma crisálida de consciência, que dorme largos milênios, rigidamente presa aos princípios da genética vulgar que lhe impõe os caracteres dos antepassados, e a alma humana é uma consciência formada, retratando em si as leis que governam a vida e, por isso, já dispõe, até certo ponto, de faculdades com que influir na genética, modificando-lhe a estrutura, porque a consciência responsável herda sempre de si mesma, ajustada às consciências que lhe são afins. Nossa mente guarda consigo, em germe, os acontecimentos agradáveis ou desagradáveis que a surpreenderão amanhã, assim como a pevide[12] minúscula encerra potencialmente a planta produtiva em que se transformará no futuro.

Nessa altura, Hilário perguntou inquieto: **7.8**

— Não teremos, nesse postulado, a consagração do determinismo de ordem absoluta? Se trazemos hoje, no campo mental, tudo aquilo que nos sucederá amanhã...

Sânzio, contudo, esclareceu complacente:

— Sim, nas esferas primárias da evolução, o determinismo pode ser considerado irresistível. É o mineral obedecendo a leis invariáveis de coesão e o vegetal respondendo, fiel, aos princípios organogênicos, mas, na consciência humana, a razão e a vontade, o conhecimento e o discernimento entram em função nas forças do destino, conferindo ao Espírito as responsabilidades naturais que deve possuir sobre si mesmo. Por isso, embora nos reconheçamos subordinados aos efeitos de nossas próprias ações, não podemos ignorar que o comportamento de

---

[12] N.E.: Semente achatada de diversos frutos.

cada um de nós, dentro desse determinismo relativo, decorrente de nossa própria conduta, pode significar liberação abreviada ou cativeiro maior, agravo ou melhoria em nossa condição de almas endividadas perante a Lei.

**7.9** — Mas, ainda mesmo nas piores posições expiatórias — inquiri —, goza a consciência dos direitos inerentes ao livre-arbítrio?

— Como não? — falou o ministro generoso. — Imaginemos um delinquente monstruoso, segregado na penitenciária. Acusado de vários crimes, permanece privado de toda e qualquer liberdade na enxovia comum. Ainda assim, na hipótese de aproveitar o tempo no cárcere para servir espontaneamente à ordem e ao bem-estar das autoridades e dos companheiros, acatando com humildade e respeito as disposições da lei que o corrige, atitude essa que resulta de seu livre-arbítrio para ajudar ou desajudar a si mesmo, a breve tempo esse prisioneiro começa por atrair a simpatia daqueles que o cercam, avançando com segurança para a recuperação de si mesmo.

O raciocínio era claro, mas, não desejando perder o fio da lição simples e preciosa, indaguei:

— Venerável benfeitor, para nossa edificação, poderemos recolher mais amplas anotações sobre a melhor maneira de colaborar com a Lei Divina em nosso próprio favor? Dispomos de algum meio para escapar à justiça?

Sânzio sorriu e observou:

— Da justiça ninguém fugirá, mesmo porque a nossa consciência, acordando para a santidade da vida, suspira por resgatar dignamente todos os débitos de que se onerou perante a Bondade de Deus; entretanto, o Amor Infinito do Pai Celeste brilha em todos os processos de reajuste. Assim é que, se claudicamos nessa ou naquela experiência indispensável à conquista da luz que o Supremo Senhor nos reserva, é necessário nos adaptemos à justa recapitulação das experiências frustradas, utilizando os patrimônios do tempo. Figuremos um homem acovardado diante da luta, perpetrando o suicídio aos 40 anos no corpo físico. Esse homem penetra no Mundo Espiritual sofrendo as consequências imediatas do gesto infeliz, gastando tempo mais ou menos longo, segundo as atenuantes e agravantes de sua deserção, para recompor as células do veículo perispirítico, e, logo que oportuno, quando torna a merecer o prêmio de um corpo carnal na esfera humana, dentre as provas que repetirá, naturalmente se inclui a extrema tentação ao suicídio na idade precisa em que abandonou a posição de trabalho que lhe cabia, porque as imagens destrutivas, que arquivou em sua mente, se desdobrarão diante dele, por meio do fenômeno a que podemos chamar "circunstâncias reflexas", dando azo a recônditos desequilíbrios emocionais que o situarão, logicamente, em contato com as forças desequilibradas que se lhe ajustam ao temporário modo de ser. Se esse homem não houver amealhado recursos educativos e renovadores em si mesmo, pela prática da fraternidade e do estudo, de modo a superar a crise inevitável, muito dificilmente escapará ao suicídio, de novo, porque as tentações, não obstante reforçadas por fora de nós, começam em nós e alimentam-se de nós mesmos.

**7.10** O esclarecimento era valioso e, por essa razão, interroguei com a curiosidade respeitosa do aluno interessado em aprender:

— E como pode a criatura habilitar-se devidamente para resgatar o preço da sua libertação?

Sânzio não se deu por surpreendido e replicou de pronto:

— Como qualquer devedor que, de fato, se empenhe na solução dos seus compromissos. Decerto que o homem sumamente endividado precisa aceitar restrições no seu conforto para sanar seus débitos com as suas próprias economias. Em razão disso, não pode viver à farta, mas sim com abstinência e suor, de modo a liberar-se tão depressa quanto possível.

**7.11**  O grande orientador fez uma pausa de momento, como para refletir, e continuou:

— Voltemos ao símbolo da planta. Imaginemos que uma semente de laranjeira caiu em terreno pobre e seco. Segundo as leis que regem as atividades agrícolas, germinará ela sob constringentes obstáculos, transformando-se num arbusto mirrado, com lamentável produção no tempo devido. Mas, se o lavrador lhe acode às necessidades e exigências, desde o início da luta, oferecendo-lhe adubo, água e defesa, tanto quanto ajudando-a com a poda salutar no momento oportuno, a laranjeira atenderá, brilhantemente, ao próprio destino... Semelhantes cuidados, no entanto, devem ser postos em ação, na hora justa, isto é, quando na Terra a alma, e tanto quanto possível deve começar essa restauração nos melhores tempos da jornada física...

Hilário, que acompanhava a exposição, fascinado quanto eu mesmo pela lógica daquelas palavras sábias e simples, interrogou:

— E quando a criatura não pode contar, na infância ou na mocidade, com preceptores afeiçoados ao bem, capazes de funcionar como lavradores diligentes junto daqueles que recomeçam a luta humana?

— Sem dúvida — ponderou o ministro —, a meninice e a juventude são as épocas mais adequadas à construção da fortaleza moral com que a alma encarnada deve tecer gradativamente a coroa da vitória que lhe cabe atingir. Entretanto, é imperioso entender que, no Espírito consciente, a vontade simboliza o lavrador a que nos reportamos, e o adubo, a irrigação e a poda constituem o serviço incessante a que deve consagrar-se nossa vontade, na recomposição de nossos próprios destinos. Em vista disso, todo minuto da vida é importante para renovar e redimir, aprimorar e purificar. Compreendamos que a tempestade, como símbolo de crise, surgirá para todos, em determinado momento;

contudo, quem puder dispor de abrigo certo superar-lhe-á os perigos com desassombro e valor.

A explicação alcançava-nos a mente qual réstia de Sol penetrando um cubículo escuro.

**7.12**

Meu colega, no entanto, voltou a considerar:

— Ação por ação, temos igualmente muito trabalho depois da morte do corpo denso. Assim como perpetramos faltas na carne para sofrer-lhes, muitas vezes, as consequências aqui, é natural que por nossas ações deploráveis, aqui, venhamos a padecer na carne?

— Perfeitamente — confirmou Sânzio, bondoso —; nossas manifestações contrárias à Lei Divina, que é, invariavelmente, o bem de todos, são corrigidas em qualquer parte. Há, por isso, expiações no Céu e na Terra. Muitos desencarnados que se enleiam em desregramentos passionais até as raias do crime, mormente nos processos de obsessão, não obstante advertidos pela própria consciência e pelos avisos respeitáveis de instrutores benevolentes, criam para si mesmos pesadas e aflitivas contas com a vida, cujo resgate lhes reclama luta e sacrifício em tempo longo. Aliás, com alusão ao assunto, é justo lembrar que o nosso esforço de autorreajustamento na Vida Espiritual, antes da reencarnação, na maioria das circunstâncias ameniza-nos a posição, garantindo-nos uma infância e uma juventude repletas de esperança e tranquilidade, para as recapitulações a se efetuarem na madureza, exceção feita, naturalmente, aos problemas de dura e imediata expiação, nos quais a alma é compelida a tolerar rijos padecimentos, muitas vezes desde o ventre materno, tanto quanto os desenganos e os achaques, as humilhações e as dores da velhice ou da longa enfermidade, antes do túmulo. Essas dores, angústias e sofrimentos vários nos suavizam a ficha de Espíritos devedores, permitindo-nos abençoada trégua nos primeiros tempos da esfera espiritual, logo após a peregrinação pelo campo físico.

**7.13**   A maioria das pessoas encarnadas no mundo, ao atingirem a idade provecta, habitualmente se confiam, nas últimas fases da existência, à ponderação e à meditação, à serenidade e à doçura. As mentes infantis, ainda mesmo na senectude das forças genuinamente materiais, continuam levianas e irresponsáveis, mas os corações amadurecidos no conhecimento se valem, por intuição natural, da velhice ou da dor para raciocinar com mais segurança, seja consagrando-se à fé nos templos religiosos, com o que asseguram a si próprios mais amplo equilíbrio íntimo, seja devotando-se à caridade, com o que esbatem na memória as recordações menos desejáveis, preparando, assim, com louvável acerto e admirável sabedoria, a irrevogável passagem para a vida maior.

Concluí, pelo olhar de Druso, que a nossa entrevista estava prestes a encerrar-se. E, por isso, aventurei ainda uma indagação:

— Ministro amigo, compreendendo que há dívidas que, por sua natureza e extensão, exigem de nós várias existências ou romagens na carne terrestre para o respectivo resgate, como apreciá-las do ponto de vista da memória? Sinto, por exemplo, que tenho na retaguarda imensos débitos para ressarcir, dos quais não me lembro agora...

— Sim, sim... — explicou ele — a questão é de tempo. À medida que nos demoramos aqui na organização perispirítica, no fiel cumprimento de nossas obrigações para com a Lei, mais se nos dilata o poder mnemônico. Avançando em lucidez, abarcamos mais amplos domínios da memória. Assim é que, depois de largos anos em serviço nas zonas espirituais da Terra, entramos espontaneamente na faixa de recordações menos felizes, identificando novas extensões de nosso "carma" ou de nossa "conta" e, embora sejamos reconhecidos à benevolência dos instrutores e amigos que nos perdoam o passado menos digno, jamais condescendemos com as nossas próprias fraquezas e, por isso, vemo-nos impelidos a solicitar das autoridades superiores novas reencarnações difíceis e proveitosas, que nos reeduquem ou nos aproximem da redenção necessária. Compreenderam?

Sim, havíamos entendido.

**7.14**

Sânzio fitou o diretor da casa como a dizer-lhe que o horário se esgotara, e Druso lembrou, com gentileza, que não devíamos reter o instrutor atencioso e complacente.

Agradecíamos com humildade as lições recebidas, enquanto o ministro voltava à câmara brilhante, onde a neblina móvel passou, de novo, a adensar-se, apagando-lhe a figura venerável aos nossos olhos.

Em breves minutos, o ambiente retomou os característicos que lhe eram habituais e a palavra comovedora de Druso, em prece, encerrou a inolvidável reunião.

# 8
# Preparando o retorno

**8.1** O estudo na Mansão era fascinante, mas reclamava tempo.
No entanto, a oportunidade que nos fora oferecida era das mais valiosas.

Hilário e eu solicitamos o assentimento das autoridades a que devíamos consideração e efetuamos proveitosa entrosagem de serviços, permanecendo sediados no instituto por alguns meses, de maneira a recolher ensinamentos e fixar observações.

Foi assim que nos dispusemos a partilhar com Silas o trabalho atinente ao "processo Antônio Olímpio", a cuja fase inicial assistíramos com fervoroso interesse.

Seis dias após a reunião em que ouvimos a palavra de Sânzio, o grande ministro, a irmã Alzira veio ao estabelecimento, em obediência ao programa que Druso passou a traçar para as tarefas que lhe diriam respeito.

Designado pelo diretor da casa, Silas recebeu-a em nossa companhia, alegando que, juntos, atenderíamos ao problema, agindo em cooperação.

A nobre criatura, depois das saudações usuais, esclareceu-nos que, amparada por amigos de certa colônia socorrista, fazia o possível por ajudar o filho que deixara na Terra. **8.2**

Luís, cujo Espírito se afinava com os antigos sentimentos paternos, apegando-se aos lucros materiais exagerados — informou-nos a interlocutora —, sofria tremenda obsessão no próprio lar. Sob teimosa vigilância dos tios desencarnados, que lhe acalentavam a mesquinhez, detinha larga fortuna, sem aplicá-la em coisa alguma. Enamorara-se do ouro com extremada volúpia. Submetia a esposa e dois filhinhos às mais duras necessidades, receoso de perder os haveres que tudo fazia por defender e multiplicar. Clarindo e Leonel, não satisfeitos com lhe seviciarem a mente, conduziam para a fazenda usurários e tiranos rurais desencarnados, cujos pensamentos ainda se enrodilhavam na riqueza terrestre, para lhe agravarem a sovinice. Luís, desse modo, respirava num mundo de imagens estranhas, em que o dinheiro se erigia em tema constante. Perdera, por isso, o contato com a dignidade social. Tornara-se inimigo da educação e acreditava tão somente no poder do cofre recheado para solucionar as dificuldades da vida. Adquirira o doentio temor de todas as situações em que pudessem surgir despesas inesperadas. Possuía grandes somas em estabelecimentos bancários que a própria companheira desconhecia, tanto quanto mantinha em custódia no lar enormes bens. Fugia deliberadamente à convivência afetiva, relaxara a própria apresentação individual e encravara-se em deplorável misantropia,[13] obcecado pelo pesadelo do ouro que lhe consumia a existência.

Em seguida, a distinta senhora, buscando orientar as nossas futuras atividades, participou-nos que o afogamento dos cunhados se verificara em seus tempos de recém-casada, quando o filhinho mal ensaiava os primeiros passos, e que, após seis anos

---

[13] N.E.: Ódio pela Humanidade. Por extensão: falta de sociabilidade.

sobre a dolorosa ocorrência, encontrara, ela também, a desencarnação no lago terrível. Antônio Olímpio lhe sobrevivera, na esfera carnal, quase três lustros e, por vinte anos, precisamente, padecia nas trevas. Luís, dessa forma, alcançava a madureza plena, tendo atravessado os 40 anos de experiência física.

**8.3**     Ante a palavra do assistente, que indagou quanto aos seus tentames de socorro ao marido desencarnado, Alzira declarou que isso lhe fora realmente impossível, porque as vítimas se haviam transformado em carcereiros ferozes do infeliz delinquente, e como, até então, não conseguira escudar-se em qualquer equipe de trabalho assistencial, não lhe permitiam os verdugos qualquer aproximação. Ainda assim, em ocasiões fortuitas, dispensava ao filho, à nora e aos dois netos algum amparo, o que se lhe fazia extremamente difícil, uma vez que os obsessores velavam, irredutíveis, guerreando-lhe as influências.

À vista da pausa espontânea que se fizera em nosso entendimento, num testemunho de comovedora humildade consultou a Silas se a Mansão poderia facultar-lhe uma visita ao esposo, antes da viagem à procura do filho, segundo as tarefas programadas.

O assistente aquiesceu com o maior carinho, e guiamo-la, nós três, até o compartimento em que Antônio Olímpio repousava.

Avizinhando-se-lhe do leito, e ao vê-lo ainda prostrado e inconsciente, notei que o semblante da nobre senhora acusava visível alteração. As lágrimas borbulhavam-lhe, incoercíveis, dos olhos, agora conturbados por imensa dor. Afagou-lhe a cabeça, em que os traços fisionômicos, a meu ver, se reajustavam, pouco a pouco, e chamou-o pelo nome várias vezes.

O enfermo abriu os olhos, pousando-os sobre nós sem qualquer expressão de lucidez, pronunciando monossílabos desconexos.

Registrando-lhe a ruína mental, a notável mulher pediu a Silas permissão para orar, em nossa companhia, junto do esposo, o que lhe foi concedido prazerosamente.

Diante da nossa surpresa, Alzira ajoelhou-se à cabeceira, conchegou-lhe o busto de encontro ao colo, à maneira de abnegada mãe procurando conservar entre os braços um filhinho doente, e, levantando os olhos lacrimosos para o Alto, clamou humilde, segundo a sua fé:

*Mãe Santíssima!*
*Anjo tutelar dos náufragos da Terra, compadece-te de nós e estende-nos tuas mãos doces e puras!...*
*Reconheço, Senhora, que ninguém te dirige, debalde, a palavra de aflição e de dor...*
*Sabemos que o teu coração compassivo é luz para os que se tresmalham nas sombras do crime, e amor para todos os que mergulham nos abismos do ódio...*
*Perdoaste aos que te aniquilaram o Filho Divino nos tormentos da cruz e, além da paciência com que lhes suportaste os insultos, vieste ainda do Céu, ofertando-lhes braços protetores!*
*Mãe bondosa, tu que ergues os caídos de tantas gerações terrenas e que saras, piedosamente, as feridas de quantos se petrificaram na crueldade, lança caridoso olhar sobre nós, meu esposo e eu, jungidos às consequências de duplo homicídio que nos fazem sangrar os corações. Eu e ele estamos enovelados nas teias de nosso delito. Embora estivesse ele sem mim, nas águas fatídicas, enquanto nossos irmãos experimentavam a asfixia mortal, partilho-lhe as responsabilidades e identifico-me associada ao crime, também eu...*
*Meu esposo, Mãe do Céu, devia ter o coração envolvido em pesada nuvem quando se desvairou na estranha deliberação que nos chagou as consciências...*
*Para os outros poderá ele ser tido como um impenitente que se apropriou de recursos alheios, infligindo a morte aos próprios irmãos, menos para meu filho e para mim, que lhe recebemos os maiores testemunhos de amor... Para outros, será réu diante da Lei... Para*

*nós, porém, é o companheiro e o amigo fiel... Para os outros, parecerá um egoísta sem direito à remissão, mas, para nós, é o benfeitor que nos assistiu na Terra, com imensurável ternura...*

**8.5** *Como não ser egoísta e criminosa também eu, Mãe querida, se lhe usufruí os bens e me alimentei do carinho de seu coração? Como não ser igualmente responsável na culpa, se toda a culpa dele se prendia ao propósito, embora louco, de assegurar-me superioridade em minha condição de mulher e de mãe?!...*

*Advoga-nos a causa, mediadora celeste!*

*Faze-nos voltar, juntos, à carne em que delinquimos, para que possamos expiar nossos erros!...*

*Concede-me a graça de segui-lo, como servidora contente e agradecida, religada a quem devo tanta felicidade!...*

*Reúne-nos novamente no mundo e auxilia-nos a devolver com lealdade e valor aquilo que roubamos.*

*Não permitas, anjo divino, que venhamos a sonhar com o Céu, antes de resgatar nossas contas na Terra, e ajuda-nos a aceitar, dignamente, a dor que reedifica e salva!...*

*Mãe, atende-nos!*

*Estrela de nossa vida, arranca-nos da escuridão do vale da morte!...*

Diante de nós, o inesperado compelia-nos ao êxtase.

Enquanto falava em lágrimas, coroava-se Alzira de safirino esplendor.

A doce claridade a se lhe irradiar do coração inundara todo o aposento e, assim que a sua voz emudeceu, embargada e ofegante, excelso jorro de prateada luz desceu do Alto, atingindo-nos a todos e comunicando-se especialmente ao enfermo, que desferiu longo gemido de dor humanizada e consciente.

A prece de Alzira lograra um êxito que as operações magnéticas de Druso não haviam conseguido alcançar.

Antônio Olímpio descerrou desmesuradamente as pálpebras **8.6** e mostrou no olhar a lucidez dos que despertam de longo e torturado sono... Agitou-se, sentindo na face as lágrimas da esposa que o beijava, enternecida, e bradou, tomado de selvagem contentamento:

— Alzira! Alzira!...

Ela conchegou-o, de encontro ao peito, com mais ternura, como quem quisesse pacificar-lhe o Espírito atormentado, mas, a um sinal de Silas, dois enfermeiros aproximaram-se, restituindo-o ao sono.

Tentei algo dizer à sublime mulher, cuja oração nos erguera a tão culminante emotividade, mas não consegui.

Somente aqueles que viajaram, por muitos e muitos anos, sob a névoa da saudade e da angústia poderão entender a comoção que naquela hora nos dominara, irresistível. Procurei observar o semblante de Hilário, mas meu companheiro mergulhara a cabeça nas mãos e, fitando o valoroso assistente, notei que Silas buscava enxugar as lágrimas dos olhos...

Consolei-me.

Os grandes corações daquela casa de amor igualmente choravam, tanto quanto eu, mísero pecador em luta por sanar minhas deficiências e, contemplando Alzira, que se achava agora de pé, acariciando os cabelos do infeliz, tive a ideia de que um anjo do Céu visitava um penitente do inferno.

Foi Silas quem nos arrancou ao silêncio, oferecendo o braço à abnegada irmã, para a saída, e explicando prestimoso:

— A oração trouxe-lhe imenso bem, mas não lhe convém o despertamento senão gradativo. O sono natural e reparador ainda é uma necessidade em sua restauração positiva.

Alzira afastou-se como que mais tranquila, apesar da flagelação moral do reencontro.

Minutos de valiosa conversação desfrutamos, ainda, nos diversos setores de trabalho do grande instituto, até que, no momento aprazado, nos ausentamos, os quatro, devorando o caminho que para a nossa companheira representava uma senda de retorno ao antigo lar.

**8.7** Na paisagem terrestre, enchia-se a madrugada de névoa rala e fria.

De volta aos velhos sítios que lhe haviam assinalado a dolorosa experiência, Alzira não disfarçava a emoção de que se via objeto.

Levemente amparada pelo braço de Silas, designava, aqui e ali, esse ou aquele trecho dos caminhos e pastagens que lhe evocavam mais expressivas recordações...

De repente, desvelou-se-nos, em estreita planície, o casario em que se lhe desenvolvera o drama funesto.

Em verdade, o luar revelava sólida construção em franca decadência. Extensos pátios laterais exibiam grandes jardins arruinados pelo pisoteio constante dos bovinos de grande porte. Porteiras desconjuntadas, tapumes derruídos e as varandas imundas falavam, sem palavras, da desídia dos moradores.

E entidades estranhas, embuçadas em largos véus de sombra, transitavam, absortas, nos grandes terreiros, como se ignorassem a presença umas das outras.

Com o visível receio de se fazer ouvida, a esposa de Olímpio notificou-nos em surdina:

— São onzenários[14] desencarnados, trazidos sub-repticiamente até aqui por Leonel e Clarindo, de modo a fortalecerem a usura no Espírito de meu filho.

— Não nos enxergam? — perguntou Hilário compreensivelmente intrigado.

— Não — confirmou Silas. — Com certeza nos identificam a chegada; entretanto, pelo que deduzo, encontram-se demasiadamente fixados nas ideias em que se mancomunam. Não

---

[14] N.E.: Agiotas, ou indivíduos obcecados por acumular dinheiro.

se preocupam com a nossa presença, desde que lhes não penetremos a faixa mental, comungando-lhes os interesses.

— Isso quer dizer — comentei — que se algo lhes falássemos acerca da fortuna terrena, excitando-lhes o gosto da posse humana, indiscutivelmente nos dispensariam a melhor atenção...

— Exatamente.

— E por que não o fazer? — inquiriu meu companheiro curioso.

— Não nos seria lícito desperdiçar tempo — respondeu-nos o amigo —, mesmo porque o trabalho que nos compete espera por nós a reduzidos passos, e ignoramos, até agora, como se nos desdobrarão as tarefas.

Com efeito, entramos e o movimento no interior doméstico era de pasmar. Desencarnados de horripilante aspecto iam e vinham pelos corredores extensos, conversando, aloucados, como se estivessem falando para dentro de si próprios.

Tentei algo registrar do que me era dado ouvir e o ouro constituía assunto fundamental de todos os solilóquios a se entrechocarem sem nexo.

Qual se percebesse, com mais funda acuidade, as tramas do ambiente, Silas estacou de chofre e, deixando-nos os três em recuado ângulo de velha sala, ausentou-se, recomendando-nos aguardar-lhe o retorno cautelosamente.

Pretendia estudar, com antecipação, nosso quadro de serviço.

Decorridos alguns minutos, voltou a buscar-nos.

Conduziu a irmã Alzira para o aposento em que Adélia, a dona da casa, repousava junto dos filhinhos, explicando que não era conveniente que Alzira se encontrasse logo com os irmãos transformados em verdugos, e ali a deixamos sob a custódia de Hilário que, evidentemente, a contragosto se deixou ficar distanciado de nós, atendendo aos imperativos de vigilância.

**8.9**   A sós comigo, o assistente esclareceu que, para efetuar o socorro com o proveito desejável, precisaríamos, antes de tudo, saber ouvir e que, em razão disso, procurasse de minha parte não lhe estorvar as atividades, na hipótese de me sentir assaltado por qualquer estranheza, diante das atitudes que ele fosse obrigado a assumir.

Compreendi quanto queria Silas dizer e dispus-me a observar, aprender e contribuir, sem alarde.

Penetramos estreito compartimento, onde alguém contemplava grandes maços de papel-moeda, acariciando-os com um sorriso malicioso.

No intuito de trazer-me bem informado, o assistente segredou-me ao ouvido:

— Este é Luís, que, desligado do corpo pela influência do sono, vem afagar o dinheiro que lhe nutre as paixões.

Tínhamos pela frente um homem maduro, mas de fisionomia ainda moça, relaxado nas maneiras, cujos olhos parados sobre as cédulas encimavam-lhe a esquisita expressão de cobiça vitoriosa.

Relanceou apressadamente o olhar em volta, com a indiferença de quem não nos conseguia ver, e, tão logo após um minuto de observação nossa, qual se estivera ele vigiado por cérberos[15] invisíveis, dois homens desencarnados, de presença desagradável, penetraram no pequeno recinto e, dirigindo-se desabridamente para nós, um deles interrogou:

— Quem são? Quem são vocês?

— Somos amigos — replicou Silas, maquinalmente.

— Bem — aventou o outro —, nesta casa ingressam somente aqueles que saibam valorizar o dinheiro...

E, designando Luís, acrescentou:

---

[15] N.E.: Na mitologia grega, Cérbero era um cão monstruoso de três cabeças, guardião do inferno.

— Para que ele não se esqueça de preservar a fortuna **8.10** que é nossa.

Intuitivamente concluí que encarávamos com Leonel e Clarindo, os irmãos espoliados de outro tempo.

Certo, porque lhes devêssemos algum esclarecimento à expectativa feroz com que nos seguiam os mínimos movimentos, Silas ajuntou:

— Sim, sim... Quem não estimará os haveres que lhe pertençam?

— Muito bem! Muito bem!... — responderam, satisfeitos, ambos os perseguidores, esfregando as mãos, na alegria de quem supostamente encontrava mais combustível para a fogueira de vingança a que se entregavam com desvario espantoso. E, adquirindo imediata confiança em nós, ante as palavras com que o assistente lhes sossegara a inquietação, Clarindo, o mais brutalizado dos dois, passou a dizer:

— Fomos vítimas de terrível traição e perdemos o corpo aos golpes de um irmão infeliz que nos pilhou os bens, e aqui estamos para o desforço justo.

Gargalhou de estranha maneira e acentuou:

— O maldito, porém, acreditou que a morte lhe apagaria o crime e que nós, os desventurados que lhe sucumbimos às mãos, estaríamos reduzidos a pó e cinza. Apossou-se-nos dos haveres, depois de promover um acidente espetacular, no qual fomos por ele assassinados sem compaixão. De que lhe valeu, no entanto, gozar à nossa custa, se a morte não existe e se os delinquentes, no corpo ou fora dele, estão algemados às consequências das suas ações? O bandido sofrerá os resultados da infâmia contra nós e aqui respira o filho dele, cujos menores movimentos governaremos até que nos restitua a fortuna de que somos legítimos senhores...

Por tempo relativamente longo, ambos despenderam largo repertório de lamentações, reforçando as cores do sinistro painel mental a que se acomodavam. E, talvez cansados de martelar nas mesmas alegações, sem qualquer resposta de nossa parte, confiaram-se a pausa mais dilatada, que Clarindo rompeu, dirigindo-se ao assistente em tom amargo:

**8.11** — Não admitem vocês que temos razão?

— Sim — aprovou Silas, enigmático —, todos temos razão, entretanto...

— Entretanto? — atalhou Leonel, algo cínico. — Quererá, porventura, interferir em nossos propósitos?

— Nada disso — consertou meu amigo com inflexão jovial. — Desejo simplesmente lembrar que por dinheiro já lutei excessivamente, crendo que o direito prevalecia de meu lado...

Certo porque a observação algo dúbia chocava os interlocutores, o chefe de nossa expedição valeu-se da expectativa natural e perguntou:

— Amigos, vemos que esta casa permanece largamente povoada de irmãos nossos ensandecidos... Serão todos eles credores desta família infortunada?

O olhar inteligente que o companheiro me endereçou deu-me a perceber que o inquérito afetuoso guardava o objetivo de entreter a confiança dos vingadores intrigados.

Leonel, que me parecia o cérebro da empresa delituosa, foi presto na resposta.

— É que, até agora — falou, impassível —, precisávamos dividir o tempo entre pai e filho, e, por isso, localizamos aqui, temporariamente, os onzenários enlouquecidos que, fora do campo carnal, apenas mentalizam o ouro e os bens a que se afeiçoaram no mundo, de modo a nos favorecerem a tarefa. Acompanhando o sovina que nos obedece ao comando, constrangem-no a viver, tanto quanto possível, com a imaginação aprisionada ao dinheiro que ele ama com tresloucada paixão.

— No entanto, presentemente — informou Clarindo, **8.12** magoado —, o criminoso que sitiávamos nas trevas nos foi arrebatado à vigilância. Disporemos de mais tempo para acelerar a nossa desforra. Pagará o filho dobrado preço, já que o assassino foi ocultado aos nossos olhos...

Longe de qualquer precipitação na defesa da verdade e do bem, o assistente falou, calmo:

— O esclarecimento nos faz crer que este homem — e designou Luís, que prosseguia fascinado pelos maços de cédulas da gaveta abarrotada —, além do apego enfermiço à precária riqueza humana, ainda sofre a pressão de outras mentes, alucinadas quanto a dele, nos enganos da posse material. Neste caso, o doentio desejo de que se sente objeto é naturalmente elevado à tensão máxima...

Leonel, percebendo que Silas penetrava o âmago do problema com surpreendente facilidade, explicou entusiasmado:

— Sim, aprendemos nas escolas de vingadores[16] que todos possuímos, além dos desejos imediatistas comuns, em qualquer fase da vida, um "desejo-central" ou "tema básico" dos interesses mais íntimos. Por isso, além dos pensamentos vulgares que nos aprisionam à experiência rotineira, emitimos com mais frequência os pensamentos que nascem do "desejo-central" que nos caracteriza, pensamentos esses que passam a constituir o reflexo dominante de nossa personalidade. Desse modo, é fácil conhecer a natureza de qualquer pessoa, em qualquer plano, por meio das ocupações e posições em que prefira viver. Assim é que a crueldade é o reflexo do criminoso, a cobiça é o reflexo do usurário, a maledicência é o reflexo do caluniador, o escárnio é o reflexo do ironista e a irritação é o reflexo do desequilibrado, tanto quanto a elevação moral é o reflexo do santo... Conhecido

---

[16] Nota do autor espiritual: Refere-se a entidade a organizações mantidas por inteligências criminosas, homiziadas temporariamente nos planos inferiores.

o reflexo da criatura que nos propomos retificar ou punir é, assim, muito fácil superalimentá-la com excitações constantes, robustecendo-lhe os impulsos e os quadros já existentes na imaginação e criando outros que se lhes superponham, nutrindo-lhe, dessa forma, a fixação mental. Com esse objetivo, basta alguma diligência para situar, no convívio da criatura malfazeja que precisamos corrigir, entidades outras que se lhe adaptem ao modo de sentir e de ser, quando não possamos por nós mesmos, à falta de tempo, criar as telas que desejemos, com vistas aos fins visados, por intermédio da determinação hipnótica. Por semelhantes processos, criamos e mantemos facilmente o "delírio psíquico" ou a "obsessão", que não passa de um estado anormal da mente, subjugada pelo excesso de suas próprias criações a pressionarem o campo sensorial, infinitamente acrescidas de influência direta ou indireta de outras mentes desencarnadas ou não, atraídas por seu próprio reflexo.

8.13　E, sorrindo, o inteligente perseguidor disse sarcástico:

— Cada um é tentado exteriormente pela tentação que alimenta em si próprio.

De mim mesmo, achava-me perplexo. Nunca ouvira um verdugo, aparentemente vulgar, com tanto conhecimento e consciência de seu papel.

Figurava-se-me assistir a um curso rápido de sadismo mental, extravagante e frio.

Silas, mais treinado que eu no trato com os amigos daquela condição, não exteriorizou qualquer sentimento de pesar ou de assombro na fisionomia serena.

Entremostrando, porém, grande interesse acerca da preleção, considerou:

— Indiscutivelmente, a exposição é perfeita. Cada qual de nós vive e respira nos reflexos mentais de si mesmo, angariando as influências felizes ou infelizes que nos mantêm na situação que buscamos... Os Céus ou as esferas superiores são constituídos pelos reflexos dos Espíritos santificados e o inferno...

— É o reflexo de nós mesmos — completou Leonel com uma gargalhada.

8.14

Creio que, assinalando-me o interesse no aprendizado em curso, o assistente pediu ao irmão de Clarindo alguma demonstração prática do que afirmara teoricamente para nosso estudo, ao que ele assentiu com prazer, informando:

— O avarento sob nossa vista guarda o propósito de comprar ou extorquir determinada gleba vizinha, a qualquer preço, mesmo se tratando de transação criminosa, para valorizar as aguadas da propriedade que nos pertence. Tratando-se de assunto no tema essencial da existência dele, que é a cobiça, facilmente recolherá as imagens que eu lhe deseje transmitir, utilizando-me da própria onda mental em que as suas ideias habitualmente se exprimem...

E, passando das palavras para a ação, colocou a destra sobre a fronte de Luís, mantendo-se na profunda atenção do hipnotizador governando a presa.

Vimos o pobre amigo, desligado do corpo físico, arregalar os olhos com a volúpia do faminto que contempla um prato saboroso a distância, e exibir uma carantonha de maldade satisfeita, falando a sós:

— Agora! Agora! As terras serão minhas! Muito minhas! Ninguém concorrerá com meus preços! Ninguém!...

Logo após, afastou-se lépido, com a expressão indefinível de um louco.

Acompanhamo-lo até a saída e, da extensa varanda, podíamos vê-lo avançando, à pressa, desaparecendo, por fim, no grande maciço de arvoredo próximo, na direção de fazendola fronteiriça.

— Viram? — exclamou Leonel, contente. — Transmiti--lhe ao campo mental um quadro fantástico, por meio do qual as terras do vizinho estariam em leilão, caindo-lhe, enfim, nas unhas. Bastou que eu mentalizasse uma tela nesse sentido, arquitetando o sítio à venda, para que ele a tomasse por realidade indiscutível, porquanto, tratando-se de nosso reflexo fundamental, somos induzidos a crer naquilo que desejamos aconteça... Tão logo termine o fluxo controlado de minha influenciação hipnótica, retomará o corpo carnal, lambendo os beiços, na certeza de haver sonhado com a falência da granja sobre a qual pretende um título de posse.

8.15  Silas, com manifesta intenção, ajuntou sereno:

— Ah! sim!... Estamos diante de um processo de transmissão de imagens, até certo ponto análogo aos princípios dominantes na televisão, no reino da eletrônica, atualmente em voga no plano terrestre. Sabemos que cada um de nós é um fulcro gerador de vida, com qualidades específicas de emissão e recepção. O campo mental do hipnotizador, que cria no mundo da própria imaginação as formas-pensamentos que deseja exteriorizar, é algo semelhante à câmara de imagem do transmissor comum, tanto quanto esse dispositivo é idêntico, em seus valores, à câmara escura da máquina fotográfica. Plasmando a imagem da qual se propõe extrair o melhor efeito, arroja-a sobre o campo mental do hipnotizado que, então, procede à guisa do mosaico em televisão ou à maneira da película sensível do serviço fotográfico. Não ignoramos que na transmissão de imagens, a distância, o mosaico, recolhendo os quadros que a câmara está explorando, age como um espelho sensibilizado, convertendo os traços luminosos em impulsos elétricos e arremessando-os sobre o aparelho de recepção que os recebe, por meio de antenas especiais, reconstituindo com eles as imagens pelos chamados sinais de vídeo, e recompondo, dessa forma, as cenas televisadas na face do receptor comum. No problema em estudo, você, Leonel, criou os quadros que se propôs transmitir ao pensamento de

Luís, e, usando as forças positivas da vontade, coloriu-os com os seus recursos de concentração na sua própria mente, que funcionou como câmara de imagem. Aproveitando a energia mental, muito mais poderosa que a força eletrônica, projetou-os, como legítimo hipnotizador, sobre o campo mental de Luís, que funcionou qual mosaico, transformando as impressões recebidas em impulsos magnéticos, a reconstituírem as formas-pensamentos plasmadas por você nos centros cerebrais, por intermédio dos nervos que desempenham o papel de antenas específicas, a lhes fixarem as particularidades na esfera dos sentidos, num perfeito jogo alucinatório, em que o som e a imagem se entrosam harmoniosamente, como acontece na televisão, em que a imagem e o som se associam com o apoio eficiente de aparelhos conjugados, apresentando no receptor uma sequência de quadros que poderíamos considerar como "miragens técnicas".

8.16 Os vingadores, tanto quanto eu mesmo, registraram o esclarecimento, sumamente surpreendidos.

O assistente, psicólogo, valera-se de argumentação à altura da que assinaláramos na boca de Leonel, certamente para cientificá-lo de que ele também, Silas, conhecia os processos da obsessão em suas minudências.

Leonel, admirado, abraçou-o e exclamou:

— Companheiro, companheiro, de que escola procede você? Sua inteligência interessa-nos.

O chefe de nossa expedição pronunciou alguns monossílabos e chamou-me à retirada, pretextando serviço a fazer.

Os irmãos, acomodados à rebeldia, permutaram estranho olhar, como a dizerem entre si que pertencíamos a algum núcleo infernal distante e que lhes não convinha molestar-nos.

Insistiram, porém, conosco a que retornássemos no dia seguinte para a troca de ideias, ao que Silas anuiu com evidente satisfação.

8.17     Mais alguns minutos e o assistente, em minha companhia, retirou Alzira e Hilário para o exterior, colocando-nos todos de regresso à Mansão.

O prestimoso servidor do bem, na viagem de volta, mantinha-se silencioso, pensando, pensando...

Contudo, diante de minha perplexidade, aclarou fraterno:

— Não, André. Ainda é cedo para apresentar Alzira aos infortunados verdugos. Pela conversação de Leonel, percebi que cruzamos o caminho de duas vigorosas inteligências, cuja modificação inicial há de ser feita com amor para realizar-se com segurança. Voltaremos amanhã, sem a presença de nossa amiga, para um entendimento mais estável e, por isso mesmo, mais valioso.

Passei, desse modo, a esperar ansiosamente pelo dia seguinte.

# 9
# A história de Silas

**9.1**   Na noite imediata, acompanhando o assistente, eu e Hilário achamo-nos de novo na residência de Luís.

Os irmãos de Antônio Olímpio receberam-nos de bom grado.

Em larga copa da fazenda, reunia-se a família a dois agregados, em repasto ligeiro.

Marcava o relógio 21 horas.

A fisionomia do dono da casa era quase a mesma da véspera, não obstante a diferença que a máscara física lhe impunha.

Enquanto Adélia acariciava as crianças, entontecidas de sono, o marido comentava o noticiário radiofônico, destacando tópicos alarmantes que assinalara nos setores da economia. E, falando para os amigos assombrados, salientou as dificuldades públicas, relacionou misérias imaginárias, criticou os políticos e os administradores e referiu-se às pragas do café e da mandioca, detendo-se, particularmente, sobre as epizootias.[17]

---

[17] N.E.: Doenças que apenas ocasionalmente se encontram em uma comunidade animal, mas que se disseminam com grande rapidez.

Por fim, não satisfeito em enunciar as calamidades da Terra, **9.2** falou, inconsequente, quanto à suposta ira do Céu, afirmando crer que o fim do mundo estava próximo e clamando contra o egoísmo dos ricos, que agravava o infortúnio dos pobres.

Silenciosos todos, ouvíamos-lhe a palavra, quando Leonel, mais confiado, dirigiu-se ao assistente, observando:

— Estão vendo? Este homem — e apontou Luís, cujo verbo dominava a pequenina assembleia familiar — é o derrotismo em pessoa. Enxerga tudo em termos de cinza e lama, ajuíza com firmeza sobre os desastres sociais e conhece as zonas mais tristes da indigência coletiva; entretanto, não sabe desfazer-se de um só centavo, dos milhões que retém, a favor dos que sofrem nudez e fome...

E, depois de um sorriso irônico:

— Acreditam, acaso, possa ele continuar merecendo a felicidade da permanência num corpo carnal?

Silas contemplou as personagens da cena doméstica, mostrando imensa piedade no semblante amigo, e considerou:

— Leonel, todas as suas observações apresentam lógica e verdade, à primeira vista. Superficialmente, Luís é um exemplar consumado de pessimismo e de usura; todavia, no fundo, ele é um doente necessitado de compaixão. Há moléstias da alma que arruínam a mente por tempo indeterminado. Quem seria ele, amparado por influências outras? Espiritualmente abafado entre as visões da fortuna terrestre com que lhe assediamos o pensamento, o infeliz perdeu o contato com os livros nobres e com as nobres companhias. Tem a socorrê-lo apenas a religião domingueira dos crentes que se julgam exonerados de qualquer obrigação para com a fé, contanto que participem do ofício de adoração a Deus, no fim de cada semana. Quem poderia prever-lhe as mudanças benéficas, desde que pudesse receber outro tipo de assistência?

**9.3**     Clarindo e Leonel registraram-lhe as ponderações como se se vissem apunhalados no âmago, tal a expressão de revolta que lhes assomou ao olhar coruscante.

— No entanto, ele e o pai são nossos devedores... Roubaram-nos, assassinaram-nos... — exclamou Leonel com a inflexão da criança voluntariosa e inteligente que se vê contrariada em seus caprichos.

— E que desejam vocês que eles façam? — acrescentou o assistente, sem se perturbar.

— Hão de pagar!... Pagar!... — bramiu Clarindo, cerrando os punhos.

Silas sorriu e obtemperou:

— Sim, pagar é o verbo próprio... Contudo, como pode o devedor resgatar-se, quando o credor lhe subtrai todas as possibilidades de solver os débitos? Que a nós mesmos cabe sanar os males de que somos autores, não padece qualquer dúvida... Entretanto, se nos compete retificar hoje uma estrada que ontem desorganizamos, como proceder se nos decepam agora as mãos? O próprio Cristo aconselhou: "Ajudai aos vossos inimigos."[18] Muitas vezes, penso que semelhante afirmativa, corretamente interpretada, quer assim dizer: — ajudai aos vossos inimigos para que possam pagar as dívidas em que se emaranharam, restaurando o equilíbrio da vida, no qual tanto eles quanto vós sereis beneficiados pela paz.

Via-se que o assistente, com a simpatia conquistada na véspera e com a argumentação despretensiosa e límpida, lograra inequívoca superioridade moral sobre o ânimo dos obsessores de sentimento enrijecido. Ainda assim, Leonel perguntou a medo:

---

[18] N.E.: André Luiz põe nos lábios de sua personagem uma síntese dos v. 27 e 28 do cap. 6 de *Lucas*, para ser mais facilmente compreendido por aqueles Espíritos cheios de ódio, aos quais repugnaria o verbo "amar". Eles se rebelariam diante do texto completo. Seria inabilidade falar em "amar" naquele momento, mas "ajudar" a pagar foi bem aceito, porque eles queriam receber.

— Que considerações são essas? Será você algum padre disfarçado? Intentará, porventura, a nossa modificação?

— Engana-se, meu amigo — informou o assistente —; se algo procuro em nossa comunhão fraterna, é a minha própria renovação.

E talvez porque longa pausa se fez sentir em nosso grupo, Silas continuou:

— Pela sedução do dinheiro, também caí na última passagem pela Terra. A paixão da posse governava-me todos os ideais... A fascinação pelo ouro tomou-me o ser de tal modo que, apesar de ter recebido o título de médico numa universidade venerável, fugi ao exercício da profissão para vigiar os movimentos de meu velho pai, a fim de que nem ele mesmo viesse a dispor, com largueza, dos bens de nossa casa. O apego às nossas propriedades e aos nossos haveres transformou-me num réprobo do paraíso familiar, convertendo-me, ainda, num verdugo intratável, naturalmente odiado por todos os que viviam em subalternidade no vasto círculo de minha temporária dominação... Para amontoar moedas e multiplicar lucros fáceis, comecei pela crueldade e acabei nas malhas do crime... Abominei a amizade, desprezei os fracos e os pobres e, no temor de perder a fortuna cuja posse total ambicionava, não hesitei adotar a delinquência como sócia infernal de meu terrível caminho...

Ante as palavras do assistente, enorme surpresa me tomara de improviso.

Estaria Silas reportando-se à verdade crua ou se utilizava naquela hora de recursos extremos, incriminando indevidamente a si próprio, para regenerar os carrascos que nos ouviam?

De qualquer modo, eu e Hilário havíamos prometido não lhe comprometer a tarefa e, por isso, tacitamente, nos limitávamos a escutá-lo com atenção.

**9.5**     Sentindo, decerto, que Leonel e Clarindo se mostravam um tanto comovidos, dando ensejo à assimilação de pensamentos novos, Silas convidou-nos a todos à retirada do ambiente.

Pretendia dizer-nos algo de sua experiência — falou ele —, mas preferia conversar conosco ante o altar abençoado da noite, a fim de que a sua memória pudesse evocar tranquilamente os fatos que buscaria relatar.

Lá fora, as constelações resplendiam como lares pendentes da Criação, e o vento perfumado corria, célere, como quem se propunha transportar-nos a oração ou a palavra para a glória do Céu.

Incapaz de penetrar o verdadeiro sentido da inesperada atitude que o assistente vinha de assumir, notei-o efetivamente emocionado, qual se fixasse os olhos da alma em painéis distantes.

Clarindo e Leonel, naturalmente dominados pela simpatia a se lhe irradiar do semblante, observavam-no, submissos.

E Silas começou em voz pausada:

— Tanto quanto posso abranger com a minha memória presente, lembro-me de que, em minha última viagem pelos domínios da carne, desde a meninice, me entreguei à paixão pelo dinheiro, o que hoje me confere a certeza de que, por muitas e muitas vezes, fui usurário terrível entre os homens da Terra. Hoje sei, por informações de instrutores abnegados, que, como de outras ocasiões, renasci na derradeira existência, num lar bafejado por grande fortuna, a fim de sofrer a tentação do ouro farto e vencê-la, a golpes de vontade firme, na lavoura incessante do amor fraterno, caindo, porém, lamentavelmente, por minha infelicidade. Era eu o filho único de um homem probo que herdara dos avoengos[19] consideráveis bens. Meu pai era um advogado correto que, por excesso de conforto, não

---

[19] N.E.: Antepassados.

se dedicava aos misteres da profissão, mas, profundamente estudioso, vivia rodeado de livros raros, entre obrigações sociais, que, de alguma sorte, lhe subtraíam a personalidade às cogitações da fé. Minha mãe, porém, era católica-romana, de pensamento fervoroso e digno, e, mesmo sem descer conosco a qualquer disputa na esfera devocional, tentava incutir-nos o dever da beneficência. Recordo-me, com tardio arrependimento, dos reiterados convites que nos dirigia, bondosa, para que lhe palmilhássemos as tarefas de caridade cristã, convites esses que meu pai e eu recusávamos, sem discrepância, encastelados em nossa irreverência enfatuada e risonha. Minha genitora cedo percebeu que meu pobre Espírito trazia consigo o azinhavre da usura e, reconhecendo que lhe seria extremamente difícil colaborar na renovação íntima de meu pai, homem já feito e desde a infância habituado à dominação financeira, concentrava em mim seus propósitos de elevação. Para isso, buscou estimular-me ao gosto pelos estudos de Medicina, alegando que, ao lado do sofrimento humano, poderia eu encontrar as melhores oportunidades de auxílio ao próximo, tornando-me agradável a Deus, ainda mesmo que não me fosse possível entesourar os recursos da fé. Intimamente eu escarnecia das sagradas esperanças de quem me era a criatura mais cara ao Espírito; contudo, sem poder resistir-lhe ao cerco afetivo, consagrei-me à carreira médica, muito mais interessado em explorar os enfermos ricos, cujos agravos do corpo, indiscutivelmente, me facultariam amplas vantagens materiais. Entretanto, em vésperas da vitória estudantil esperada, minha mãe, relativamente moça, despediu-se da experiência física, vitimada por um acidente de angina. Nossa dor foi enorme. Recebi meu diploma de Medicina qual se me fora ele detestada recordação, e, não obstante os estímulos da bondade paterna, não cheguei a ingressar na prática da profissão conquistada. Recolhi-me à

**9.6**

intimidade doméstica, de que me ausentava tão somente para as estações de entretenimento e repouso, então mais que nunca chafurdado na sovinice, porquanto acompanhei o inventário de minha mãe com vigilância tão rigorosa que as minhas estranhas atitudes chegaram a surpreender meu próprio pai, egoísta e displicente, mas nunca avarento quanto eu. Compreendi que a fortuna herdada me situava, para meu infortúnio moral, a cavaleiro de[20] qualquer necessidade da vida física, por largos anos, desde que não me confiasse à dissipação... Ainda assim, quando vi meu genitor inclinado às segundas núpcias, quase aos 60 de idade, fiz quanto pude, indiretamente, para dissuadi-lo, afastando-o de tal intento. Ele, todavia, era um homem resoluto nas decisões e desposou Aída, uma jovem da minha idade, que mal se avizinhava dos 30 anos... Recebi a madrasta como intrusa em nosso campo doméstico e, tomando-a por aventureira comum, à caça de fortuna fácil, jurei vingar-me. Apesar das carinhosas requisições do casal e não obstante o tratamento gentil que a pobre moça me dispensava, exibia sempre um pretexto para fugir-lhe à convivência. O novo matrimônio, no entanto, passou a exigir do esposo mais dilatados sacrifícios no mundo social de que Aída não pretendia afastar-se, e foi assim que, ao término de alguns meses, meu genitor era obrigado a procurar o socorro médico, recolhendo-se, então, a necessário repouso. Acompanhava-lhe a decadência orgânica, tomado de vivas apreensões. Não era a saúde paterna que me feria a imaginação, mas sim a extensa reserva financeira de nossa casa. Na hipótese do súbito falecimento do homem que me trouxera à existência, de modo algum me resignaria a partilhar a herança com a mulher que, aos meus olhos, indebitamente ocupava o espaço de minha mãe.

---

[20] N.E.: A cavaleiro de – em posição elevada, sobranceiro.

O assistente fez longa pausa, enquanto lhe fixamos o semblante melancólico. **9.8**

De mim mesmo, atônito, diante do que me era dado ouvir, indagava, no íntimo, se tudo aquilo de fato se passara... Fora Silas realmente o homem a quem se reportava ou compunha ele aquela história para alterar o ânimo dos perseguidores?

Contudo, não me foi possível desfechar qualquer interrogação, porquanto o nosso amigo, como que desejoso de castigar-se com a dolorosa confissão, prosseguiu, pormenorizando:

— Passei a arquitetar planos delituosos quanto à melhor maneira de alijar Aída de qualquer possibilidade de ingresso futuro ao nosso patrimônio, sem melindrar meu pai doente... E nos projetos criminosos que me visitavam a cabeça, a própria morte da madrasta comparecia como solução. Entretanto, como suprimi-la sem causar maior sofrimento ao enfermo que eu desejava conservar?... Não seria aconselhável desmoralizá-la, antes de tudo, aos olhos dele, para que não padecesse qualquer saudade da mulher, condenada por mim à desvalia? Tramava no silêncio e na sombra, quando a ocasião esperada veio ao meu encontro... Convidado a comparecer com a esposa numa festividade pública, meu pai chamou-me e insistiu para que eu acompanhasse Aída, representando-lhe a autoridade... Pela primeira vez, acedi com prazer... Pretendia conhecer-lhe agora, de mais perto, as afeições... Funestos propósitos nasciam-me no crânio... Desse modo, durante alegre ágape, tomei contato com Armando, primo de minha madrasta e que a cortejara em solteira. Armando era um rapaz pouco mais velho que eu, perdulário e fanfarrão, que dividia o tempo entre mulheres e taças espumantes, a quem, contrariamente aos meus hábitos, ofereci premeditada comunhão afetiva... Tanto quanto possível, dominando moralmente o ânimo de meu pai, desde então o associei ao nosso campo doméstico, favorecendo-lhe o mais

**9.9** amplo retorno à intimidade com a criatura de quem se havia enamorado anos antes. A praia, o teatro, a ópera, bem como passeios de variados matizes, eram agora os pontos costumeiros de nossa presença, nos quais intencionalmente eu atirava os dois primos nos braços um do outro... Aída não me percebeu a manobra e, embora resistisse, por mais de um ano, à galanteria do companheiro, acabou por ceder à constante ofensiva dele... Fingi desconhecer-lhes as relações até que eu pudesse conduzir meu pai ao testemunho direto dos acontecimentos... Inventava jogos e distrações para reter o sedutor em nossa casa... Captei-lhe a confiança absoluta, de modo a usá-lo como peça importante em meu criminoso ardil e, certa noite, em que, cauteloso, aparentei completa ausência de nosso templo familiar, sabendo os amantes segregados em determinado aposento contíguo ao meu, procurei meu pai em sua dependência de enfermo e, mascarando-me com intensa dignidade ofendida, chamei-o a brios, numa exposição sintética dos fatos... Lívido e trêmulo, o doente exigiu provas e nada mais fiz que conduzi-lo, cambaleante, até a porta do quarto, cujo fecho eu próprio deixara enfraquecido... Bastou um empurrão mais forte e meu genitor, desolado, encontrou o flagrante que eu desejava... Armando, cínico, não obstante o desapontamento, afastou-se, lépido, ciente de que não poderia esperar qualquer golpe grave de um sexagenário abatido... Minha madrasta, porém, profundamente ferida em seu amor-próprio, dirigiu ao velho esposo acusações humilhantes, procurando os seus aposentos particulares, numa explosão de amargura. Completando a obra terrível a que me devotara, mostrei-me mais carinhoso para com o enfermo, intimamente aniquilado... Duas semanas arrastaram-se pesadas para a nossa equipe familiar... Enquanto Aída ocupava o leito, assistida por dois médicos de nossa confiança, que nem de longe nos conheciam a tragédia oculta, eu afagava meu pai com lamentações e sugestões indiretas para que os bens de nossa casa fossem, na maioria, guardados em meu nome, já que o segundo matrimônio não poderia desfazer-se perante as autoridades legais. Prosseguia em minha faina delituosa, quando minha madrasta apareceu morta... Os clínicos de nossa amizade positivaram um envenenamento fulminante e, constrangidos, notificaram a meu pai tratar-se de um suicídio, decerto motivado pela insofreável neurastenia de que a doente se via objeto. Meu genitor estava mais sombrio nos aparatosos funerais; contudo, em meus destruidores propósitos, regozijei-me... Agora, sim... a fortuna total de nossa casa passaria a pertencer-me... Minha satânica alegria, porém, durou muito pouco... Desde a morte da segunda mulher, meu pai acamou-se para não mais se erguer... Debalde, médicos e padres amigos procuraram oferecer-lhe melhoras e consolações... Ao fim de dois meses, meu pai, que nunca mais sorriu, entrou em dolorosa agonia, na qual, por meio de confidência entrecortada de lágrimas, me confessou haver envenenado Aída, administrando-lhe violento tóxico no calmante habitual. Isso, no entanto — assegurava-me vencido —, impunha-lhe também a morte, uma vez que não conseguia perdoar a si mesmo, passando a carregar consigo um fardo de remorso constante e intolerável... Pela primeira vez, minha consciência doeu profundamente. O apego aos bens da carne arrasava-me a vida... O velho querido morreu nos meus braços, crendo que os meus soluços de arrependimento fossem pranto de amor. Deixando-lhe o corpo fatigado na terra fria, tornei a nossa casa solarenga, sentindo-me o mais infortunado dos seres... O ouro integral do mundo não me garantiria agora o mais leve consolo. Achava-me sozinho, sozinho e... infinitamente desgraçado. Todos os recantos e pertences de nossa habitação falavam-me de crime e remorso... Muitas vezes, a sombra

9.10

noturna pareceu-me povoada de fantasmas horripilantes a escarnecerem de minha dor, e, em meio à malta de insensíveis demônios a investirem contra mim, tinha a ideia de escutar a voz inconfundível de meu pai, clamando para minha alma: "Meu filho! Meu filho! recua enquanto é tempo." Fiz-me arredio, desconfiado... Em pavorosa crise moral, demandei à Europa, em longa viagem de recreio, mas o encanto das grandes cidades do Velho Mundo não conseguiu aliviar-me as chagas interiores. Em toda a parte, a refeição mais nobre amargava-me na boca e os mais belos espetáculos artísticos deixavam-me apenas ansiedade e desolação. Regressei ao Brasil, mas não tive coragem de retomar a intimidade com a nossa antiga residência. Amparado pela afeição de velho amigo de meu genitor, aceitei-lhe o acolhimento, por alguns dias, até que minha saúde orgânica me permitisse pensar numa transformação radical da existência... Embalado pelo carinho familiar daquele amigo, deixei que longos meses passassem, tentando imerecida fuga mental... até que, numa noite inolvidável para mim, na qual minha gastralgia[21] se transformara num azorrague de dor, tomei de um frasco de arsênico na adega de meu anfitrião, acreditando usar o bicarbonato de sódio que ali deixara na véspera, e o veneno expulsou-me do corpo, impondo-me sofrimentos terríveis... Qual acontecera à minha madrasta, que desencarnara em padecimentos atrozes, eu também passei pela morte em condições análogas... E os amigos que me asilavam no templo doméstico, desconhecendo o equívoco de que eu fora vítima, admitiram, sem qualquer sombra de dúvida, que eu buscara no suicídio a extinção das penas morais que me castigavam a alma de "moço rico e entediado da vida", segundo a versão a que deram curso.

---

[21] N.E.: Dor no estômago.

Silas relanceou o olhar tristonho sobre nós, como quem procurava o efeito de suas palavras, e prosseguiu:

— Isso, porém, não bastou para ressarcir minhas tremendas culpas... Dementado, depois do sepulcro, atravessei meses cruéis de terror e desequilíbrio, entre os quadros vivos a se me exteriorizarem da mente algemada às criações de si própria, até que fui socorrido por amigos de meu pai, que se achava igualmente a caminho da sua recuperação, e, unindo-me a ele, passei a empenhar todas as minhas energias na preparação do futuro...

Transcorridos alguns instantes de pesado silêncio, concluiu:

— Como veem, a fascinação pelo ouro foi o motivo de minha perda. Tenho necessidade de grande esforço no bem e de fé vigorosa para não cair outra vez, porquanto é indispensável me consagre a nova experiência entre os homens...

Leonel e Clarindo não se achavam mais surpreendidos que eu e Hilário, habituados a encontrar, em Silas, um admirável companheiro, aparentemente sem aflição e sem problemas.

Foi Leonel quem rompeu a pausa, perguntando ao assistente que emudecera, qual se fora subjugado pela força das próprias reminiscências:

— Voltará, então, para a carne, assim tão breve?

— Oh! quem me dera a ventura de regressar tão apressadamente quanto possível!... — suspirou o chefe de nossa expedição, algo ansioso. — O devedor está inelutavelmente ligado ao interesse dos credores... Assim, antes de tudo, é imprescindível venha a encontrar minha madrasta, no vasto país de sombra em que nos achamos, para encetar a difícil tarefa de minha liberação moral.

— Como assim? — perguntei emocionado.

— Sim, meu amigo — falou Silas, abraçando-me —, meu caso não aproveita simplesmente a Clarindo e Leonel, que procuram a justiça pelas próprias mãos, o que, muitas vezes, apenas significa violência e crueldade, mas também a Hilário e a você, que estudam presentemente a lei do carma, ou seja, da ação e reação... Aqui somos impelidos a recordar novamente a lição do Senhor: "Ajudai aos vossos inimigos", porque, sem que eu mesmo auxilie a mulher em cujo coração criei uma importante adversária de minha paz, não posso receber-lhe o auxílio fraterno, sem o qual não reconquistarei minha serenidade... Vali-me da fraqueza de Aída para arrojá-la ao despenhadeiro da perturbação, fazendo-a mais frágil do que já era em si mesma... Agora, eu e meu pai, que lhe complicamos o caminho, somos naturalmente constrangidos a buscá-la, soerguê-la, ampará-la e restituir-lhe o equilíbrio relativo na Terra, para que venhamos a solver, pelo menos em parte, a nossa imensa dívida...

9.13 — Seu pai? Referiu-se a seu pai? — inquiriu Hilário, afoito.
— Sim, como não? — retrucou o assistente. — Meu pai e eu, assistidos por minha mãe, hoje nossa benfeitora nas esferas mais altas, estamos associados no mesmo empreendimento — nossa própria regeneração moral, em busca do levantamento de Aída —, sem o que não conseguiremos desintegrar o visco envenenado do remorso que nos aprisiona o campo mental nas faixas inferiores da vida terrestre. É assim que nos cabe reencontrá-la, em benefício de nós mesmos... Tão logo a Divina Misericórdia nos permita semelhante felicidade, meu genitor, envolvido no amor e na renúncia de minha mãe que, com ele, retornará às lides da carne, vestir-se-á de nova expressão corpórea no plano das formas físicas e, ambos, na mocidade terrena, retomando os laços humanos do casamento, recolher-nos-ão por filhos abençoados... Aída e eu seremos irmãos nas teias consanguíneas... Consoante nossas aspirações que o Céu protegerá, à face da magnanimidade divina, serei novamente médico no futuro, ao preço de imenso esforço, para consagrar-me à beneficência, nela recuperando minhas valiosas oportunidades perdidas... Minha

madrasta, que, por certo, viverá sofrendo deplorável intoxicação da alma, nos tenebrosos abismos, será socorrida em momento oportuno e, não obstante o tempo longo de assistência que nos reclamará neste plano, em necessário refazimento, sem dúvida renascerá em franzino corpo físico, junto de nós, de maneira a sanar as difíceis psicoses que estará adquirindo sob o domínio das trevas, psicoses que lhe marcarão a existência na carne, sob a forma de estranhas enfermidades mentais... Ser-lhe-ei, assim, não apenas o irmão do lar, mas também o enfermeiro e o amigo, o companheiro e o médico, pagando em sacrifício e boa vontade, afeto e carinho, o equilíbrio e a felicidade que lhe furtei...

**9.14** A confissão do assistente valia por todo um compêndio vivo de experiências preciosas, e, talvez por isso mesmo, entráramos todos em grave meditação.

Hilário, contudo, como quem não desejava perder o fio do ensinamento, dirigiu-se ao nosso amigo, considerando:

— Meu caro, disse você estar aguardando, em comunhão com o genitor, a alegria de reencontrar a madrasta... Como entender-lhe a alegação? Porventura, com o seu grau de conhecimento, sofre alguma dificuldade para saber-lhe a moradia?

— Sim, sim... — confirmou o assistente, tristonho.

— E os benfeitores espirituais que atualmente lhes guiam a senda? Não conhecerão eles o paradeiro dela, orientando-lhes os movimentos no objetivo a alcançar?

— Inegavelmente — ponderou Silas, bondoso — nossos instrutores não padecem a ignorância que me caracteriza no assunto... Entretanto, qual ocorre entre os homens, também aqui o professor não pode chamar a si os deveres do aluno, sob pena de subtrair-lhe o mérito da lição. Na Terra, por muito nos amem, nossas mães não nos substituem no cárcere, quando devamos expiar algum crime, e nossos melhores amigos não podem avocar para si, em nome da amizade, o direito de sofrer a mutilação que a nossa imprudência nos tenha infligido ao próprio corpo. Sem dúvida as bênçãos de amor dos nossos dirigentes hão trazido à minha alma inapreciáveis recursos... Conferem-me luz interior para que eu sinta e reconheça minhas fraquezas e auxiliam-me a renovação, a fim de que eu possa demandar, com mais decisão e facilidade, a meta que me proponho atingir... mas, em verdade, o serviço de meu próprio resgate é pessoal e intransferível...

**9.15**   Leonel e Clarindo ouviam-no boquiabertos.

Falando de si mesmo, o assistente, sem lhes ferir o amor-próprio, trabalhava indiretamente para que se entregassem ao reajuste. E, pela expressão do olhar, via-se que os dois verdugos albergavam agora admirável mudança íntima.

Hilário refletiu alguns instantes e voltou a considerar:

— Mas todo esse drama deve estar vinculado a causas do pretérito...

— Sim, decerto — confirmou o assistente —, mas, em nossa atormentada região, não há tempo mental para qualquer prodígio da memória. Achamo-nos presos à recordação das causas próximas de nossas angústias, dificultando-se-nos a possibilidade de penetrar o domínio das causas remotas, porquanto a situação de nosso Espírito é a de um doente grave, necessitado de intervenção urgente a favor do reajuste. O inferno, a exprimir-se nas zonas inferiores da Terra, está repleto de almas que, dilaceradas e sofredoras, se levantam, clamando pelo socorro da Providência Divina contra os males que geraram para si mesmas, e a Providência Divina lhes permite a ventura de trabalhar, com os dardos da culpa e do arrependimento a lhes castigarem o coração, em benefício das suas vítimas e dos irmãos, cujas faltas se afinem com os delitos que cometeram, para que se rearmonizem, tão apressadamente quanto possível, com o infinito amor e com a perfeita justiça da Lei... Paguemos nossas dívidas, que respondem por sombras espessas em nossas almas, e o espelho de nossa mente, onde estivermos, refletirá a luz do Céu, a pátria da divina lembrança!...

Compreendemos que Silas auxiliava Clarindo e Leonel, identificando-os como irmãos de luta e aprendizado, no que, indiscutivelmente, ampliaria os próprios méritos. **9.16**

Muitas inquirições explodiam, em pensamento, no meu acanhado mundo íntimo... Quem lhe seria o pai amigo? Onde viveria sua abnegada genitora? Esperava despender, ainda, longo tempo na procura da madrasta infeliz?...

Entretanto, a grandeza espiritual do assistente não nos favoreceria qualquer pergunta indiscreta.

Apenas tive coragem para considerar, respeitoso:

— Ó meu Deus, quanto tempo gastamos para refazer, às vezes, a inconsequência de um simples minuto!

— Você tem razão, André — comentou Silas, generoso —, a Lei é de Ação e Reação... A ação do mal pode ser rápida, mas ninguém sabe quanto tempo exigirá o serviço da reação, indispensável ao restabelecimento da harmonia soberana da vida, quebrada por nossas atitudes contrárias ao bem...

E, sorrindo:

— Por isso mesmo, recomendava Jesus às criaturas encarnadas: "Reconcilia-te depressa com o teu adversário, enquanto te encontras a caminho com ele..." É que Espírito algum penetrará o Céu sem a paz de consciência, e, se é mais fácil apagar as nossas querelas e retificar nossos desacertos enquanto estagiamos no mesmo caminho palmilhado por nossas vítimas na Terra, é muito difícil providenciar a solução de nossos criminosos enigmas quando já nos achamos mergulhados nos nevoeiros infernais.

A ponderação era cabível e justa.

Não nos foi possível, porém, prosseguir a conversa.

Leonel, cuja impassibilidade reconhecíamos, com grande surpresa para nós tinha os olhos umedecidos...

**9.17**  Silas ergueu os olhos para o Alto, agradecendo a bênção da transformação que se esboçava, e recolheu-o em seus braços.

O desditoso irmão de Clarindo queria falar...

Percebemos que tencionava referir-se à morte de Alzira, no lago, mas o assistente prometeu-lhe que voltaríamos na noite seguinte.

Logo após, confiamo-nos ao retorno, mas nem Hilário nem eu nos animamos a conversar com o denodado companheiro, que entrara, melancólico, em expressivo silêncio.

# 10
# Entendimento

**10.1**   Na noite imediata, em seguida a serviços rotineiros, Silas procurou-nos para a continuação da tarefa encetada.

De regresso ao lar de Luís, alimentamos conversação comum, sem qualquer alusão aos temas da véspera, e, como que sintonizados em nossa onda mental de respeito mútuo, Clarindo e Leonel receberam-nos com discrição e carinho.

Afiguraram-se-nos, ambos, sobremaneira trabalhados pelas ideias que o assistente lhes ofertara indiretamente ao Espírito.

Em casa do situante, o quadro não se alterara.

Luís e os amigos cavaqueavam cordialmente, comentando as pragas do campo e as doenças dos animais, a carestia da vida e os negócios infortunados... Entretanto, os dois irmãos demonstravam-se agora claramente desligados de semelhante painel de sombra.

Cumprimentaram-nos com a gentileza irradiante de quem se punha à vontade para acolher-nos e fitaram Silas com desusado interesse.

Adivinhava-se que haviam tomado a confissão do assistente para valiosas reflexões. **10.2**

Observando-lhes a metamorfose com inequívocos sinais de contentamento, o chefe de nossa expedição nem de leve se reportou ao problema de Luís e convidou-os com lhaneza de trato a acompanhar-nos.

Mostrando a renovação de que se achavam possuídos, incorporaram-se, de pronto, à nossa pequena caravana e, atendendo à recomendação de Silas, os dois, de mãos entrelaçadas com as nossas, conseguiram volitar[22] com certa facilidade e segurança.

Findos alguns minutos, chegamos a vasto hospital de movimentada cidade terrestre.

Na portaria, um dos vigilantes espirituais dirigiu-se carinhosamente a Silas, em saudação fraterna, e o nosso dirigente no-lo apresentou atencioso:

— Este é o nosso companheiro Ludovino, que no momento se encontra encarregado da necessária vigilância, em benefício de alguns enfermos ligados à nossa casa pelos vínculos da reencarnação.

Abraçamo-nos todos, irmãmente.

Logo após, o responsável por nossa equipe de trabalho tomou a palavra, indagando:

— E a nossa irmã Laudemira? Recolhemos hoje notícias graves...

— Sim — concordou o interpelado —, tudo faz acreditar que a pobrezinha sofrerá perigosa intervenção. Envolta nos fluidos anestesiantes que lhe são desfechados pelos perseguidores durante o sono, tem a vida uterina sensivelmente prejudicada por extrema apatia. O cirurgião voltará dentro de uma hora e, na hipótese de os recursos aplicados não surtirem efeito, providenciará uma cesariana como remédio aconselhável...

---

[22] N.E.: Locomover-se pelo ar.

**10.3**   Nosso amigo mostrou funda preocupação a vincar-lhe o semblante habitualmente calmo, e ajuntou:

— Uma operação dessa espécie acarretar-lhe-á grandes prejuízos para o futuro. Consoante o programa organizado em favor dela, cabe-lhe receber ainda mais três filhos no templo do lar, de modo a utilizar-se do presente estágio humano, com tanta eficiência quanto se torne possível...

O guarda fixou um gesto de respeito e ponderou:

— Creio, então, que não há tempo a perder.

Silas tomou-nos a dianteira e conduziu-nos a pequena enfermaria, onde jovem senhora se lamentava aflita.

Simpática matrona de nevados cabelos, em cuja ternura percebíamos a presença materna, velava, atenta, acariciando-lhe as mãos inquietas.

Notando a expressão de pavor que os olhos da doente exibiam em pranto, procurei a palavra de Silas, quanto à causa de tão agoniado padecimento.

— Nossa irmã — esclareceu, prestativo — será novamente mãe, em minutos breves. Encontra-se, porém, algemada a provas difíceis. Demorou-se muito tempo em nossa Mansão, antes de retornar ao corpo denso de carne, sempre vigiada por inimigos que ela mesma criou em outro tempo, quando se valeu da beleza física para acumpliciar-se com o crime. Bela mulher, atuou em decisões políticas que arruinaram a estrada de muita gente. Padeceu muitos anos nas trevas infernais, entre a carne e a sombra, até que mereceu agora a felicidade de renascer com a tarefa de restaurar-se, restaurando alguns dos companheiros de crueldade que, na feição de filhos, com ela se levantarão para mais amplos serviços regeneradores...

Silas, contudo, lançou-me expressivo olhar e acrescentou:

— Historiaremos o assunto mais tarde. Agora, é indispensável agir...

Sob a atenção de Clarindo e Leonel, que nos seguiam surpresos, convocou-nos, a Hilário e a mim, para o socorro imediato.

Determinando permanecêssemos ambos em oração, com a destra colada ao cérebro da doente, começou a fazer operações magnéticas excitantes sobre o colo uterino.

Substância leitosa, qual neblina leve, irradiava-se-lhe das mãos, espalhando-se sobre todos os escaninhos do aparelho genital.

Decorridos alguns minutos de pesada expectativa, surgiram contrações que, pouco a pouco, se acentuaram intensamente.

Silas, atencioso, controlou a evolução do parto, até que o médico ingressou no recinto.

Longe de registrar-nos a presença, sorriu satisfeito, reclamando o concurso de competente enfermeira.

A cesariana foi esquecida.

Convidou-nos o assistente ao regresso, informando-nos mais tranquilo:

— O organismo de Laudemira reagiu brilhantemente. Esperamos possa continuar na obra que lhe compete, com o êxito necessário.

Puséramo-nos, de novo, a caminho.

Leonel, cuja inteligência aguda não perdia os nossos menores movimentos, perguntou a Silas, com ar respeitoso, se os trabalhos a que se dedicava exprimiam alguma preparação, diante do porvir, ao que o assistente respondeu sem pestanejar:

— Sem dúvida. Ainda ontem lhes falei dos meus desajustes de médico fracassado e comentei o plano de abraçar a Medicina no futuro, entre os encarnados, nossos irmãos. Todavia, para que eu mereça a ventura de tal reconquista, consagro-me, nas regiões inferiores que me servem de domicílio, ao ministério do alívio, criando causas benéficas para os serviços que virão...

— Causas? Causas? — murmurou Clarindo, algo espantado.

**10.5**   — Sim, procurando ajudar espontaneamente além dos deveres que me são impostos, na luta pela recuperação moral de mim mesmo, com a bênção divina alongarei a sementeira de simpatia em meu favor.

E, relanceando significativamente o olhar sobre nós, acentuou, em seguida a breve minuto de reflexão:

— Um dia, consoante as dívidas que me pedem resgate, estarei novamente entre as criaturas encarnadas e, para solver minhas culpas, também sofrerei obstáculo e dúvida, enfermidade e aflição... Que mãos caridosas e amigas me amparem daqui, em nome de Deus, porque isoladamente ninguém consegue vencer... E para que braços amorosos se me estendam, mais tarde, é imperioso movimente agora os meus no voluntário exercício da solidariedade.

O ensinamento era preciso não apenas para os dois perseguidores que o registravam, perplexos, mas também para nós que reconhecíamos, mais uma vez, a infinita bondade do Supremo Senhor, que, ainda mesmo nos mais tenebrosos ângulos da sombra, nos permite trabalhar pelo incessante engrandecimento do bem, como abençoado preço de nossa felicidade.

Enquanto volitávamos de retorno, Hilário, antecipando-me na curiosidade, inclinou a conversação para o caso de Laudemira.

— Era conhecida de Silas, desde muito tempo? Assumira, assim, compromissos tão graves para com a maternidade? Que papel representavam os filhos junto dela? Credores ou devedores?

Silas sorriu complacente para a arguição cerrada e explicou:

— Inegavelmente, creio que o processo redentor de nossa amiga serve por tema palpitante nos estudos de causa e efeito que vocês vão acumulando.

Entregou-se a longa pausa de consulta à memória e prosseguiu:

— Não podemos, assim de relance, mergulhar pormenorizadamente no pretérito que lhe diz respeito, nem posso de mim mesmo cometer qualquer indiscrição, abusando da confiança que a Mansão me outorga, no exercício de meus encargos. Entretanto, a título de nossa edificação espiritual, posso adiantar-lhes que as penas de Laudemira, na atualidade, resultam de pesados débitos por ela contraídos, há pouco mais de cinco séculos. Dama de elevada situação hierárquica na Corte de Joana II, Rainha de Nápoles, de 1414 a 1435, possuía dois irmãos consanguíneos que lhe apoiavam todos os planos loucos de vaidade e domínio. Casou-se, mas sentindo na presença do marido um entrave ao desdobramento das leviandades que lhe marcavam o caráter, acabou constrangendo-o a enfrentar o punhal dos favoritos, arrastando-o para a morte. Viúva e dona de bens consideráveis, cresceu em prestígio, por haver favorecido o casamento da rainha, então viúva de Guilherme, Duque da Áustria, com Jaime de Bourbon, Conde de la Marche. Desde aí, mais intimamente associada às aventuras de sua soberana, confiou-se a prazeres e dissipações, nos quais perturbou a conduta de muitos homens de bem e arruinou as construções domésticas, elevadas e dignas, de várias mulheres do seu tempo. Menosprezou sagradas oportunidades de educação e beneficência que lhe foram concedidas pela Bondade Celeste, aproveitando-se da nobreza precária para desvairar-se na irreflexão e no crime. Foi assim que, ao desencarnar, no fastígio da opulência material, nos meados do século XV, desceu a medonhas profundezas infernais, onde padeceu o assédio de ferozes inimigos que lhe não perdoaram os delitos e deserções. Sofreu por mais de cem anos consecutivos nas trevas densas, conservando a mente parada nas ilusões que lhe eram próprias, voltando à carne por quatro vezes sucessivas, por intercessão de amigos do plano superior, em cruciantes problemas expiatórios, no decurso dos quais, na condição de mulher, embora abraçasse novos compromissos, experimentou pavorosos vexames e humilhações da parte de homens sem escrúpulos que lhe asfixiavam todos os sonhos...

**10.6**

**10.7** — Mas — perguntou Hilário —, de cada vez que se retirava da carne, nas quatro existências a que alude, continuava ligada às sombras?

— Como não?! — exclamou o assistente. — Quando a queda no abismo é de longo curso, ninguém emerge de um salto. Ela naturalmente entrava pela porta do berço e saía pela porta do túmulo, transportando consigo desajustes interiores que não podia sanar de momento para outro.

— Se a situação era assim inalterável — ponderou meu colega —, para que retomar o corpo físico? Não lhe bastaria sofrer na dolorosa purgação daqui deste lado, sem renascer na esfera carnal?

— A observação é compreensível — ajuntou Silas, paciente —; entretanto, nossa irmã, com o amparo de abnegados companheiros, voltou ao pagamento parcelado das suas dívidas, reaproximando-se de credores reencarnados, não obstante mentalmente jungida aos planos inferiores, desfrutando a bênção do olvido temporário, com o que lhe foi possível angariar preciosa renovação de forças.

— Mas sempre conseguiu ressarcir, de alguma sorte, os débitos em que se emaranhou?

— De alguma sorte, sim, porque padeceu tremendos golpes no orgulho que trazia cristalizado no coração... Contudo, a par disso, contraiu novas dívidas, uma vez que, em certas ocasiões, não conseguiu superar a aversão instintiva, diante dos adversários aos quais passou a dever trabalho e obediência, chegando ao infortúnio de afogar uma criancinha que mal ensaiava os primeiros passos, de modo a ferir a senhora da casa em que servia de ama, tentando vingar-se de crueldades recebidas. Depois de cada desencarnação, regressava habitualmente às zonas purgatoriais de que procedia, com alguma vantagem no acerto das suas contas, mas não com valores acumulados, imprescindíveis à definitiva libertação das sombras, porque todos somos tardios na decisão de pagar nossos débitos, até o integral sacrifício...

— Contudo — tornou Hilário —, sempre que regressava à esfera espiritual, decerto contava com o auxílio dos benfeitores que lhe amparam os destinos, embora se demorasse na treva mental...

— Exatamente — confirmou Silas —; ninguém está condenado ao abandono. Vocês não ignoram que o Criador atende a criatura por intermédio das próprias criaturas. Tudo pertence a Deus.

— Ainda mesmo o inferno? — acrescentou Leonel, preocupado.

O assistente sorriu e aclarou:

— O inferno, a rigor, é obra nossa, genuinamente nossa, mas imaginemo-lo, assim, à maneira de uma construção indigna e calamitosa, no terreno da vida, que é Criação de Deus. Tendo abusado de nossa razão e conhecimento para gerar semelhante monstro, no espaço divino, compete-nos a obrigação de destruí-lo para edificar o paraíso no lugar que ele ocupa indebitamente. Para isso, o Infinito Amor do Pai Celeste nos auxilia de múltiplos modos, a fim de que possamos atender à perfeita justiça. Entendido?

A explicação não podia ser mais clara; entretanto, Hilário parecia interessado em solver qualquer dúvida e, talvez por isso, inquiriu novamente:

— Considera possível venhamos a saber quais seriam as existências de Laudemira antes de haver ingressado na corte de Joana II?

— Sim — elucidou Silas, tolerante —, será fácil conhecê--las, mas não nos convém num simples estudo efetuar o tentame, porque o assunto em si reclamaria largas cotas de atenção e de tempo. Basta lhe pesquisemos a condição referida para definir--lhe as lutas redentoras de agora, porquanto nossos estágios em qualquer eminência social no mundo, seja no campo da influência ou das finanças, da cultura ou da ideia, servem como pontos vivos de referência da nossa conduta digna ou indigna, no usufruto das possibilidades que o Senhor nos empresta, designando com clareza nosso avanço na direção da luz ou nosso aprisionamento maior ou menor nos círculos da treva, pelas virtudes conquistadas ou pelos débitos assumidos.

**10.9**　　A conceituação luminosa de Silas era verdadeiro jorro solar em meu entendimento...

Ainda assim, meu companheiro insistiu:

— Não obstante os seus valiosos conceitos já expendidos, quanto à memória nas regiões inferiores, será interessante saber se Laudemira, antes da atual reencarnação, chegava a lembrar-se com nitidez dos estágios por que passou nas difíceis provações a que se refere...

Nosso amigo esclareceu com a maior tolerância:

— Estou na Mansão há oito lustros e acompanhei-lhe a internação em nossa casa faz precisamente trinta anos. Havia encerrado a existência última, no plano carnal, no início deste século, e atravessara longos padecimentos nas esferas de baixo nível. Ingressou em nosso instituto acusando terrível demência e, submetida à hipnose, revelou os fatos que venho de narrar, fatos esses que constam naturalmente da ficha que lhe define a personalidade, no arquivo das observações que nos orientam. Nossos instrutores, porém, não julgaram necessário mais amplo recuo mnemônico, pelo menos por enquanto, para lhe prestarem auxílio. Sei, no entanto, que Laudemira, conturbada qual se achava, não dispunha de forças para articular qualquer reminiscência na vigília comum, mesmo porque foi trazida à reencarnação atual, sob os auspícios de benfeitores que velam por nossa organização, ainda mentalmente sintonizada com os laços menos dignos do caminho que escolheu. Deve agora receber cinco de seus antigos cúmplices na queda moral, para reerguer-lhes os sentimentos, na direção da luz, em abençoado e longo sacerdócio materno. Do seu êxito no presente, dependerão as facilidades que espera recolher do futuro, para a liberação definitiva das sombras que ainda lhe ofuscam o Espírito, pois, se conseguir formar cinco almas na escola do bem, terá conquistado enorme prêmio diante da Lei amorosa e justa.

O problema de Laudemira, debatido em nosso regresso, valia por preciosa contribuição no tema "causa e efeito" que nos decidíramos estudar.

E, reparando que a nossa curiosidade se quedara satisfeita, Silas voltou-se com mais carinho para Leonel e Clarindo, sondando-lhes os ideais. Decerto, para conhecer-lhes naturalmente as esperanças, reportou-se aos próprios anseios quanto aos trabalhos médicos do futuro. Não pretendia perder tempo. Tinha agora a sede de aprender e servir, para demandar o campo humano com os melhores valores do Espírito, que se lhe exprimiriam na mente, quando encarnado, em forma de tendência e facilidade na chamada "vocação inata".

Os dois irmãos, sabiamente tocados pela palavra do amigo que lhes ganhara a confiança, sentiam-se agora mais à vontade.

A confissão do assistente e o exemplo de humildade que nos fornecera, espontâneo, penetrara-lhes fundo.

Clarindo, impulsivo e franco, falou dos ideais de que se inflamara, anos antes. Possuía entranhado amor ao solo e projetara, quando jovem, a organização de um reduto agrícola em que lhe fosse possível consagrar-se a nobilitantes experiências. Anelaria ter vivido largo tempo na propriedade familiar, criando um setor de ação própria. Entretanto, comentou algo triste, mas sem o tom de revolta de suas anteriores conversações, a criminosa decisão de Antônio Olímpio aniquilara-lhe os sonhos. Vira-se esbulhado dos seus ideais, em tremenda frustração que, depois do sepulcro, lhe dementava a cabeça... Não conseguia disposições mentais para refazer a esperança... Sentia-se como o desespero em pessoa, como alguém que se identificasse irremediavelmente agrilhoado a pelourinho degradante...

E Clarindo mostrava agora inflexão de pranto na voz, revelando-se imensamente transformado.

Leonel, cuja inteligência refinada nos infundia cauteloso respeito, estimulado por Silas, começou a dizer de sua inclinação para a música...

Quando menino entre os homens, acreditava-se talhado para a arte sublime. Jovem, apaixonara-se pela obra de Beethoven, cuja biografia guardava de cor. Em razão disso, não buscava tão somente o título de bacharel para o qual se preparava, mas também os louros de pianista, com o que se sentiria sumamente feliz...

No entanto, e exprimia-se carregando a voz de insofreável amargura, o homicídio de que fora vítima turvara-lhe a visão. Albergava no íntimo tão somente o ódio que passara a reger-lhe a existência e, com o ódio no coração, não sabia rearquitetar os castelos do princípio...

Leonel fez longa pausa e acentuou com agradável surpresa para nós:

— Entretanto, em nossos contatos pessoais nos dias últimos, começo a perceber que, se tivemos a experiência física ceifada em plena juventude do corpo, indubitavelmente possuíamos débitos que justificavam provação assim tão rude, embora isso não exima Antônio Olímpio, o irmão ingrato, da culpa que carrega, esposando a responsabilidade do horrível assassínio com que nos precipitou nas sombras.

— Exatamente — acrescentou Silas, emocionado —, seu argumento denuncia grande renovação...

Contudo, o assistente não pôde continuar, porque Leonel mergulhou a cabeça nas mãos e clamou em lágrimas:

— Mas, ó Deus, por que só conhecemos a alta virtude do perdão quando já nos enodoamos no crime? Por que só tão tarde o desejo de restaurar o campo de nossas aspirações, quando a vingança já nos crestou a vida no incêndio do mal?!...

10. Enquanto Clarindo lhe acompanhava a explosão de dor e remorso, com sinais de aprovação, e Silas o acolhia, generoso, de encontro ao peito, pressentimos que Leonel se reportava à morte de Alzira, debaixo da obsessão que, sem dúvida, ele e o irmão haviam comandado.

O orientador de nossa excursão, todavia, deu-se pressa em consolá-lo, exortando bondoso:

— Chora, meu amigo! Chora, que as lágrimas purificam o coração!... Ainda assim, não permitas que o pranto te esmague a lavoura de esperança... Quem de nós, aqui, jaz sem culpa? Todos temos compromissos a resgatar, e o tesouro do Senhor jamais se empobrece de compaixão. O tempo é a nossa bênção... Com os dias, coagulamos a treva ao redor de nós e, com os dias, convertê-la-emos em sublimada luz... Entretanto, para isso, é indispensável perseveremos na coragem e na humildade, no amor e no sacrifício. Levantemo-nos na direção do futuro, dispostos à reconstrução dos nossos destinos.

Notamos que Leonel, naquela hora, propunha-se vazar o coração em nossos ouvidos. Queria desabafar, confessar-se...

Silas, no entanto, restituindo-o à meditação, convidou-nos ao regresso, prometendo voltar na noite seguinte.

Os dois companheiros, completamente modificados, reinstalaram-se no lar de Luís e prosseguimos de retorno.

A caminho, o assistente rejubilava-se. O processo Antônio Olímpio, a nós confiado, atingia bom termo.

A renovação dos obsessores coroara-se de êxito.

E o chefe da nossa expedição dizia aguardar para a noite imediata o entendimento entre Alzira e aqueles que lhe seriam filhos no porvir, depois do qual seriam ambos internados na Mansão, com o pleno assentimento deles mesmos, tendo em vista a preparação do futuro... Na casa dirigida por Druso, trabalhariam e reeducar-se-iam, encontrando novos interesses mentais e novos estímulos para a necessária recuperação...

Assim que o nosso amigo entrou em silêncio, Hilário indagou preocupado:

— Quanto tempo Clarindo e Leonel gastarão aplainando os caminhos para a volta ao corpo físico?

— Provavelmente um quarto de século...

— Por que tanto?

— Precisarão reconstituir as ideias no campo do bem, plasmando-as de modo indelével na mente, a fim de que se consagrem à efetivação dos novos planos. Refugiar-se-ão no serviço ativo, ajudando os outros e criando, assim, preciosas sementeiras de simpatia, que lhes facilitarão as lutas na Terra, amanhã... No trabalho e no estudo, tanto quanto nos empreendimentos da pura fraternidade, amealharão incorruptíveis valores morais, e a reeducação, dessa forma, aperfeiçoar-lhes-á as tendências, predispondo-os à vitória de que necessitam nas provações remissoras.

— E Antônio Olímpio? — insistiu Hilário. — Pelo que deduzo, permanecerá muito menos tempo na Mansão...

— Sim — aprovou o assistente —, Antônio Olímpio, depois de breve reconciliação com os manos, renascerá, sem dúvida, dentro de dois a três anos.

— Por que tão grande diferença?

— Não podemos esquecer — explicou Silas, sereno — que foi ele quem começou a criminosa trama sob nosso estudo. Por isso, do grupo de reencarnantes, será o companheiro menos favorecido na Lei, durante a viagem prevista à esfera humana, pelas agravantes que lhe marcam o problema individual. Com o Espírito ainda sombreado de angústia e arrependimento, ressurgirá no berço da família que ele prejudicou, pela prática da usura, movimentando-se num horizonte mental muito restrito, uma vez que, instintivamente, a sua maior preocupação será devolver aos irmãos espoliados a existência física, o dinheiro e as terras que deles furtou... Em razão disso, apenas disporá de facilidades íntimas para a cultura e o aprimoramento de si mesmo, na idade madura do corpo, quando houver encaminhado os filhos para o triunfo que a eles compete alcançar.

— Entretanto — ponderou meu colega —, Clarindo e Leonel também mataram...

— E decerto pagarão por isso; contudo, não podemos negar-lhes atenuantes no lamentável delito... Antônio Olímpio planejou o crime friamente para acomodar-se nas vantagens materiais que lhe adviriam da crueldade e da violência, e os irmãos infelizes agiram no pesadelo do ódio, traumatizados de pavorosa dor... Inegavelmente, Clarindo e Leonel padecem angústia e remorso, devendo sofrer doloroso resgate, em momento oportuno, mas, ainda assim, são credores do irmão que lhes retardou os passos evolutivos...

— E Alzira nessa história?

— Alzira já conseguiu entesourar bastante amor para entender, perdoar e auxiliar... Por esse motivo, dispõe, diante da Lei, do poder de ajudar, tanto o esposo como os cunhados, até agora infelizes, tanto o filho Luís, ainda na carne, como todos os descendentes de sua organização familiar, porque quanto mais amor puro no Espírito, mais amplos recursos da alma perante Deus...

E, lançando expressivo olhar sobre nós, acentuou:

— Aqueles que amam realmente governam a vida.

Sentia-me satisfeito. Os conceitos não poderiam ser mais claros.

Hilário, contudo, pedindo desculpas pela insistência, levantou ainda nova questão:

— Por que sofrera Alzira aflitiva desencarnação no lago?

Silas, no entanto, considerou:

Ação e reação | Capítulo 10

15      — Compreendendo-se que nossa amiga já conquistou a felicidade do perdão irrestrito, filho do amor que não se preocupa em ser amado, não nos convém mais profunda imersão no pretérito, tornando nosso estudo fastidioso.

E sorrindo:

— Alzira, diante de nós outros, já é alguém que possui larga faixa de céu no coração... Os assuntos que lhe dizem respeito devem ser analisados no Céu...

Atingíramos a Mansão e, recolhidos a nós mesmos, passamos a digerir as lições da hora em curso... As peças de amor e ódio, sofrimento e vingança do processo Antônio Olímpio eram as mesmas de nossos dramas pessoais, destacando a necessidade de amor e perdão em nossas vidas, para que, pelo sentimento puro, pudéssemos avançar da sombra para a luz...

Nessas graves reflexões, aguardamos ansiosamente a noite seguinte.

E, chegando a hora abençoada de nossos estudos, o assistente entendeu-se com a irmã Alzira, em longa conversação particular, solicitando-lhe nos reencontrasse, a determinada hora, no lago em que ocorrera a desencarnação dela. Em seguida, recomendou a duas cooperadoras da casa lhe acompanhassem a viagem, instruindo-as para que nossa amiga somente viesse até nós quando chamada por nosso grupo em serviço.

Depois da costumeira excursão, entrávamos no lar de Luís, onde Clarindo e Leonel nos aguardavam com carinhoso interesse.

Silas reconduziu-nos ao hospital que visitáramos na véspera, administrando passes magnéticos em Laudemira e no filhinho recém-nato, e, findas essas ligeiras atividades de assistência, transportou-nos para vasto domicílio, em cujo umbral um velhinho desencarnado, de fisionomia simpática, recebeu-nos amavelmente.

— É o nosso irmão Paulino, que vem amparando as obras do filho dedicado à engenharia na Terra — explicou o orientador de nossas tarefas.

E Paulino deu-nos acesso ao interior familiar, situando-nos num espaçoso gabinete em que um homem maduro jazia debruçado sobre um livro.

O generoso anfitrião no-lo apresentou como o filho encarnado, cuja missão técnica assistia com invariável desvelo. E, porque indagasse ao diretor de nossa excursão em que poderia servir-nos, Silas rogou-lhe os bons ofícios, junto ao filho, para que nos fosse propiciado, ali, o prazer de alguns momentos de música, solicitando-lhe, se possível, alguma página especial de Beethoven.

Com surpresa, vimos nosso amigo abeirar-se do engenheiro, segredando-lhe algo aos ouvidos. E, longe de assinalar-nos a presença, qual se estivesse constrangido por si mesmo a ouvir música, o cavalheiro interrompeu a leitura, dirigiu-se à eletrola e consultou pequena discoteca, de que retirou a "Pastoral" do grande compositor a que nos referimos.

Em breves momentos, o recinto povoava-se para nós de encantamento e alegria, sonoridade e beleza.

Silas, com alma e coração, ouvia conosco a sinfonia admirável, toda ela estruturada em bênçãos da Natureza sublimada.

Com Clarindo, atraído para as lides campestres, sentíamos mentalmente a presença do bosque, repleto de pássaros cantores sobrevoando um regato cristalino a deslizar sobre leitosos seixos, e, qual se a paisagem imaginária obedecesse à narração melódica, vimo-la transformar-se, de repente, dando-nos a ideia de que o céu, dantes azul, se cobria de nuvens pesadas e pardacentas, a despejarem faíscas e trovões, para depois retornar ao quadro florido, entre cânticos e preces... E, com Leonel, apaixonado pela arte divina, registrávamos o império da música, em sua majestade soberana, arrebatando-nos às mais sublimes emoções.

17       Aqueles minutos valiam para nós como abençoada oração.

Os lances da magnífica sinfonia como que nos elevavam a círculos harmoniosos de ignota beleza, e todos trazíamos lágrimas abundantes, uma vez que os encantadores acordes em movimento possuíam a faculdade de lavar-nos, miraculosamente, os refolhos do ser.

Findas as notas derradeiras, despedimo-nos maravilhados.

Nossos pensamentos vibravam em sintonia mais pura, e os nossos corações pareciam mais fraternos.

Por solicitação de Leonel, que parecia atender instintivamente à sugestão de Silas, demandamos o lago na velha propriedade dos Olímpios.

O plenilúnio coroava o campo de prateadas fulgurações.

A noite ia alta...

Tomando a iniciativa, o irmão de Clarindo passou, então, a relatar-nos quanto já sabíamos, detendo-se em copioso pranto ao referir-se à morte da cunhada, sobre quem atirara as farpas da sua ira...

Extremamente surpreendidos, Hilário e eu notávamos a paciente atenção de Silas ouvindo-lhe a confissão, qual se o assunto lhe fora absoluta novidade.

Depois de mais de uma hora, em que nosso companheiro sofredor se mantivera com a palavra, o assistente, em particular, chamou-nos a mais nobre compreensão, declarando a Hilário e a mim que o nosso amigo tinha necessidade de expungir do coração ferido as suas dores, e que, de nossa parte, embora lhe conhecêssemos o drama íntimo, não nos cabia cercear-lhe a confissão, e sim recolhê-la fraternalmente, partilhando-lhe a carga de aflição, para que se lhe aliviassem as chagas do pensamento.

Logo após, Silas envolveu ambos os irmãos numa interessante palestra, propondo-lhes o reajustamento por meio de luta reparadora.

Não desejariam retomar, porventura, o caminho terrestre? 10.
Por que não abraçarem trabalho novo, buscando o renascimento na mesma família de que provinham? Não seria mais agradável e mais fácil conquistar a reconciliação e, com isso, reentrar na posse das antigas aspirações, marchando com elas, no plano físico, ao encontro de preciosos degraus para a vida superior?

Leonel e Clarindo, porém, quase que de modo simultâneo, lamentaram-se quanto ao problema de Alzira... Em verdade, no desespero da própria causa, haviam aceitado as sugestões da loucura, gastaram anos a fio estendendo a crueldade nas trevas; entretanto, nada lhes doía tanto como a violência praticada contra a esposa de Antônio Olímpio, a qual, horrorizada ante a perseguição deles, se havia arrojado naquelas águas de terríveis reminiscências...

Mas... e se Alzira lhes trouxesse em pessoa o abraço de entendimento e de auxílio?

E como sorrissem de esperança, no turbilhão das próprias lágrimas, o assistente afastou-se por alguns minutos e voltou trazendo em sua companhia a generosa irmã que, envergando cintilante roupagem, lhes estendeu as mãos, a ofertar-lhes o colo maternal, resplendente de amor.

Leonel e Clarindo, qual se fossem feridos de morte, caíram genuflexos, esmagados de medo e júbilo...

Alzira, no entanto, afagou-lhes as cabeças submissas e falou em tom comovente:

— Filhos de minha alma, rendamos graças a Deus por esta hora de bênção.

E porque Leonel tentasse debalde pedir-lhe perdão, ensaiando monossílabos cortados pelos soluços, a genitora de Luís suplicou humilde:

— Sou eu quem deve ajoelhar-se, implorando-lhes caridoso indulto!... O crime de meu esposo é também meu crime... Vocês foram espoliados dos mais belos sonhos, quando a mocidade terrestre começava a sorrir-lhes. Nossa desregrada ambição, contudo, furtou-lhes os recursos e as possibilidades, inclusive a existência... Perdoem-nos!... Pagaremos nossas dívidas. Ajudar-nos-á o Senhor na recuperação de nossa casa... Em breve, Antônio Olímpio e eu estaremos novamente no plano físico e, com o apoio da Misericórdia Divina, restituiremos a vocês o sítio que não nos pertence... Permitam, meus filhos, possa honrar-se minha alma com o privilégio de ser-lhes amorosa mãe no mundo... Para restaurar-lhes a esperança e refazer-lhes o ideal, ofereço-lhes o meu coração... Conceder-me-á o Senhor a bênção de agasalhá-los em meu seio, criando-os com o hálito de meus beijos e com o orvalho de minhas lágrimas... Para isso, porém, é necessário que o olvido de nossos pesares nasça, puro, do amor que devemos uns aos outros... Esqueçamos ressentimentos e Deus nos suprirá de recursos para que venhamos a solver nossos débitos... Ergam-se, filhos queridos... Sabe Jesus que desejo conchegá-los de encontro ao meu peito e guardá-los nos meus braços!...

Alzira, porém, não conseguiu continuar. O pranto copioso a perolar-lhe a face, como que se lhe represava na garganta, asfixiando-lhe a voz.

Ainda assim, vimos a gloriosa vitória do amor naqueles momentos rápidos... Do tórax de Alzira, chispas flamejantes emergiam em sucessivas ondas de safirino esplendor, dando-nos a ideia de que a sua grandeza íntima se havia transformado em fonte de imensa luz. Amparados por ela, Clarindo e Leonel levantaram-se, à maneira de duas crianças atraídas pela ternura materna, e enlaçaram-na em comovedores soluços.

Nossa companheira, acariciando-os, reconhecida, acolheu-os no regaço, como se passasse a reter consigo dois tesouros do coração.

Atendendo a mudo sinal do orientador de nossa excursão, auxiliamo-la como se fazia preciso, e, depois de algum tempo, transportando conosco os dois novos amigos, dávamos entrada no grande instituto.

Após interná-los em departamento adequado, falou Silas, contente:

— Graças a Deus, nossa tarefa está cumprida. Agora, esperemos se habilitem todos, ante a nova batalha que ferirão na Terra, para o serviço salvador em que se misturam afeto e aversão, alegria e dor, luta e dificuldade, em busca da redenção.

Em meu entendimento, perguntas diversas nasciam imperiosas, mas compreendi que a Lei de Causa e Efeito agiria, infatigável, para as personagens de nossa história, e meditei nas minhas próprias dívidas... Foi então que, em vez de indagar, beijei, respeitoso, as mãos do assistente, na condição do aprendiz reconhecido ao instrutor generoso, e recolhi-me à prece em silêncio, agradecendo a Jesus a valiosa lição.

# 11
# O templo e o parlatório

**1.1**   Terminada a fase culminante do caso Antônio Olímpio e interessados na continuidade de nossos estudos, Hilário e eu procuramos o instrutor Druso, que aconselhou solicitamente, após ouvir-nos:

— Compreendo que a Mansão em si já lhes terá fornecido elementos básicos a graves conclusões acerca da Lei de Causa e Efeito... Aqui, na maioria dos problemas, quase sempre encontramos os frutos concretos da ação. Junto de nós, é possível verificar, de perto, a colheita do sofrimento em todas as suas fases difíceis e dolorosas.

E, sorrindo, acentuou:

— A região infernal permanece superlotada de contas maduras. Aqui, a sovinice suporta o azinhavre de atrozes padecimentos, o crime defronta com todas as espécies de angústia no remorso tardio, e a delinquência responsável é surpreendida pelas trevas que lhe agravam as amarguras, porque as coletividades dos lavradores culpados pela plantação de tantos espinheiros não dispõem de coragem para recolher o fruto envenenado da sementeira a que se afeiçoam. Desorientados e dementes, sublevam-se contra as flagelações que geraram e caem nas profundezas da rebelião e do desespero... Segundo é fácil de observar, em derredor da nossa casa de reajuste e socorro, tudo, em quase todas as circunstâncias, é sombra e conflito uniformes, assim como vasto campo incendiado por criaturas imprevidentes, a tolerarem compulsoriamente o fogo e o fumo com que lesaram a gleba das próprias vidas...

Druso calou-se, caminhou na direção de larga janela que se abria para os nevoeiros exteriores, mirou, compadecido, a triste paisagem que os nossos olhos conseguiam descortinar e, em seguida, voltou para perto de nós, asseverando:

— Ainda assim, será bom prolonguem o trabalho em que se empenham, anotando os princípios de compensação em mais amplos setores. Nesse sentido, consideramos de suma importância as realizações em andamento na esfera carnal, como fatores determinantes de céu ou de inferno nas pessoas que os procuram, razão por que auguramos aos dois o melhor aproveitamento nas atividades que venham a empreender, na zona de relações entre nossa casa e o homem comum não distante. Precisamos reconhecer que todos criamos o destino ou renovamo-lo, todos os dias, e, aqui, o exame de semelhante lição é mais vagaroso, porquanto o nosso instituto mais se nos afigura uma estação de chegada em que a culpa se movimenta com lentidão. Entre os Espíritos encarnados, porém, mais facilmente se nos revela o mecanismo da Lei, por meio da qual vive a alma nas suas próprias edificações. No vaso da carne, a planta da existência se desenvolve, floresce e frutifica. A morte fisiológica realiza a grande ceifa. Em nosso mundo, temos, desse modo, a seleção natural dos frutos. Os raros que se mostram aprimorados são conduzidos à lavoura da Luz Divina, nos planos celestiais, para mais ampla ascensão ao grande futuro; todavia, a massa esmagadora dos que chegam deteriorados ou imperfeitos estaciona nos celeiros de sombra das regiões inferiores em que nos achamos, à espera de novo plantio nas leiras do mundo. É que cada criatura transpõe os umbrais do túmulo com as imagens que em si mesma plasmou, utilizando os recursos do sentimento, da ideia e da ação que a vida lhe empresta, irradiando as forças que acumulou no espaço e no tempo terrestres. Cremos, pois, seja oportuna a observação do assunto, entre as almas encarnadas, para que se lhes enriqueça a experiência.

**11.3** Aquelas ponderações, ditas em tom paterno, comoviam-me intensamente.

Druso pronunciava-as com afabilidade e tristeza, não obstante sorrisse.

Como sempre encantado com a sua personalidade dificilmente abordável no conjunto, silenciei, acatando-lhe as manifestações, mas Hilário perguntou, irrequieto, valendo-se da pausa que surgira:

— Que nos sugere, porém, a fim de que atendamos aos estudos a que se reporta?

O instrutor respondeu de pronto:

— Possuímos sempre renovado material de consulta no templo e no parlatório exteriores de nosso domicílio, usualmente frequentados por irmãos do plano físico, provisoriamente desligados da habitação corpórea por influência do sono, bem como pelos companheiros desencarnados que vagueiam em torno da Mansão, à caça de reconforto. Muitos deles estão ligados ao nosso santuário pelos fios da reencarnação, enquanto muitos outros chegam até nós em busca de socorro. Dispomos aí de atendentes numerosos que lhes coletam as reclamações e registram os problemas para orientarmos com segurança o nosso esforço de paz e cooperação. É interessante, assim, que os amigos se incorporem, durante alguns dias, às nossas equipes de serviço, colaborando conosco e relacionando apontamentos diversos.

— Não poderíamos contar com a ajuda de Silas? — indagou meu colega, referindo-se ao companheiro cuja presença para nós significava alegria e coragem.

O instrutor contemplou-nos de maneira expressiva e comentou, surpreendendo-nos:

— Não fosse o objetivo das informações que coligem e, certo, não nos seria possível permitir que o assistente mencionado lhes tutelasse a recolta[23] de ensinamentos. Sabemos, contudo, que o trabalho em andamento se destina a instruções para a esfera dos companheiros reencarnados, e semelhante tarefa nos obriga a considerar-lhes a petição. Realmente, não lhes convém qualquer perda de oportunidade ou de tempo. E embora sejam atualmente enormes as responsabilidades de Silas em nossa casa, não vejo como privá-los do companheiro que, sem dúvida, é aqui o depositário imediato de nossa melhor confiança.

Logo após, enquanto mergulhamos em silenciosas considerações acerca do seguro serviço de inteligência com que o grande benfeitor nos seguia a meta, Silas foi chamado à nossa presença, recebendo recomendações no sentido de prestar-nos a assistência precisa.

Instrutor e assistente, em conversação íntima e rápida, permutaram impressões, cuja significação total não nos foi possível perceber.

Terminado o entendimento, Silas marcou o horário exato em que nos cabia efetuar o reencontro e, com isso, a nossa entrevista com o governador da Mansão fora praticamente encerrada.

---

[23] N.E.: Colheita.

**11.5** No momento previsto, o assistente veio procurar-nos, solícito. Íamos visitar o templo da Mansão.

Atravessamos longas filas de corredores, até que, através de estreito postigo, tivemos acesso a vasto recinto iluminado.

Assemelhava-se o ambiente ao de grande capela, das que conhecemos no mundo. No centro, apoiando-se ao fundo, de face voltada para o exterior, uma cruz de matéria prateado-radiante, sobre alva e simples mesa, era o único símbolo religioso ali existente. Mas de todas as paredes laterais, a se caracterizarem por brancura de neve, distinguiam-se pequenas reentrâncias insculpidas em forma de nichos.

A luz dominante casava-se de encantadora maneira com a melodia cariciosa a ressoar docemente no largo corpo da nave...

Que mãos invisíveis produziam a música veludosa e terna que nos inclinava à reverência e à meditação?

Mais de duas centenas de entidades diversas, formando piedoso conjunto, em fileiras quase do mesmo número, postavam-se em prece ante os nichos vazios.

Não sei que estranha emotividade me tomou a alma toda.

A fé simples da infância reconquistara-me o íntimo... Lembrei minha mãe, colocando a oração primeira em meus lábios e, como se as vibrações daquela hora fossem abençoada chuva a lavar-me todos os escaninhos do Espírito, olvidei por instantes minhas velhas experiências da vida para somente pensar no Supremo Senhor, nosso Deus e nosso Pai...

Lágrimas quentes rorejaram-me a face.

Quis algo perguntar ao assistente bondoso; contudo, naquele primeiro contato com o santuário externo da Mansão, nada consegui fazer senão orar e chorar copiosamente. E, por isso mesmo, embora pudesse controlar a expressão verbalista, para que a palavra me não escapasse desordenadamente da boca, contemplava a luminosa cruz, entre respeitoso e comovido... Recordei o Mensageiro Divino que a utilizara em sacrifício para traçar-nos o caminho da vitoriosa ressurreição, e repetia no imo da alma:

*Pai Nosso que estás nos Céus, santificado seja o teu nome.* **11.6**
*Venha a nós o teu reino.*
*Seja feita a tua vontade, assim na Terra como no Céu.*
*O pão nosso de cada dia dá-nos hoje.*
*Perdoa as nossas dívidas, assim como perdoamos aos nossos devedores.*
*Não nos deixes cair em tentação e livra-nos do mal, porque são teus o reino, o poder e a glória para sempre. Assim seja.*

Reparei que Silas me acompanhava os menores movimentos interiores, porque, ao terminar a prece dominical, disse-me afetuoso:

— É verdade, André, raros conseguem penetrar este ambiente sem se escudarem na oração.

E, relanceando o olhar sobre Hilário, que igualmente enxugava lágrimas espontâneas, como a incluí-lo no carinho das observações que exteriorizava, continuou:

— Este pequeno campo de pensamento está sublimado pela compunção e pela dor de milhares... Incontáveis legiões de almas edificadas no sofrimento e na fé por aqui hão passado, em pranto de arrependimento ou de esperança, de gratidão ou de angústia... Nosso templo interno, de cujos serviços vocês já participaram, funciona qual se fora o vivo coração de nossa casa, enquanto este santuário exterior é o símbolo das nossas mãos em prece.

Apontando as criaturas que oravam em silêncio, ante os altares despovoados, ousei perguntar ao irmão prestimoso:

— Que significam no recinto a imagem da cruz e estes nichos vazios?

**11.7**     O assistente esclareceu sem demora:

— A cruz recorda a todos os visitantes que o Espírito de Nosso Senhor Jesus Cristo aqui se encontra presente, não obstante estejamos nos abismos infernais. E os nichos vazios dão oportunidade a que todos se dirijam aos Céus, segundo a fé que abraçam. Até que a alma obtenha a sabedoria infinita, é indispensável caminhe na longa estrada dos símbolos de alfabetização e cultura que a dirigem na senda de elevação intelectual, e, até que atinja o infinito amor, é necessário palmilhe as longas rotas da caridade e da fé religiosa, nos múltiplos departamentos da compreensão que lhe assegura o acesso à vida superior. Os poderes divinos que nos regem determinam que toda classe de fé sincera e respeitável aqui encontre amorosa veneração.

Observando que a reduzida comunidade de almas em prece se alinhava em posições diversas, uma vez que algumas se mantinham de pé ou comodamente sentadas, enquanto a maioria se punha de joelhos, Hilário ensaiou algumas indagações, a que Silas respondeu, condensando os assuntos:

— Sim, desde que o respeito mútuo seja necessariamente guardado, todos aqui podem orar como melhor lhes pareça.

E, amparando-nos a curiosidade sadia, indicou certa matrona que chorava, pacientemente genuflexa, diante de nicho próximo, e falou:

— Acompanhemos, por exemplo, aquela nossa irmã em súplica. Postar-nos-emos na retaguarda, de modo a não a incomodar com a nossa presença. E, envolvendo-a nas vibrações de nossa simpatia, assimilar-lhe-emos a faixa mental, percebendo, com clareza, as imagens que ela cria em seu processo pessoal de oração.

Obedecemos maquinalmente e, de minha vez, à medida que concentrava a atenção naquela cabeça grisalha e pendente, mais se alterava o estreito espaço do nicho aos meus olhos...

Pouco a pouco, qual se emergisse da parede lirial, linda tela desdobrou-se-me à visão, tomada de espanto. Era a reprodução viva da formosa escultura de Teixeira Lopes,[24] representando a Mãe Santíssima chorando o Divino Filho morto...

E as frases inarticuladas da veneranda irmã em prece ressoavam-me nos ouvidos:

*Mãe Santíssima, Divina Senhora da piedade, compadece-te de meus filhos que vagueiam nas trevas!...*
*Por amor de teu filho sacrificado na cruz, ajuda-me o Espírito sofredor para que eu possa ajudá-los...*
*Bem sei que por sinistro apego às posses materiais, não vacilaram em abraçar o crime.*
*Em verdade, senhora, são eles homicidas infortunados que a justiça terrestre não conheceu... Por isso mesmo, padecem com mais intensidade o drama das próprias consciências, enleadas à culpa...*

Nesse ponto da petição, Silas tocou-nos, de leve, os ombros, convidando-nos ao ensinamento devido, e explicou:

— É uma pobre mãe desencarnada que roga pelos filhos transviados nas sombras. Invoca a proteção de nossa Mãe Santíssima, sob a representação de Senhora da piedade, segundo a fé que o seu coração pode, por enquanto, albergar, no âmbito das recordações trazidas do mundo...

— Isso quer dizer que a imagem de nossa visão...

Esta observação de Hilário ficou, porém, no ar, porque Silas completou presto:

— É uma criação dela mesma, reflexo dos próprios pensamentos com que tece a rogativa, pensamentos esses que se

**11.8**

---

[24] Nota do autor espiritual: Antônio Teixeira Lopes, notável escultor português.

ajustam à matéria sensível do nicho, plasmando a imagem colorida e vibrante que lhe corresponde aos desejos.

**11.9**   E, respondendo automaticamente às indagações que o problema nos sugeria, continuou:

— Isso, contudo, não significa que a prece esteja sendo respondida por ela mesma. Petições semelhantes a esta elevam-se a planos superiores e aí são acolhidas pelos emissários da Virgem de Nazaré, a fim de serem examinadas e atendidas conforme o critério da verdadeira sabedoria.

Espraiando o olhar pelos circunstantes, prosseguiu esclarecendo:

— Encontram-se aqui devotos de vários grandes heróis do Cristianismo, em diversos cultos de fé.

E, olhando em torno, com a sua ampla experiência apontou outra senhora em oração, acrescentando:

— Ali temos nobre matrona exorando a proteção de Teresinha de Lisieux,[25] a doce monja do Carmelo, desencarnada na França.

— E a mensagem dela alcança o coração da famosa freira? — indagou Hilário com o otimismo de sempre.

— Como não? — respondeu o interlocutor. — Depois da morte do corpo, as criaturas efetivamente santificadas encontram as mais altas cotas de serviço, na expansão da luz ou da caridade, do conhecimento ou da virtude, de que se fizeram a fonte viva de inspiração, quando no aprendizado humano. O céu beatífico e estanque existe apenas na mente ociosa daqueles que pretendem progresso sem trabalho e paz sem esforço. Tudo é criação, beleza, aprimoramento, alegria e luz incessantes na Obra de Deus, a expressar-se, divina e infinita, por meio daqueles que se elevam para o infinito amor. Assim, pois, o coração que deixe

---

[25] Nota do autor espiritual: Santa Teresa do Menino Jesus, na Igreja Católica, desencarnada no Carmelo de Lisieux, França, em 30 de setembro de 1897.

na Terra uma sementeira de fé e abnegação passa a nutrir, do Plano Espiritual, a lavoura das ideias e dos exemplos que legou aos irmãos de luta evolutiva, lavoura essa que se expande naqueles que lhe continuam o ministério sagrado, crescendo, assim, em trabalho e influência para o bem, no setor de ação iluminativa e santificante que o Senhor lhe confia.

Meu companheiro, que assinalava o esclarecimento com tanta atenção quanto eu mesmo, obtemperou:

— E na hipótese de a alma julgada santa entre os homens não ser realmente santa no plano da verdade? As preces que lhe sejam dirigidas atingem os objetivos visados, ainda mesmo quando o suposto santo permaneça em duras experiências nas regiões das sombras?

— Sim, Hilário — aclarou o assistente —; as orações podem não encontrar, de imediato, o Espírito a que se destinam, mas alcançam-lhe o grupo de companheiros a que deveria ajustar-se e que, amorosamente, o substituem na obra assistencial do bem, em nome do Senhor, visto que, na realidade, todo amor na Criação Eterna é de Deus. Imaginemos, para exemplificar, que a referida monja não estivesse, temporariamente, em condições de prestar auxílio... Se isso acontecesse, as grandes almas acrisoladas na disciplina da instituição em que tanto se distinguiu se encarregariam de fazer por ela o trabalho necessário e justo, até que pudesse tomar sobre os ombros o apostolado que lhe compete.

— Todavia — ponderou meu colega —, será de crer que o espírito das congregações religiosas ainda permaneça vivo nas esferas mais altas?

O assistente sorriu e ajuntou:

— Não no sentido estreito do sectarismo terrestre. Quanto mais se eleva aos cimos da vida, mais se despe a alma das convenções humanas, aprendendo que a Providência é luz e amor para todas as criaturas. Entretanto, até que a alma se identifique com os fatores sublimes da consciência cósmica, os círculos de estudo e fé, aperfeiçoamento e solidariedade, pelo bem que realizam, estejam onde estiverem, merecem o maior acatamento das inteligências superiores que atendem à execução dos planos divinos.

**1.11**   Logo após, como se quisesse fixar em nosso Espírito os méritos da lição, dirigiu o olhar para certa senhora que se mantinha em prece, não distante de nós, e, depois de ligeira observação, conduziu-nos até ela, recomendando-nos atenção.

Procuramos assimilar-lhe a faixa mental e, estabelecida a sintonia, surpreendemos no nicho a imagem viva e simpática do nosso abnegado Dr. Bezerra de Menezes,[26] ao mesmo tempo que ouvíamos a súplica de nossa companheira desolada:

— Doutor Bezerra, por amor de Jesus, não abandones meu pobre Ricardo nas trevas da desesperação!... Meu esposo infeliz atravessa rudes provas!... Ó generoso amigo, socorre-nos! Não permitas que ele desça ao abismo do suicídio... Dá-lhe coragem e paciência, sustenta-lhe o bom ânimo!... As dificuldades e as lágrimas que o afligem no mundo caem sobre minha alma como chuva de fel!

Silas interrompeu-nos a reflexão, acentuando:

— Segundo reconhecemos, o santuário serve à oração digna, sem cultos especiais. Ali, alguém recorre ao amparo da monja de Lisieux; aqui, um coração infortunado pede socorro ao notável companheiro dos espíritas no Brasil.

Antes de desviar a minha atenção, fitei o semblante do grande médico, segundo as recordações da irmã que orava, confiante, notando o primor da fotografia mental que ela exteriorizava.

Víamos, ali, o retrato do Dr. Bezerra qual o conhecemos, sereno, simples, bondoso, paternal...

Precedendo-nos as interrogações costumeiras, o assistente informou:

---

[26] Nota do autor espiritual: Dr. Adolfo Bezerra de Menezes, Apóstolo do Espiritismo Cristão no Brasil, desencarnado no Rio de Janeiro, em 11 de abril de 1900.

— Com mais de cinquenta anos consecutivos de serviço à causa espírita, depois de desencarnado, Adolfo Bezerra de Menezes fez jus à formação de extensa equipe de colaboradores que lhe servem à bandeira de caridade. Centenas de Espíritos estudiosos e benevolentes obedecem-lhe às diretrizes na lavoura do bem, na qual opera ele em nome do Cristo.

— Desse modo — alegou Hilário —, é fácil compreendê-lo agindo em tantos lugares ao mesmo tempo...

— Perfeitamente — concordou Silas. — Como acontece na radiofonia, em que uma estação emissora está para os postos de recepção, assim qual uma só cabeça pensante para milhões de braços; um grande missionário da luz em ação no bem pode refletir-se em dezenas ou centenas de companheiros que lhe acatam a orientação no trabalho ajustado aos desígnios do Senhor. Bezerra de Menezes, invocado carinhosamente, em tantas instituições e lares espíritas, ajuda em todos eles, pessoalmente ou por intermédio das entidades que o representam com extrema fidelidade.

— Para isso — aduziu meu colega — terá o seu campo próprio de atividade, assim como um chefe de serviço humano possui a sede administrativa da qual distribui com os comandados o pensamento diretor da organização...

— Como não? — falou-nos o assistente, . — O Senhor, que tem meios de instalar condignamente qualquer dirigente de trabalho humano, ainda mesmo nas mais ínfimas experiências da vida social no planeta, não relegaria à intempérie os missionários da luz no Plano Espiritual.

Assim dizendo, Silas discretamente nos compelia a caminhar na direção da porta de acesso ao pátio exterior do templo.

Alcançando a saída, notamos que a claridade ambiente se apagava quase que de chofre, a poucos metros do pórtico, dando-nos a ideia de sofrer tremendo impacto das sombras circundantes.

**1.13**

No enorme átrio, adensava-se turba imensa...

Grupos diversos conversavam em alta voz... Havia quem chorasse, quem deprecasse, quem gemesse...

Nossa visão, ainda não adaptada, mal registrava os contornos da grande multidão que ali se aglomerava; entretanto, podíamos ouvir com precisão palavras e gritos, rogativas ardentes e desconsoladores apelos...

Notando-nos a estranheza, o assistente observou comovido:

— Aqui temos o parlatório da Mansão, ao qual comparecem grandes fileiras de almas sinceras e sofredoras, mais habitualmente em profundo desespero, a inibir-lhes as vantagens da oração pacífica...

E, com expressivo gesto, ajuntou:

— Neste grande recinto dedicado à palavra livre, encontramos realmente a nossa divisa vibratória... Além dele, é a dor inconformada e terrível, gerando monstruosidade e desequilíbrio a exprimirem o inferno da interpretação religiosa comum; no entanto, muros adentro de nossa casa, é a dor paciente e compreensiva, criando renovação e reajuste para o caminho dos Céus...

Diante dos quadros deprimentes sob nossa vista, não dispúnhamos de expressão para qualificar o estupor de que nos sentíamos dominados. Foi por isso que nos calamos, de maneira instintiva, perante a quietação do assistente que, a nosso ver, recorria, silencioso, ao favor da oração.

# 12
# Dívida agravada

**12.1**   Enquanto outros servidores da instituição por nós passavam, à pressa, com o evidente intuito de auxiliar, o dileto companheiro de Druso desceu a escadaria do templo, em nossa companhia, explicando:

— Muitos companheiros de serviço valem-se deste horário para o culto espontâneo do amor fraterno. Ouvem aqui neste locutório os desesperados e os tristes e, tanto quanto lhes é possível, administram-lhes medicação e consolo, não somente os exortando à compreensão e à serenidade, mas também os acompanhando aos círculos tenebrosos ou à esfera dos encarnados, para a obra de assistência aos laços afetivos que lhes perturbam o coração.

Nesse instante, entramos mais diretamente em contato com os grupos rumorosos. Agora, adaptada nossa visão à sombra reinante, conseguíamos diferençar as figuras lamentáveis e exóticas que nos cercavam, agoniadas... Eram mulheres de duro semblante que a miséria desfigurava e homens de fisionomias torturadas pelo ódio e pela angústia.

Dificilmente, de nossa parte, poderíamos avaliar-lhes a idade, segundo o escalão terrestre. O infortúnio deles convertera-os em fantasmas de amargura, quase a irmaná-los integralmente no mesmo tipo de configuração exterior. Muitos mostravam mãos semelhantes a ressequidas garras, e em quase todos o olhar enraivecido ou medroso revelava a dolorosa fulguração da mente que desceu ao poço da loucura.

**12.2**

Preces comoventes misturavam-se a clamores sinistros de revolta.

E, vendo, contristados, a multidão em movimentos rudes, ante as portas abertas do santuário tranquilo, perguntamos ao assistente por que não se acolhia toda ela ao templo hospitaleiro, então quase deserto.

Silas, contudo, designando a entrada do edifício que vínhamos de deixar, fixou a portaria radiante que, da forte penumbra, mais se nos afigurava um túnel aberto para a luz, e esclareceu:

— Efetivamente, reportam-se vocês a medida desejável. Entretanto, apenas ingressam no recinto sagrado quantos lhe podem suportar a claridade com o respeito devido. Quase todos os irmãos que se congregam nesta praça trazem mutilações que a perversidade lhes impôs ou são portadores de sentimentos tigrinos que petições comoventes mal encobrem. E, com semelhantes disposições, não resistem ao impacto da claridade dominante, dosada em fotônios específicos a se caracterizarem por determinado teor eletromagnético, indispensável à garantia de nossa casa. Muitos de nossos irmãos, aqui desarvorados, clamam, com a boca, que anseiam pelas vantagens da prece, na intimidade do santuário; no entanto, por dentro, lá estimariam tripudiar sobre o nome sublime de nosso Pai Celeste, no culto à ironia e à blasfêmia. Para que não tumultuem a atmosfera divina que nos cabe oferecer à oração pura e reconfortante, recomendam nossos orientadores que a luz permaneça graduada contra distúrbios e prejuízos, facilmente evitáveis.

**12.3**  Hilário, espantado, considerou:
— Significa isso que somente a sincera compunção da alma entrará em sintonia com as forças eletromagnéticas imperantes no recinto...
— Exatamente assim é — confirmou o interlocutor. — Nossa instituição permanece de braços abertos à provação e ao sofrimento, mas não à rebeldia e ao desespero. De outra sorte, seria condená-la ao aniquilamento e ao descrédito, na região atormentada em que se localiza.

Nesse ponto da conversação, fomos interrompidos por dezenas de braços ressequidos a implorarem socorro.

Silas fitava-os compadecido, mas sem se deter, até que nosso passo foi cortado por apressada mulher, exclamando ansiosa:
— Assistente Silas! Assistente Silas!...

Nosso amigo identificou-a, porque, parando de súbito, estendeu-lhe a destra amiga, murmurando:
— Luísa, a que vens?

Defrontavam-se em ambos a curiosidade e a aflição.

A senhora desencarnada, com sinais de irreprimível angústia, gritou sem preâmbulos:
— Socorro!... Socorro!... Minha filha, minha pobre Marina esmorece... Tenho lutado com todas as minhas forças para furtá-la ao suicídio, mas agora me sinto enfraquecida e incapaz...

Os soluços sufocaram-lhe a garganta, inibindo-lhe a voz.
— Fala! — disse o orientador de nossa excursão, em tom imperativo, como se o alarme daquele instante lhe obscurecesse a serenidade mental, imprescindível ao entendimento da nova situação.

A infeliz, ajoelhada agora, ergueu os olhos lacrimosos e suplicou:
— Assistente, perdoe-me tanta expressão de infortúnio, mas sou mãe... Minha desventurada filha pretende matar-se

esta noite, comprometendo-se, ainda mais, com as trevas da sua consciência!...

Silas aconselhou-lhe a volta ao lar terreno, como lhe fosse possível, e, dando-nos as mãos, promoveu a viagem rápida para o objetivo a que devíamos atender.

Em caminho, informou:

— Trata-se de companheira da Mansão, reencarnada há quase trinta anos, sob os auspícios de nossa casa. Prestar-lhe--emos o necessário auxílio, ao mesmo tempo que vocês poderão examinar um problema de débito agravado.

Notando que o nosso amigo entrara em silêncio, meu colega externou:

— É impressionante observar o número de mulheres em trabalho de oração e assistência nessas paragens...

Preocupado qual se achava, nosso generoso companheiro tentou ensaiar um sorriso que lhe não chegou aos lábios e juntou:

— Grande verdade... Raras esposas e raras mães demandam às regiões felizes sem os doces afetos que acalentam no seio... O imenso amor feminino é uma das forças mais respeitáveis na Criação Divina.

Todavia, não houve mais tempo para qualquer outra divagação.

Atingíramos no plano físico pequena moradia constituída de três peças desataviadas e estreitas.

O relógio acusava alguns minutos depois de zero hora.

Acompanhando Silas, cuja presença deslocou diversas entidades da sombra que ali se ajuntavam com a manifesta intenção de perturbar, ingressamos num quarto humilde.

Percebemos, sem palavras, que o problema era efetivamente desolador.

Junto de jovem senhora agoniada e exausta, uma menina de 2 a 3 anos choramingava, inquieta... Via-se-lhe nos olhos esgazeados e inconscientes o estigma dos que foram marcados por irremediável sofrimento ao nascer.

**12.5**     Contudo, pela preocupação indisfarçável de Silas, era fácil reconhecer que a pobre senhora era o caso mais urgente para os nossos cuidados.

A infeliz, de joelhos, beijava sofregamente a pequenina, mostrando a indefinível angústia dos que se despedem para sempre.

Logo após, em movimento rápido, tomou de um copo em que se encontrava beberagem cujo teor tóxico não nos deixava qualquer dúvida. Antes, porém, de colá-lo à boca em febre, eis que o assistente lhe disse em voz segura:

— Como podes pensar na sombra da morte, sem a luz da oração?

A desventurada não lhe ouviu a pergunta com os tímpanos de carne, mas a frase de Silas invadiu-lhe a cabeça qual rajada violenta.

Lampejaram-lhe os olhos com novo brilho e o copo tremeu-lhe nas mãos, agora indecisas.

Nosso orientador estendeu-lhe os braços, envolvendo-a em fluidos anestesiantes de carinho e bondade.

Marina, pois era ela a irmã para quem aflito coração materno suplicara socorro, dominada de novos pensamentos, recolocou o perigoso recipiente no lugar primitivo e, sob a vigorosa influência do diretor de nossa excursão, levantou-se automaticamente e estirou-se no leito, em prece...

— *Deus meu, Pai de infinita bondade* — implorou em voz alta —, *compadece-te de mim e perdoa-me o fracasso! Não suporto mais... Sem minha presença, meu marido viverá mais tranquilo no leprosário*[27] *e minha desventurada filhinha encontrará corações caridosos que lhe dispensem amor... Não tenho mais recursos... Estou*

---

[27] N.E.: Estabelecimento destinado a tratamento de pessoas com hanseníase (lepra). Termo em desuso atualmente.

*doente... Nossas contas esmagam-me... Como vencer a enfermidade que me devora, obrigada a costurar sem repouso, entre o marido e a filhinha que me reclamam assistência e ternura?*

Silas administrava-lhe passes magnéticos de prostração e, induzindo-a a ligeiro movimento do braço, fez que ela mesma, num impulso irrefletido, batesse com força no copo fatídico, que rolou no piso do quarto, derramando o líquido letal. **12.6**

Em lágrimas copiosas, a pobre criatura insistiu desolada:

— Ó Senhor, compadece-te de mim!...

Reconhecendo no próprio gesto impensado a manifestação de uma força estranha a entravar-lhe a possibilidade da morte deliberada naquele instante, passou a orar em silêncio, com evidentes sinais de temor e remorso, atitude mental essa que lhe acentuava a passividade e da qual se valeu o assistente para conduzi-la ao sono provocado.

Silas emitiu forte jato de energia fluídica sobre o córtex encefálico dela, e a moça, sem conseguir explicar a si mesma a razão do torpor que lhe invadia o campo nervoso, deixou-se adormecer pesadamente, qual se houvera sorvido violento narcótico.

O assistente interrompeu a operação socorrista e falou-nos bondoso:

— Temos aqui asfixiante problema de conta agravada.

E, designando a jovem mãe, agora extenuada, continuou:

— Marina veio de nossa Mansão para auxiliar a Jorge e Zilda, dos quais se fizera devedora. No século passado, interpôs-se entre os dois, quando recém-casados, impelindo-os a deploráveis leviandades que lhes valeram angustiosa demência no Plano Espiritual. Depois de longos padecimentos e desajustes, permitiu o Senhor que muitos amigos intercedessem, junto aos poderes superiores, para que se lhes recompusesse o destino, e os três renasceram no mesmo quadro social, para o trabalho regenerativo.

**12.7** Marina, a primogênita do lar de nossa irmã Luísa, recebeu a incumbência de tutelar a irmãzinha menor, que assim se desenvolveu ao calor de seu fraternal carinho, mas quando moças feitas, há alguns anos, eis que, segundo o programa de serviço traçado antes da reencarnação, a jovem Zilda reencontra Jorge e reatam, instintivamente, os elos afetivos do pretérito. Amam-se com fervor e confiam-se ao noivado. Marina, porém, longe de corresponder às promessas esposadas no mundo maior, pelas quais lhe cabia amar o mesmo homem, no silêncio da renúncia construtiva, amparando a irmãzinha, outrora repudiada esposa, nas lutas purificadoras que a atualidade lhe ofertaria, passou a maquinar projetos inconfessáveis, tomada de intensa paixão. Completamente cega e surda aos avisos da sua consciência, começou a envolver o noivo da irmã em larga teia de seduções e, atraindo para o seu escuso objetivo o apoio de entidades caprichosas e enfermiças, por intermédio de doentios desejos, passou a hipnotizar o moço, espontaneamente, com o auxílio dos vampiros desencarnados, cuja companhia aliciara sem perceber... E Jorge, inconscientemente dominado, transferiu-se do amor por Zilda à simpatia por Marina, observando que a nova afetividade lhe crescia assustadoramente no íntimo, sem que ele mesmo pudesse controlar-lhe a expansão... Decorridos breves meses, dedicavam-se ambos a encontros ocultos, nos quais se comprometeram um com o outro na maior intimidade... Zilda notou a modificação do rapaz, mas procurava desculpar-lhe a indiferença à conta de cansaço no trabalho e dificuldades na vida familiar. Todavia, faltando apenas duas semanas para a realização do consórcio, surpreende-se a pobrezinha com a inesperada e aflitiva confissão... Jorge expõe-lhe a chaga que lhe excrucia o mundo interior... Não lhe nega admiração e carinho, mas desde muito reconhece que somente Marina deve ser-lhe a companheira no lar. A noiva preterida sufoca o pavoroso desapontamento que a subjuga e, aparentemente, não se revolta. Mas, introvertida e desesperada, consegue na mesma noite do entendimento a dose de formicida com que põe termo à existência física. Alucinada de dor, Zilda desencarnada foi recolhida por nossa irmã Luísa, que já se achava antes dela em nosso mundo, admitida na Mansão pelos méritos maternais. A genitora desditosa rogou o amparo de nossos maiores. Na posição de mãe, apiedava-se de ambas as jovens, uma vez que a filha traidora, aos seus olhos, era mais infeliz que a filha escarnecida, embora esta última houvesse adquirido o grave débito dos suicidas, em seu caso atenuado pela alienação mental em que a moça se vira, sentenciada sem razão a inqualificável abandono... Examinado o assunto, carinhosamente, pelo ministro Sânzio, que conhecemos pessoalmente, determinou ele que Marina fosse considerada devedora em conta agravada por ela mesma. E, logo após a decisão, providenciou para que Zilda fosse recambiada ao lar para receber aí os cuidados merecidos. Marina falhara na prova de renúncia em favor da irmã que lhe era credora generosa, mas condenara-se ao sacrifício pela mesma irmãzinha, agora imposta pelo aresto da Lei ao seu convívio, na situação de filha terrivelmente sofredora e imensamente amada. Foi assim que Jorge e Marina, livres, casaram-se, recolhendo da Terra a comunhão afetiva pela qual suspiravam; entretanto, dois anos após o enlace, receberam Zilda em rendado berço, como filhinha estremecida. Mas... desde os primeiros meses do rebento adorado, identificaram-lhe a dolorosa prova. Zilda, hoje chamada Nilda, nasceu surda-muda e mentalmente retardada, em consequência do trauma perispirítico experimentado na morte por envenenamento voluntário. Inconsciente e atormentada nos refolhos do ser pelas recordações asfixiantes do passado recente, chora quase que dia e noite... Quanto mais sofre, porém, mais ampla ternura recolhe dos pais que a amam com extremados desvelos de compaixão e carinho... A vida corria-lhes regularmente, não obstante atribulada pelas provas naturais do roteiro, quando, há

**12.8**

meses, Jorge foi apartado para o leprosário, onde se encontra em tratamento. Desde então, entre o esposo doente e a filhinha infeliz, Marina, em seu débito agravado, padece o abatimento em que a encontramos, martelada igualmente pela tentação do suicídio.

**12.9** Silenciou o assistente.

Achávamo-nos, eu e Hilário, assombrados e comovidos.

O problema era doloroso do ponto de vista humano, contudo encerrava precioso ensinamento da Justiça Divina.

Silas acariciou a moça prostrada e acentuou:

— Auxiliar-nos-á o Senhor para que se recupere e reanime.

Nesse instante, a irmã Luísa penetrou no recinto, entre deprimida e ansiosa.

Inteirou-se de todas as ocorrências e agradeceu, enxugando as lágrimas.

Silas, no entanto, interessado em conduzir o socorro até o fim, administrou novos recursos magnéticos à mãezinha debilitada, e então presenciamos um quadro inesquecível.

Marina ergueu-se em Espírito sobre o corpo somático e pousou em nós o olhar vago e inexpressivo...

Nosso diretor, porém, como a despertar-lhe as percepções do Espírito, afagou-lhe as pupilas com as mãos aureoladas de fluidos luminescentes e, de repente, à maneira do cego que retorna à visão, a pobre criatura viu a genitora que lhe estendia os braços amigos e carinhosos. Com lágrimas a lhe correrem dos olhos, refugiou-se-lhe no regaço, gritando de alegria:

— Mãe! minha mãe!... pois és tu?

Luísa acolheu-a docemente no colo afetuoso, qual se o fizesse a uma criança doente e, mal reprimindo a emoção, falou-lhe triste:

— Sim, filha querida, sou eu, tua mãe!... Rendamos graças a Deus por este minuto de entendimento.

E, beijando-a com agoniada ternura, continuou:

— Por que o desânimo, quando a luta apenas começa? Ignoras que a dor é a nossa custódia celestial? Que seria de nós, Marina, se o sofrimento não nos ajudasse a sentir e raciocinar para o bem? Regozija-te no combate que nos acrisola e salva para a Obra de Deus... Não convertas o amor em inferno para ti mesma nem creias consigas aliviar o esposo e a filhinha com a ilusão da fuga impensada. Lembra-te de que o Senhor transforma o veneno de nossos erros em remédio salutar para o resgate de nossas culpas... A enfermidade de nosso Jorge e a provação de nossa Nilda constituem não somente o caminho abençoado de elevação para eles mesmos, mas igualmente para teu Espírito que se lhes associa à experiência na trama da redenção!... Aprende a sofrer com humildade para que a tua dor não seja simplesmente orgulho ferido... Que fizeste do brio de mulher e do devotamento de mãe? Olvidaste o culto da oração que o lar te ensinou? Enganaste-te, assim tanto, para abraçar a covardia como glória moral? Ainda é tempo!... Levanta-te, desperta, luta e vive!... Vive para recuperar a dignidade feminina que tisnaste com a nódoa da traição... Recorda a irmãzinha que partiu, acabrunhada ao peso do fardo de aflição que lhe impuseste, e paga em desvelo e sacrifício, ao pé da filhinha doente, a conta que deves à Eterna Justiça!... Humilha-te e resgata a própria consciência, com o preço da expiação dolorosa, mas justa... Trabalha e serve, esperando em Jesus, porque o Divino Médico te restituirá a saúde do esposo, para que, juntos, possamos conduzir a pequenina enferma ao porto da necessária restauração. Não penses estar sozinha, nas longas e ermas noites em que te divides entre a vigília e a desolação!... Comungamos os mesmos sonhos, partilhamos as mesmas lutas!... Que paraíso haverá para os corações maternos que choram, além do túmulo, senão a presença dos filhos abençoados, embora esses muitas vezes lhes ocasionem longos dias de angústia? Compadece-te de mim, tua mãe, por enquanto sentenciada ao sofrimento pelo amor com que te ama!...

**12.1**

**2.11**   Calou-se Luísa, pois que singultos[28] incessantes lhe abafaram a voz.

Marina, agora ajoelhada e lacrimosa, osculava-lhe as mãos, clamando em súplica:

— Mãe querida, perdoa-me! Perdoa-me!...

Luísa ergueu-a com esforço e, dando-nos ideia dos calvários maternais que costumam prender as grandes mulheres, depois da morte, conduziu-a em passos vacilantes até a criança enferma e, acarinhando a fronte da pequenina, empapada de suor, implorou humilde:

— Filha querida, não procures a porta falsa da deserção... Vive para tua filhinha, como permite o Senhor possa eu continuar vivendo por ti!...

A moça, renovada, rojou-se sobre a menina triste, mas, como se a emotividade daquela hora lhe sufocasse a mente desperta, foi repentinamente atraída pelo corpo de carne, como o grânulo de ferro pelo ímã, e vimo-la acordar em pranto copioso, bradando inconsciente:

— Minha filha!... Minha filha!...

O assistente, respeitoso, despediu-se de Luísa e afirmou:

— Louvado seja Deus! Nossa Marina ressurge, transformada. Afastamo-nos sem palavras.

Lá fora, no céu, nuvens distantes coroavam-se de luz aos clarões purpúreos da aurora e, de alma embriagada de reconhecimento e esperança, meditei na infinita Bondade de Deus, que faz raiar, depois de cada noite, a bênção de novo dia.

---

[28] N.E.: Soluços.

# 13
# Débito estacionário

**13.1**   Prosseguimos administrando fraterno auxílio ao lar de Marina, incluindo a assistência ao companheiro que o nosocômio[29] ainda acolhia, encontrando excelentes oportunidades de estudo e observação.

Conclusões e apontamentos felicitavam-nos a cada passo.

Tarefas e excursões cobriam-se de êxito desejável, quando, certa noite, no parlatório, foi Silas procurado por um companheiro aflito, que avisou, atencioso:

— Assistente, nossa irmã Poliana parece vergar, em definitivo, ao peso da imensa prova.

— Revoltada? — indagou nosso amigo com inflexão de paciência e bondade.

— Não — aclarou o interpelado. — Nossa irmã está enferma e o equilíbrio orgânico declina de hora a hora... Apesar disso, vem lutando heroicamente para conservar-se ao pé do filho infeliz.

---
[29] N.E.: Hospital.

Silas refletiu por momentos rápidos e falou resoluto:  **13.2**
— É imperioso agir sem demora.

E, qual acontecera em circunstâncias anteriores, utilizamos a volitação para lograr mais tempo.

A breves minutos, achávamo-nos em paisagem rural pobre e triste. Num casebre, totalmente exposto à ventania noturna, infortunada mulher jazia enrolada em farrapos, numa esteira de palha ao rés do solo, e, a poucos metros, mísero anão paralítico exibia o semblante alvar. Reconhecia-se-lhe, de pronto, a idiotia completa, sob a vigilância da enferma desditosa, que o fitava entre a aflição e o desencanto.

Abarcando-os com o olhar, nosso condutor informou solícito:
— Temos aqui nossa irmã Poliana e Sabino, o filho desventurado que o Poder Celeste lhe confiou. Espiritualmente, são ambos tutelados da Mansão, em pedregoso caminho de reajuste.

Entretanto, o generoso amigo parecia mais interessado na assistência prática que na obra informativa.

Inclinando-se, atento, para a desventurada mulher, auscultou-lhe o tórax, explicando algo inquieto:
— Caso urgente.

E, convidados ao concurso imediato, associamo-nos à minuciosa pesquisa, observando que o coração da enferma apresentava alarmante arritmia, figurando-se-nos agitado prisioneiro a emaranhar-se nas artérias estreitadas em estranhas calcificações.

Examinando aquele atormentado quadro circulatório, o assistente informou:
— Os vasos enfraquecidos do miocárdio ameaçam ruptura próxima, porquanto a doente se encontra na tensão de angústia extrema. A parada súbita do órgão central pode ocorrer de um instante para outro.

Assim dizendo, relanceou o olhar sobre o homem-criança, estirado a dois passos, e acrescentou:

**13.3**    — Entretanto, Poliana precisa mais tempo no corpo, uma vez que o filho não lhe dispensa os cuidados. Acham-se não apenas jungidos à mesma prova, mas imanizados ao mesmo clima fluídico, reciprocamente alimentados pelas forças que exteriorizam, no campo da afinidade pura. Dessa maneira, a desencarnação da genitora repercutiria mortalmente sobre o filho, cuja existência, no estágio de segregação em que se encontra, gravita, invariável, em derredor da carícia materna.

Aflitiva expectação caiu sobre nós.

Silas, de pé, como que buscava, na choça desguarnecida de tudo, algo que pudesse funcionar à guisa de socorro; todavia, somente velho cântaro ali guardava pequena porção d'água.

O assistente comunicou-nos que a enferma reclamava medicação imediata, considerando, porém, que naquela hora da noite não era fácil trazer algum companheiro encarnado ao sítio deserto, nem dispúnhamos, ali, de recursos quaisquer.

Ainda assim, vimo-lo aplicar-lhe passes à glote, com desvelada atenção.

Logo após, administrou recursos fluídicos à linfa pura.

Compreendemos que Silas ativara a sede na doente, constrangendo-a a servir-se da água simples então convertida em líquido medicamentoso.

Despendendo enorme esforço, Poliana abandonou o leito e buscou o pote humilde.

Após beber ligeiros goles, asserenou as próprias ânsias, qual se houvera sorvido valiosa poção calmante.

As preocupações obcecantes da hora em curso cederam lugar à bonança de espírito.

Foi assim que o diretor de nossa excursão, acariciando-lhe a fronte, pendida nos molambos a se agregarem por travesseiro, transmitia-lhe forças revigorantes.

**13.4** Decorridos alguns minutos, Poliana mostrava-se plenamente fora do vaso físico, mas sem a necessária lucidez espiritual para identificar-nos a presença. Contudo, subordinada ao comando magnético de Silas, ergueu-se automaticamente. Enlaçada por ele e seguidos ambos por nós, demandamos bosque vizinho.

Longe de perceber-se sob a assistência carinhosa de que era objeto, a enferma ausente do corpo de carne, como num sonho consolador, foi convenientemente acomodada por Silas no tapete de relva macia, sentindo-se calma e leve...

Finda essa operação, o assistente convocou-nos à prece e, levantando o olhar para o firmamento faiscante de estrelas, rogou compungidamente:

*Pai de Infinita Bondade, Tu que dás provimento às necessidades do verme aparentemente esquecido no ventre do solo, que vestes a flor anônima, perfumando-lhe a contextura, muitas vezes sobre a lama do charco, desce compassivo olhar sobre nós, que nos tresmalhamos a distância de teu Amor!*

*Em particular, Pai Justo, compadece-te de nossa Poliana, vencida!*

*Ela não é mais, Senhor, a mulher sequiosa de aventura e de ouro, disposta a lançar lodo e treva no caminho dos semelhantes, mas sim pobre mãe fatigada, reclamando novas forças para a renúncia! Não é mais a moça vaidosa que tripudiava nos tormentos do próximo, mas triste mendiga, anulada para o trabalho, que soluça de porta em porta, esmolando o pão com que deve sustentar o torturado filho de sua dor e nutrir a própria vida.*

*Ó Pai, não a deixes perder agora a bênção do corpo, na senda redentora onde se refugia!*

*Acrescenta-lhe os recursos para que não interrompa a experiência sublime em que se localiza...*

**13.5** *Tu que nos deste, pelo Cristo, a divina revelação do sofrimento, como o roteiro de nossa recondução para os teus braços, ajuda-a a refazer as energias aniquiladas, a fim de que não pereça antes de encontrar a nova luz que lhe aguarda o coração para a subida à glória eterna!...*

A voz de Silas, tocada de profunda fé, arrebatava-nos ao pranto insofreável.

Azulíneas cintilações nimbavam-lhe a cabeça e, como resposta do alto, ali, na selvagem floração do bosque ermo, vimos, ao longe, cinco flamas, em pontos diferentes do Espaço, que se aproximavam de nós celeremente...

Renteando conosco, transfiguraram-se em companheiros que nos saudaram regozijantes.

Em rápidos minutos, energias imponderáveis da Natureza, associadas aos fluidos de plantas medicinais, foram trazidas à nossa enferma, que as inalava a longos sorvos, e, em tempo breve, vimos Poliana surpreendentemente refeita, pronta a retomar o envoltório para a necessária restauração.

"Ricos da Terra" — pensei com lágrimas —, "onde o poder das vossas arcas abarrotadas de ouro, ante a simples fulguração de uma prece? Onde a grandeza de vossos palácios, recheados de fausto e pedraria, confrontada com um simples minuto de reverência da alma, em comunhão com a paternidade de Deus, na majestade do Céu?"

Incapaz de raciocinar por si, quanto à metamorfose experimentada, por força das inibições que sofria na provação temporária, a doente não conseguia ver-nos, mas sorria, venturosa, sentindo-se mais robusta e mais ágil.

Novamente amparada, regressou ao tugúrio infecto e auxiliamo-la a retomar a cápsula física.

Enquanto descerrava os olhos, reconfortada, Silas esclareceu:

— As melhoras adquiridas pela organização perispirítica serão apressadamente assimiladas pelas células do equipamento fisiológico. **13.6**

E acentuou:

— Sabem os médicos terrenos que o sono é um dos ministros mais eficientes da cura. É que, ausente do corpo, muitas vezes consegue a alma prover-se de recursos prodigiosos para a recuperação do veículo carnal em que estagia no mundo.

Após a elucidação, afagou os cabelos grisalhos da pobre doente e prometeu-lhe em voz alta:

— Descanse. Quando o dia ressurgir, nossos companheiros trarão até aqui o socorro da caridade fraternal, valendo-se de algum samaritano das redondezas... Permitirá o Senhor que você continue...

Em seguida, convidou-nos a observar o campo orgânico de Sabino.

Por fora, sim, era ele dolorosa máscara de anormalidade e aberração. Mirrado, nada medindo além de noventa centímetros e apresentando grande cabeça, aquele corpo disforme, tresandando odores fétidos, inspirava compaixão e repugnância.

A fisionomia denotava configuração macacoide, exibindo, porém, no sorriso inconsciente e nos olhos semilúcidos, a expressão de um palhaço triste.

Recomendou-nos o assistente auscultar-lhe o campo íntimo, e, em razão disso, findos alguns minutos de reflexão, assimilei-lhe a faixa mental, observando-lhe as singulares reminiscências...

Demonstrando viver essencialmente distante da realidade, a memória de Sabino mergulhava, toda, em quadros estranhos.

Corporificados ante a nossa visão espiritual, os pensamentos dele tomavam consistência, compelindo-nos a enxergá-lo qual se sentia em verdade. Víamo-lo em trajes de palaciano bem-posto, influenciando pessoas categorizadas para a consumação de crimes ocultos, a culminarem sempre na flagelação do povo. Viúvas e órfãos, trabalhadores humildes e escravos misérrimos desfilavam nas telas de suas complicadas recordações. Palacetes aristocráticos e mesas opíparas constavam por detalhes faustosos das lembranças que lhe povoavam o Espírito... E, ao seu lado, sempre a mesma mulher, cujo porte soberbo revelava Poliana, aquela mesma Poliana que jazia inerme na esteira de palha... Assombrados, identificávamos ambos cercados de luxo e ouro, manchados, porém, de sangue, ao qual se faziam plenamente insensíveis...

**3.7**     Reconhecíamos sem dificuldade que mantinham consigo escusos compromissos um com o outro, no terreno da crueldade.

Sabino, o fidalgo orgulhoso, não tomava conhecimento de Sabino, o anão paralítico. Em absoluta introspecção, revivia o pretérito, com requintes de egolatria, demonstrando-se na posição do homem iludido por mentirosa superioridade à frente dos semelhantes.

Percebendo-nos a perplexidade, Silas observou:

— Decerto, não lhe ouviremos a palavra articulada, mudo e surdo qual se encontra, mas podemos consultar-lhe o pensamento, porquanto reagirá em pensamento, respondendo-nos às interpelações, por meio da conversação ideada. Para isso, porém, é imprescindível lhe dispensemos o tratamento devido à personalidade que julga viver... Mentalizemo-lo como o Barão de S..., título que exibiu na existência última e com o qual se desvairou calamitosamente nas trevas da delinquência e da vaidade.

Observando as manchas rubras nos quadros vivos das vivas reminiscências em que se enclausurava, perguntei com a gravidade natural que a experiência exigia:

— Barão, por que tanto sangue em seu caminho? Terão muitos chorado em torno de sua marcha?

Notei, perfeitamente, que ele não recolhera a interrogação com os tímpanos comuns, mas a apreendera em forma de ideia, formulada de si para consigo, devolvendo-nos a seguinte ponderação pelos fios mentais, em que comungávamos um com o outro, sem que me identificasse por seu interlocutor invisível:

"Sangue e lágrimas, sim!... Precisei de grande dose de semelhante material em meus empreendimentos... Que triunfador do mundo não terá sangue e lágrimas na base das pirâmides da fortuna ou da dominação política em que todos eles se apoiam? A vida é um sistema de luta, no qual a Humanidade se divide em dois campos opostos — aquele dos que conquistam e aquele dos que são conquistados... Sou um nobre... Não guardo a vocação de perder... Que importa a aflição dos fracos, se a morte para eles significa descanso e mercê?"

Desliguei-me do foco mental em que se lhe exprimiam os pensamentos e, depois de alguns instantes, nos quais se consagrava Hilário ao mesmo exame que me tomara a atenção, o assistente esclareceu:

— Segundo é fácil de concluir, ante a perquirição da ciência terrestre vulgar, Sabino será o idiota paralítico, surdo e mudo de nascença... Para nós, no entanto, é um prisioneiro ainda perigoso, engaiolado nos ossos físicos, de cuja tessitura, por agora, não tem qualquer noção, tal o egoísmo que ainda lhe turva a alma, em processo de incontrolável hipertrofia... A sede da posse ignóbil e o orgulho virulento perverteram-lhe a vida íntima, fixando-o em pavoroso labirinto de sinistros enganos, que resultam para ele em completa alienação mental no tempo, uma vez que o relógio avança na contagem dos dias, enquanto se mantém parado nas reminiscências em que se supõe dominador na Terra, vivendo o pesadelo criado por si próprio...

Diante dos problemas que o estudo suscitava, indagou Hilário, surpreso:

— Mas... onde a vantagem de semelhantes padecimentos?

Silas esboçou leve expressão de tristeza e considerou:

**13.9** — Temos sob nossa atenção lamentável débito congelado. Nosso pobre companheiro, deploravelmente tombado, praticou numerosos delitos na Terra e no Plano Espiritual e, há mais de mil anos, vem sucumbindo, vaidoso e desprevenido, às garras da criminalidade... De existência a existência, não soube senão consumir os recursos do campo físico, tumultuando as paisagens sociais em que o Senhor lhe concedeu viver. Calamidades diversas, como sejam homicídios, rebeliões, extorsões, calúnias, falências, suicídios, abortos e obsessões, foram por ele provocadas, desde muitos séculos, porquanto nada viu à frente dos olhos senão o seu egoísmo a saciar... Entre o berço e o túmulo, é o desatino incessante, e, do túmulo para o berço, é a maldade fria e inconsequente, apesar das intercessões de amigos abnegados que o amparam em novas tentativas de regeneração e levantamento. Quase sempre inspirado nos pontos de vista de Poliana, que lhe vem sendo a companheira de múltiplas jornadas, cristalizou-se como infeliz empresário do crime, agigantando-se-lhe de tal modo o desequilíbrio na existência última, terminada no suicídio indireto por meio do mergulho deliberado na viciação, que não houve outro remédio para ele senão o insulamento absoluto na carne, ao nevoeiro da romagem presente, na qual o identificamos, assim, como fera enjaulada na armadura de células aviltantes, sob a custódia da mulher que o ajudou nas quedas sucessivas, erigida agora à posição de enfermeira maternal do seu longo infortúnio. Poliana, a companheira fútil e transviada do bem, que habitualmente escolheu para si a condição de boneca do prazer delituoso, acordou, Além-Túmulo, para as realidades da vida, antes dele... Despertou e sofreu muito, aceitando a tarefa de auxiliá-lo na recuperação em que, por certo, despenderão muito tempo ainda...

No campo perispiritual do anão ensimesmado, observamos, por meio da sua aura verde-trevosa, que todas as energias dos seus fulcros vibratórios refluíam sobre os pontos de origem, dando-nos a impressão de que Sabino estava enovelado inteiramente em si mesmo, à maneira da lagarta ilhada no casulo nascido dela própria.

Às perguntas que não nos foi possível sopitar, respondeu Silas com presteza: 13.1

— Nosso amigo, até que se amadureça em Espírito para a renovação necessária, guarda a mente trabalhando em circuito fechado, isto é, pensa constantemente para si mesmo, incapaz da permuta de vibrações com os semelhantes, exceção feita com Poliana, de quem se fez satélite mudo e expectante, como parasita em fronde seivosa. Sabino é um problema de débito estacionário, porque jaz em processo de hibernação espiritual, compulsoriamente enquistado no próprio íntimo, em benefício da comunidade de Espíritos desencarnados e encarnados, porquanto tão expressivos se lhe destacam os gravames de ordem material e moral que a sua presença consciente, na Terra ou no Espaço, provocaria perturbações e tumultos de consequências imprevisíveis. Desfruta, desse modo, uma pausa na luta, como ensaio de esquecimento, a fim de que possa, de futuro, encarar o montante dos compromissos em que se enleia, promovendo-lhes solução digna nos séculos próximos, a golpes de férrea vontade na renunciação de si mesmo.

— Mas — indagou Hilário, inquieto — não disporia a Espiritualidade Superior de elementos para encarcerá-lo a distância da carne?

— Sim — confirmou Silas —, isso não é impossível. Entretanto, se temos enxovias pungentes para a expiação dos crimes que entenebrecem a mente humana, muitas delas a se expressarem por vales de miséria e de horror, é preciso considerar que os delinquentes aí segregados atraem-se uns aos outros, contagiando-se mutuamente das chagas morais de que são portadores, gerando o inferno em que passam transitoriamente a viver.

Por outro lado, contamos com muitas instituições, funcionando à semelhança de estufas, nas quais criaturas desencarnadas dormem pacificamente largos sonos, mergulhadas nos pesadelos que merecem até certo ponto, depois de efetuada a travessia do sepulcro... Em Sabino, contudo, encontramos um caso excepcional de rebeldia e delinquência sistemáticas, em cujas sombras, um dia, sentiu baquearem-se-lhe as forças. O remorso feriu-lhe o coração como a bala mortífera assalta um tigre solto... A prece fulgurou-lhe na consciência e, antes que a sua nova atitude provocasse reações e vinditas soezes entre os que lhe seguiam os passos na rota perversa, recolheram-no à Mansão, onde foi naturalmente magnetizado, caindo em hipnose de longo curso, sendo recebido mais tarde pelo carinho de Poliana, então segregada em campo de regeneração pelo sacrifício. Como vemos, tamanhas são as ligações de nosso companheiro nos planos infernais que, por mercê de Jesus, foi ele ocultado provisoriamente neste corpo monstruoso em que se faz não apenas incomunicável, mas também de algum modo irreconhecível, em favor dele próprio. É indispensável que o tempo com a Bondade Divina lhe amparem os problemas aflitivos e complexos.

E, fitando-nos serenamente, ajuntou:

— Compreenderam?

Sim, havíamos entendido.

A experiência, aos nossos olhos, era dura, mas lógica; terrível, mas justa.

E como quem nada mais podia dar ao triste amigo, além do coração, Silas afagou-lhe a cabeça imunda e ofertou-lhe, comovido, a bênção de uma prece.

# 14
# Resgate interrompido

**4.1**   Acompanhando o assistente, passamos a cooperar na rearmonização de pequena família domiciliada em subúrbio de populosa capital.

Ildeu, o chefe da casa, homem que mal atingira a madureza física, pouco além dos 35 de idade, encontrara em Marcela a esposa abnegada e mãe de seus três filhinhos, Roberto, Sônia e Márcia; entretanto, seduzido pelos encantos da jovem Mara, moça leviana e inconsequente, tudo fazia para que a esposa o abandonasse.

Marcela, porém, educada na escola do Dever, dedicava-se ao lar e tudo fazia para não deixar perceber a própria dor.

Pelos gestos rudes e pela deplorável conduta em casa, não desconhecia a modificação do pai de seus filhos, e, recebendo cartas insultuosas da rival que lhe disputava o companheiro, sabia chorar em silêncio, confiando-as ao fogo para que não caíssem sob o olhar do esposo.

Doía-nos, cada noite, vê-la em prece ao lado das criancinhas.

Roberto, o primogênito, com 9 anos de idade, acariciava-lhe a cabeça, adivinhando-lhe os soluços imobilizados na garganta, e as duas pequeninas, na inconsciência infantil, repetiam maquinalmente as orações ditadas pela nobre senhora, oferecendo-as a Jesus, em favor do "papai".

Em atormentada vigília até noite alta, agoniava-se-lhe o Espírito, observando Ildeu, estroina, alcançando o lar, tresandando a licores alcoólicos e exibindo os sinais de aventuras inconfessáveis.

Se erguia a voz, lembrando alguma necessidade dos meninos, retorquia ele, irritado:

— Vida infame! Sempre você a recriminar-me, a aborrecer-me, a perseguir-me com censuras e petitórios!... Se quiser dinheiro, trabalhe. Se eu soubesse que o casamento seria isso, teria preferido estourar os miolos a assinar um contrato que me escraviza a existência inteira!

E, gritando, intemperante, mostrava-nos a tela das suas recordações, em que Mara, a jovem sedutora, lhe surgia à mente como a mulher ideal. Cotejava-a com a esmaecida figura da esposa que as dificuldades acabrunhavam e, governado pela imagem da outra, entregava-se a chocantes excitações, ansiando fugir do lar.

Marcela, em pranto, suplicava-lhe tolerância e serenidade, acentuando que não desdenhava o serviço.

Despendia o tempo de que dispunha na cooperação mal remunerada em favor de lavanderia modesta; contudo, os afazeres domésticos não lhe permitiam fazer mais.

— Hipócrita! — berrava o marido que a cólera transtornava. — E eu? Que pretende você de mim? Posso, acaso, fazer mais? Sou um homem dependurado em lojas e armazéns... Devo a todos... por sua causa, simplesmente em razão do seu desperdício... Não sei até quando poderei aturá-la. Não será mais aconselhável regresse você à terra que teve a infelicidade de vê-la nascer? Seus pais estão vivos...

**14.3**     A pobre criatura em lágrimas emudecia, mas sendo a voz dele estentórica, quase sempre o pequeno Roberto acordava e acorria em socorro da mãezinha, enlaçando-a estremunhado.

Ildeu avançava sobre o miúdo interventor a sopapos, clamando com insofreável revolta:

— Saia daqui! Saia daqui!...

E qual se o petiz lhe não fora filho, mas adversário confesso, acrescentava, cerrando os punhos:

— Tenho gana de matá-lo!... Matá-lo!... Todas as noites, esta mesma pantomima. Bandido! Palhaço!...

E o menino, agarrado ao colo materno, sofria pancadas até recolher-se, de novo, ao leito, em pranto convulsivo.

Entretanto, se as filhinhas choramingassem, eis que o genitor se desfazia em ternura, ainda mesmo quando plenamente embriagado, proferindo bondoso:

— Minhas filhas!... Minhas pobres filhas!... Que será de vocês no futuro? É por vocês que ainda me encontro aqui, tolerando a cruz desta casa!

E, não raro, ele próprio ia reacomodá-las no berço.

Silas e nós entrávamos em ação, em benefício de Marcela e dos filhinhos.

Do atormentado lar, ameaçado de completa destruição, demandávamos outros setores de serviço, sem que o assistente encontrasse oportunidade de administrar-nos esclarecimentos mais amplos.

Todavia, quase que diariamente, à noite, ali aplicávamos alguns minutos em tarefas que nos falavam aos refolhos do coração.

Contudo, apesar de nosso esforço, o chefe da família mostrava-se, cada dia, mais indiferente e distante.

Enfadado e irritadiço, não concedia à esposa nem mesmo a gentileza de leve saudação. Fascinado pela outra, passara a odiá-la. Pretendia desobrigar-se do compromisso assumido e trilhar nova senda...

No entanto, como atender ao problema do amor às pequeninas?

Sinceramente — pensava de si para consigo — não amava a Roberto, o filho cujo olhar o acusava sem palavras, lançando-lhe em rosto o censurável procedimento, mas adorava Sônia e Márcia, com desvelada ternura... Como ausentar-se delas no desquite provável? Decerto, a companheira teria assegurados, perante a lei, os direitos de mãe... Senhora de nobre conduta, Marcela contaria com o favor da Justiça...

Refletia, refletia...

Ainda assim, não renunciava ao carinho de Mara, cuja dominação lhe empolgava o sentimento enfermiço.

Fosse onde fosse, registrava-lhe a influência sutil, a desfibrar-lhe o caráter e a dobrar-lhe a cerviz de homem que, até encontrá-la, fora honrado e feliz.

Por vezes, tentava subtrair-se-lhe ao jugo, mas debalde.

Marcela apresentava o semblante da disciplina que lhe competia observar e da obrigação que lhe cabia cumprir, quando Mara, de olhos em fogo, lhe acenava à liberdade e ao prazer.

Foi assim que lhe nasceu no cérebro doentio uma ideia sinistra: assassinar a esposa, escondendo o próprio crime, para que a morte dela aos olhos do mundo passasse como autêntico suicídio.

Para isso, alteraria o roteiro doméstico.

Procuraria abolir o regime de incompreensão sistemática, daria tréguas à irritação que o senhoreava e fingiria ternura para ganhar confiança... E, depois de alguns dias, quando Marcela dormisse, despreocupada, desfechar-lhe-ia uma bala no coração, despistando a própria polícia.

Acompanhamos-lhe a evolução do tresloucado plano, porquanto é sempre fácil penetrar o domínio das formas-pensamentos, vagarosamente construídas pelas criaturas que as edificam, apaixonadas e persistentes, em torno dos próprios passos.

**14.5** Na aparente calmaria que sustentava, Ildeu, embora sorrisse, exteriorizava ao nosso olhar o inconfessável projeto, armando mentalmente o quadro criminoso, detalhe por detalhe.

Para defender Marcela, porém, cuja existência era amparada pela Mansão que representávamos, o assistente reforçou na casa o serviço de vigilância.

Dois companheiros nossos, zelosos e abnegados, alternativamente ali passaram a velar, dia e noite, de modo a entravar o pavoroso delito.

Achávamo-nos, certa feita, em atividade assistencial ao pé de alguns doentes, quando o irmão em serviço veio até nós, comunicando, inquieto, a precipitação dos acontecimentos.

De alma aturdida pela influência de homicidas desencarnados que lhe haviam percebido os pensamentos expressos, intentaria Ildeu aniquilar a companheira naquela mesma noite.

Silas não vacilou.

Demandamos, de imediato, a casa singela em que se reunia a equipe doméstica atormentada.

Dispondo da extensa autoridade de que se achava investido, o nosso orientador, empregando o concurso de entidades amigas, em rotina de trabalho nas vizinhanças, inicialmente baniu os alcoólatras e delinquentes desencarnados que ali se recolhiam.

Apesar da providência, o plano infernal na cabeça de nosso pobre amigo evidenciava-se integralmente maduro.

A madrugada ia alta.

Com o coração precípite, relanceando o olhar medroso pelas paredes nuas do gabinete em que examinava o pente de uma pistola, qual se nos adivinhasse a presença, o chefe da família revelava-se disposto à consumação do ato execrável.

Revestindo-lhe todo o cérebro, surgia a cena do assassínio, calculadamente prevista, movimentando-se em surpreendente sucessão de imagens...

Oh! se as criaturas encarnadas tivessem consciência de como se lhes exteriorizam as ideias, certamente saberiam guardar-se contra o império do crime!

O irrefletido pai pensava demandar o aposento dos filhos para trancá-los à chave, de maneira a evitar-lhes o testemunho, quando Silas, de improviso, avançou para o leito das meninas e, utilizando os recursos magnéticos de que dispunha, chamou a pequena Márcia, em corpo espiritual, a rápida contemplação dos pensamentos paternos.

A criança, em comunhão com o quadro terrível, experimentou tremendo choque e retornou, de pronto, ao veículo físico, bradando, desvairada, como quem se furtasse ao domínio de asfixiante pesadelo:

— Papai!... Paizinho! Não mate! Não mate!...

Ildeu, a esse tempo, já se encontrava à porta, guardando a arma na destra e tentando manobrar a fechadura com a mão livre.

Os gritos da menina ecoaram em toda a casa, provocando alarido.

Marcela, num átimo, pôs-se de pé, surpreendendo o marido ao pé da filha, e, junto deles, o revólver augurando maus presságios.

A mulher bondosa e incapaz de suspeitar das intenções dele, recolheu cautelosamente a arma e, crendo que o esposo pretendera suicidar-se, implorou em pranto:

— Ó Ildeu, não te mates! Jesus é testemunha de que tenho cumprido retamente todos os meus deveres... Não quero o remorso de haver cooperado para semelhante desatino, que te lançaria entre os réprobos das Leis de Deus!... Procede como quiseres, mas não te despenhes no suicídio. Se é de tua vontade, monta nova casa em que vivas com a mulher que te faça feliz... Consagrarei minha existência aos nossos filhos. Trabalharei, conquistando o pão de nossa casa com o suor de meu rosto; entretanto, suplico, não te mates!...

**14.7**   A generosa atitude daquela mulher sensibilizava-nos até as lágrimas.

O próprio Ildeu, não obstante o sentimento empedernido, sentia-se tocado de piedade, agradecendo, no íntimo, a versão que a esposa, digna e abnegada, oferecia aos acontecimentos, cuja direção não conseguira prever.

E, encontrando a escapatória que, de há muito, buscava, longe de ouvir os brados da consciência que o concitavam à vigilância, exclamou, à feição de vítima:

— Realmente, não posso mais... Agora, para mim, só restam dois caminhos, suicídio ou desquite...

Marcela, com o auxílio do assistente, descarregou o revólver, reconduziu as crianças ao sono e deitou-se atribulada. Nos olhos tristes, lágrimas borbulhavam na sombra, enquanto orava, súplice, na torturada quietude do seu martírio silencioso:

*Ó meu Deus, compadece-te de mim, pobre mulher desventurada!... Que fazer, sozinha na luta, com três crianças necessitadas?*

Todavia, antes que a dor pungente se lhe metamorfoseasse em desânimo destruidor, Silas aplicou-lhe passes balsamizantes, hipnotizando-a, com o que a flagelada senhora, em desdobramento, se colocou, inquieta, diante de nós.

Tomando-nos à conta de mensageiros do Céu, na cristalização dos hábitos em que comumente mergulham as almas encarnadas, ajoelhou-se e rogou amparo.

Silas, porém, soergueu-a, bondoso, e explicou:

— Marcela, somos apenas teus irmãos... Reanima-te! Não te encontras sozinha. Deus, nosso Pai, jamais nos abandona... Concede, sim, liberdade ao teu esposo, embora saibamos que o dever é uma bênção divina da qual pagaremos caro a deserção... Que Ildeu rompa os laços respeitáveis dos seus compromissos, se é que julga seja essa a única maneira de adquirir a experiência que deve conquistar... Haja, porém, o que houver, ajuda-o com tolerância e compreensão. Não lhe queiras mal algum. Antes, roga a Jesus o abençoe e ampare, onde esteja, porque o remorso e o arrependimento, a saudade e a dor para os que fogem das obrigações que o Senhor lhes confia convertem-se em fardos difíceis de carregar. Sabemos que a ele te ligaste em sagrada aliança na empresa redentora do pretérito próximo... Ainda assim, se ele esmorece à frente da luta, em pleno exercício da faculdade de escolher, não será justo lhe violentes o livre-arbítrio, impondo-lhe atitudes que a ele compete cultivar. Ildeu ausenta-se agora dos contratos que abraçou, em benefício de si mesmo, e interrompe o resgate das contas que lhe são próprias... Voltará, porém, mais tarde aos débitos que olvida, talvez mais onerado perante a Lei... Não te lamentes, contudo, e segue adiante. Sejam quais forem as lutas que te descerem ao coração, resigna-te e não temas. Faze dos filhinhos o apoio firme na caminhada. Todo sacrifício edificante no mundo expressa enriquecimento de nossas almas na vida eterna... Renuncia, pois, ao homem querido, honrando-lhe o coração, e aguarda o futuro com esperança.

E porque Marcela chorasse, receando o porvir, em face das contingências materiais, Silas afagou-lhe a cabeça e asseverou prestimoso:

— Para mãos dignas jamais faltará trabalho digno. Contemos com a proteção do Senhor e marchemos com desassombro. Enxuga o pranto e ergue-te em Espírito à Fonte do sumo bem!...

**14.9**  Nesse ínterim, parentes desencarnados da jovem senhora assomaram carinhosamente ao recinto, estendendo-lhe as mãos...

E nosso orientador confiou-lhes Marcela, chorosa, rogando-lhes ajuda para que a víssemos restaurada.

Retiramo-nos em seguida.

Foi então que nossas perguntas explodiram insopitáveis:

Por que Marcela, meiga e honesta, era odiada pelo esposo, assim tanto? Por que a preferência de Ildeu pelas filhinhas, com tanto desdém pelo primogênito? E a separação em perspectiva? Seria justo procurar o nosso mentor fortalecer aquela mãezinha desventurada para o desquite, em vez de incentivá-la à recuperação do amor e do devotamento do companheiro?

O assistente sorriu com manifesto desencanto e obtemperou:

— Há nas anotações do Apóstolo Mateus[30] certa passagem na qual afirma Jesus que o divórcio na Terra é permitido a nós outros pela dureza dos nossos corações. Aqui, a medida deve ser facultada à maneira de medicação violenta em casos desesperadores de desarmonia orgânica. Na febre alta ou no tumor maligno, por exemplo, a intervenção exige métodos drásticos, a fim de que a crise de sofrimento não culmine com a loucura ou com a morte extemporânea. Nos problemas matrimoniais, agravados pela defecção de um dos cônjuges ou mesmo pela deserção de ambos do dever a cumprir, o divórcio é compreensível como providência contra o crime, seja ele o assassínio ou o suicídio... Entretanto, assim como o choque operatório para o tumor e a quinina para certas febres são recursos de emergência, sem capacidade de liquidar as causas profundas da enfermidade, as quais prosseguem reclamando tratamento longo e laborioso, o divórcio não soluciona o problema da redenção, porque ninguém se reúne no casamento humano ou

---

[30] Nota do autor espiritual: *Mateus*, 19:7 e 8.

nos empreendimentos de elevação espiritual, no mundo, sem o vínculo do passado, e esse vínculo, quase sempre, significa débito no Espírito ou compromisso vivo e delongado no tempo. O homem ou a mulher, desse modo, podem provocar o divórcio e obtê-lo como o menor dos piores males que lhes possam acontecer... Ainda assim, não se liberam da dívida em que se acham incursos, cabendo-lhes voltar ao pagamento respectivo, tão logo seja oportuno.

E porque as nossas muitas interrogações pairavam no ar, o generoso orientador prosseguiu: **14.10**

— No caso de Ildeu e Marcela, já meticulosamente estudado em nossa Mansão, temos duas almas em processo de reajuste, há vários séculos. Para não nos perdermos em compridas perquirições, convém lembrar tão somente algumas notas da existência última, em que ambos, como marido e mulher, aqui mesmo no Brasil, se entregaram a difíceis experiências. Ele, depois de casado, continuou irrequieto, entre a irresponsabilidade e a aventura, nas quais seduziu duas moças, filhas do mesmo lar. Primeiramente, enganou uma delas, abandonando a esposa que a Lei lhe havia confiado. Passando, porém, ao convívio da segunda companheira, que patrocinava o desenvolvimento da irmãzinha menor, que os pais, à beira do túmulo, lhe haviam entregue, Ildeu não vacilou em aguardar-lhe a floração juvenil para submetê-la igualmente aos seus caprichos inconfessáveis. Entrando em franca decadência moral, precipitou-as no meretrício, em cujas correntes de sombra as pobres criaturas se viram quais andorinhas aprisionadas na lama... Abandonada a esposa, que era então a mesma companheira de agora, a sofredora mulher, incapaz de sofrear-se no insulamento, após cinco anos de expectativa e solidão, aceitou a companhia de um homem digno e trabalhador, com quem passou maritalmente a viver... Os dias correram sobre os dias e, quando Ildeu, ainda relativamente moço, mas integralmente vencido pela intemperança e pelo deboche, regressou doente à cidade em que se havia consorciado, buscando o aconchego da esposa, cuja fidelidade carinhosa ele mesmo destruíra, não mais na ânsia de ajudá-la ou de amá-la, e sim no propósito de escravizá-la por enfermeira de seu corpo abatido, eis que a reencontra, feliz, junto de outro... Movido de incompreensível ciúme, uma vez que renegara o lar sem motivo justo, não suporta ver a alegria da companheira, matando-lhe o eleito do coração. A breve tempo, todo o grupo que Ildeu infelicitou se reúne, inclusive ele próprio, na esfera espiritual, onde a justiça da Lei sopesa os méritos e deméritos de cada um... E, com o amparo de abnegados benfeitores, regressam as personagens do drama doloroso ao resgate na reencarnação, com Ildeu à frente das responsabilidades, por ter maiores culpas. Marcela concorda em auxiliá-lo e retoma o posto antigo, ajudando-o na condição de esposa fiel. Roberto é o companheiro assassinado que volta, do qual Ildeu é devedor da própria vida. Sônia e Márcia são as duas irmãs que ele arrojou ao vício e à delinquência, dele esperando hoje, como filhas queridas, o necessário auxílio para a reabilitação.

**4.11**   O assistente fez pequena pausa e acrescentou:

— Vocês não ignoram, porém, que a reencarnação no resgate é também recapitulação perfeita. Se não trabalhamos por nossa intensa e radical renovação para o bem, por meio do estudo edificante que nos educa o cérebro e do amor ao próximo que nos aperfeiçoa o sentimento, somos tentados hoje pelas nossas fraquezas, como éramos tentados ainda ontem, porquanto nada fizemos pelas suprimir, passando habitualmente a reincidir nas mesmas faltas. Segundo observam, Ildeu, displicente e surdo aos avisos da vida, é o mesmo homem do passado, buscando a suposta felicidade fora do templo doméstico, desprezando a esposa, querendo estremecidamente às filhinhas nas quais revê as companheiras do pretérito e nada faz por perder a instintiva aversão pelo filhinho, em cujo contato adivinha o antigo rival, que lhe foi vítima da fúria arrasadora.

— Mas — indagou Hilário — se ele não encontra em Marcela o amor integral, por que razão, ainda agora, na presente romagem terrena, a teria desposado? A afetividade juvenil não é sinal de confiança e ternura?

— Sim — encareceu Silas, bondoso —, é preciso considerar que nos achamos ainda longe de adquirir o verdadeiro amor, puro e sublime. Nosso amor é, por enquanto, uma aspiração de eternidade encravada no egoísmo e na ilusão, na fome de prazer e na egolatria sistemática, que fantasiamos como a celeste virtude. Por isso mesmo, a nossa afetividade terrestre, quando na primavera dos primeiros sonhos da experiência física, pode ser um conjunto de estados mentais, consubstanciando simplesmente os nossos desejos. E nossos desejos se alteram todos os dias... Em razão disso, recordemos o imperativo da recapitulação. Nessa ou naquela idade física, o homem e a mulher, com a supervisão da Lei que nos governa os destinos, encontram as pessoas e as situações de que necessitam para superarem as provas do caminho, provas indispensáveis ao burilamento espiritual de que não prescindem para a justa ascensão às esferas mais altas. Assim é que somos atraídos por determinadas almas e por determinadas questões, nem sempre porque as estimemos em sentido profundo, mas sim porque o passado a elas nos reúne, a fim de que por elas e com elas venhamos a adquirir a experiência necessária à assimilação do verdadeiro amor e da verdadeira sabedoria. É por isso que a maioria dos consórcios humanos, por enquanto, constitui ligações de aprendizado e sacrifício, em que, muitas vezes, as criaturas se querem mutuamente e mutuamente sofrem pavorosos conflitos na convivência uma das outras. Nesses embates, alinham-se os recursos da redenção. Quem for mais claro e mais exato no cumprimento da Lei que ordena seja mantido o bem de todos, acima de tudo, mais ampla liberdade encontra para a vida eterna. Quanto mais sacrifício com serviço incessante pela felicidade dos corações que o Senhor nos confia, mais elevada ascensão à glória do Amor Divino.

4.13 — Então — aduzi —, nosso amigo Ildeu estará interrompendo o pagamento da dívida em que se empenhou...

— Isso mesmo.

— E Marcela? — perguntou Hilário. — Garantirá por ele a sustentação do lar?

— É o que esperamos, e tudo faremos para auxiliá-la, já que o esposo, mais uma vez, faliu nos contratos assumidos.

— Não será lícito contar, matematicamente, com o heroísmo dela à frente da casa? — insistiu meu colega.

— Quem poderá medir a resistência dos outros? — falou Silas, sorrindo. — Marcela é senhora de si e, com a deserção do esposo, é chamada a encargos duplos. Desejamos sinceramente que ela seja forte e se sobreponha às vicissitudes da existência, mas se resvalar para delituosos desequilíbrios, que lhe comprometam a estabilidade doméstica, na qual os filhos devem crescer para o bem, mais complicado e mais extenso se fará o débito de Ildeu, porquanto as falhas que ela venha a cometer serão atenuadas pelo injustificável abandono em que a lançou o marido. Quem se faz responsável por nossas quedas experimenta em si mesmo a ampliação dos próprios crimes.

Hilário meditou... meditou... e disse em seguida:

— Imaginemos, porém, que Marcela e os filhinhos consigam vencer a crise, esmagando com o tempo as necessidades de que são agora vítimas... Figuremo-los terminando a atual reencarnação com plena vitória moral em confronto com Ildeu, retardado, impenitente, devedor... Se a esposa e os filhos, então definitivamente guindados à luz, dispensarem qualquer contato com a sombra, em franca ascensão às linhas superiores da vida, a quem pagará Ildeu o montante das dívidas em que se agrava?

Silas estampou significativo gesto facial e explicou:

— Embora estejamos todos, uns diante dos outros, em processo reparador de culpas recíprocas, em verdade, antes de tudo, somos devedores da Lei em nossas consciências. Fazendo mal aos outros, praticamos o mal contra nós mesmos. Caso Marcela e os filhinhos se ergam, um dia, a plenos céus, e na hipótese de guardar-se nosso amigo mergulhado na Terra, vê-los-á Ildeu na própria consciência, sofredores e tristes, quais os tornou, atormentado pelas recordações que traçou para si mesmo e pagará em serviço a outras almas da senda evolutiva o débito que lhe onera o Espírito, uma vez que, ferindo os outros, na essência estamos ferindo a Obra de Deus, de cujas leis soberanas nos fazemos réus infelizes, reclamando quitação e reajuste.

— Isso quer dizer...

A palavra de Hilário, porém, foi cortada pela observação do assistente que, lhe surpreendendo as ideias, falou firme:

— Isso quer dizer que, se Ildeu, mais tarde, desejar reunir-se a Marcela, Roberto, Sônia e Márcia, então redimidos nas esferas superiores, deverá possuir uma consciência tão dignificada e sublime quanto a deles, de modo a não se envergonhar de si mesmo, considerando-se a probabilidade de triunfo para a esposa e os filhinhos nas provas árduas que o porvir lhes reserva.

— Deus meu!... — clamou Hilário, triste. — quanto tempo então para uma empresa dessas!... E quanta dificuldade para o reencontro, se os entes queridos não se dispuserem a esperar!...

**4.15**     — Sim — confirmou Silas —, quem se retarda por gosto não pode queixar-se de quem avança. "A cada um segundo as suas obras", ensinou o Divino Orientador, e ninguém no Universo conseguirá fugir à Lei.

Eu e Hilário, profundamente tocados pela lição, calamo-nos, confundidos, para orar e pensar.

# 15
## Anotações oportunas

**15.1**   Os problemas do lar de Ildeu ofereciam-nos ensanchas[31] a preciosos estudos no terreno puro da alma.

Em razão disso, de volta à Mansão em companhia do assistente, valíamo-nos do tempo para buscar-lhe a opinião clara e sensata acerca de momentosas questões que nos esfervilhavam a mente.

Hilário foi o primeiro a quebrar a longa pausa, indagando:

— Meu caro Silas, não temos ali, no caso de Roberto e Marcela, um quadro autêntico do chamado complexo de Édipo, que a psicanálise freudiana pretende encontrar na psicologia infantil?

Nosso amigo sorriu e obtemperou:

— O grande médico austríaco poderia ter atingido respeitáveis culminâncias do Espírito, se houvesse descerrado uma porta aos estudos da lei de reencarnação. Infelizmente, porém, atento à pragmática científica, não teve bastante coragem para ultrapassar a observação do campo fisiológico, rigidamente

---
[31] N.E.: Oportunidades.

considerado, imobilizando-se, por isso, nas zonas obscuras da inconsciência, em que o "eu" enclausura as experiências que realiza, automatizando os próprios impulsos. Marcela e Roberto não poderiam trair, na condição de mãe e filho, as simpatias carreadas do pretérito ao presente, tanto quanto Ildeu, Sônia e Márcia não conseguiriam fugir à predileção que os ligava desde o passado. O problema é de afinidade em sua estrutura essencial. Afinidade com dívidas, exigindo resgate.

Lembrei-me, então, dos exageros que podemos atribuir à teoria da libido, a energia pela qual, segundo a escola de Freud,[32] o instinto sexual se revela na mente, e teci alguns comentários alusivos ao assunto, detendo-me, de maneira especial, na amnésia infantil, a que o famoso cientista empresta a maior importância para explicar as operações do inconsciente.

Silas, atencioso, completou sem hesitar:

— Bastaria compreender na encarnação terrestre um Espírito usando um corpo para entender que as amnésias decorrem naturalmente da inadaptação temporária entre a alma e o instrumento de que se utiliza. Na infância, o "ego", em processo de materialização, externará reminiscências e opiniões, simpatias e desafetos, por meio de manifestações instintivas, a lhe entremostrarem o passado, do qual mal se lembrará no futuro próximo, uma vez que estará movimentando a máquina cerebral em desenvolvimento, máquina essa que deverá servi-lo tão só por algum tempo e para determinados fins, ocorrendo idêntica situação na idade provecta, quando as palavras como que se desprendem dos quadros da memória, traduzindo alterações do órgão do pensamento, modificado por desgaste.

— E a tese da libido como fome sexual característica em todos os viventes? — insisti, curioso.

---

[32] N.E.: Sigmund Freud (1856–1939), neurologista e psiquiatra austríaco. Criador da Psicanálise.

**15.3**  — Freud — considerou Silas — deve ser louvado pelo desassombro com que empreendeu a viagem aos mais recônditos labirintos da alma humana, para descobrir as chagas do sentimento e diagnosticá-las com o discernimento possível. Entretanto, não pode ser rigorosamente aprovado, quando pretendeu, de certo modo, explicar o campo emotivo das criaturas pela medida absoluta das sensações eróticas.

Confiou-se o assistente a ligeira pausa e prosseguiu:

— Criação, vida e sexo são temas que se identificam essencialmente entre si, perdendo-se em suas origens no seio da Sabedoria Divina. Por isso, estamos longe de padronizá-los em definições técnicas, inamovíveis. Não podemos, dessa forma, limitar às loucuras humanas a função do sexo, pois seríamos tão insensatos quanto alguém que pretendesse estudar o Sol apenas por uma réstia de luz filtrada pela fenda de um telhado. Examinado como força atuante da vida, diante da criação incessante, o sexo, a rigor, palpitará em tudo, desde a comunhão dos princípios subatômicos à atração dos astros, porque, então, expressará força de amor, gerada pelo Amor Infinito de Deus. O ajuste entre o oxigênio e o hidrogênio decorrerá desse princípio, no plano químico, formando a água de que se alimenta a Natureza. O movimento harmonioso do Sol, equilibrando a família dos mundos, na imensidade sideral, além de nutrir-lhes a existência, resultará dessa mesma energia no plano cósmico. E a própria influência do Cristo, que se deixou crucificar em devotamento a nós outros, seus tutelados na Terra, para fecundar de luz a nossa mente, com vistas à divina ressurreição, não será, na essência, esse mesmo princípio, estampado no mais alto teor de sublimação? O sexo, pois, não poderia ausentar-se do reino espiritual que nos é conhecido, por ser de substância mental, determinando mentalmente as formas em que se expressa. Representa, desse modo, não uma energia fixa da Natureza, trabalhando a alma, e sim uma energia variável da alma, com que ela trabalha a Natureza em que evolve, aprimorando a si mesma. Apreciemo-la, assim, como uma força do Criador na criatura, destinada a expandir-se em obras de amor e luz que enriqueçam a vida, igualmente condicionada à lei de responsabilidade que nos rege os destinos.

Hilário, que ouvia atenciosamente as elucidações expostas, considerou:

15.4

— Semelhante argumentação dá-nos a entender que a força sexual não se destina simplesmente a gerar filhos...

Não me calou agradavelmente a ponderação que julguei de todo inoportuna, ante a elevação e a transcendentalidade a que Silas projetara o tema em estudo, mas o assistente sorriu bem-humorado e respondeu:

— Hilário, meu amigo, na Terra, é vulgar a fixação do magno assunto no equipamento genital do homem e da mulher. Contudo, é preciso não esquecer que mencionamos o sexo como força de amor nas bases da vida, totalizando a glória da Criação. Foi ainda Sigmund Freud quem definiu o objetivo do impulso sexual como procura de prazer... Sim, a assertiva é respeitável, reportando-nos às experiências primárias do Espírito no mundo físico; entretanto, é indispensável dilatar a definição para arredá-la do campo erótico em que foi circunscrita. Pela energia criadora do amor que assegura a estabilidade de todo o Universo, a alma, aperfeiçoando-se, busca sempre os prazeres mais nobres. Temos, assim, o prazer de ajudar, de descobrir, de purificar, de redimir, de iluminar, de estudar, de aprender, de elevar, de construir e toda uma infinidade de prazeres, condizentes com os mais santificantes estágios do Espírito. Encontramos, desse modo, almas que se amam profundamente, produzindo inestimáveis valores para o engrandecimento do mundo, sem jamais se tocarem umas nas outras, do ponto de vista fisiológico, embora permutem constantemente os raios quintessenciados do amor para a edificação das obras a que se afeiçoam. Sem dúvida, o lar digno, santuário em que a vida se manifesta, na formação de corpos abençoados para a experiência da alma, é uma instituição venerável, sobre a qual se concentram as atenções da Providência Divina; entretanto, junto dele, dispomos igualmente das associações de seres que se aglutinam uns aos outros, nos sentimentos mais puros, em favor das obras da caridade e da educação. As faculdades do amor geram formas sublimes para a encarnação das almas na Terra, mas também criam os tesouros da arte, as riquezas da indústria, as maravilhas da Ciência, as fulgurações do progresso... E ninguém amealha os patrimônios da evolução a sós. Em todas as empresas do acrisolamento moral, surpreendemos Espíritos afins que se buscam, reunindo as possibilidades que lhes são próprias, na realização de empreendimentos que levantam a Humanidade, da Terra para o Céu...

**15.5** Após breve pausa, acentuou:

— O próprio Cristo, nosso Senhor, para cimentar os alicerces do seu apostolado de redenção, chamou a si os companheiros da Boa-Nova que, embora a princípio não lhe compreendessem a excelsitude, dele se fizeram apóstolos intimoratos, selando com o Mestre Inesquecível um contrato de coração para coração, por intermédio do qual lançaram os fundamentos do Reino de Deus na Terra, numa obra de abnegação e sacrifício que constitui, até hoje, o mais arrojado cometimento do amor no mundo.

Nesse ponto das elucidações que lhe fluíam do verbo afetuoso, permitiu-se o assistente mais longo intervalo.

Percebendo, porém, que estimaríamos ouvi-lo mais amplamente sobre o sexo, qual é concebido entre os homens, de forma a enfileirar conclusões adequadas aos nossos estudos de causa e efeito, voltou a dizer:

— Tais considerações que expendemos, acerca de um tema assim tão vasto, externando-nos do ângulo mais elevado que a nossa mente é suscetível de abarcar, não nos dispensam do dever de exaltar a necessidade de sublimação da experiência emotiva entre as criaturas. Sabemos que o sexo, analisado na essência, é a soma das qualidades femininas ou masculinas que caracterizam a mente, razão por que é imprescindível observá-lo do ponto de vista espiritual, enquadrando-o na esfera das concessões divinas que nos cabe movimentar com respeito e rendimento na produção do bem. Entendo que vocês desejariam efetuar mais longa digressão educativa nesse domínio; entretanto, cremos desnecessário minudenciar particularidades ao redor do assunto, porque conhecem de sobejo que, quanto mais amplo o discernimento do Espírito, mais imperiosas se lhe fazem as obrigações perante a vida. O sexo no corpo humano é assim como um altar de amor puro que não podemos relegar à imundície, sob pena de praticar as mais espantosas crueldades mentais, cujos efeitos nos seguem, invariáveis, depois do túmulo...

    Meu colega, que ardia no anseio de intensificar indagações, inquiriu respeitoso:

**15.6**

    — Silas amigo, assistimos no mundo a todo um acervo de conflitos sentimentais que, por vezes, culminam em pavorosa delinquência... Homens que renegam os sagrados compromissos do lar, mulheres que desertam dos deveres nobilitantes para com a família... Pais que abandonam os filhos... Mães que rejeitam rebentos mal nascidos, quando os não assassinam covardemente... Tudo isso em razão da sede dos prazeres sexuais que, não raro, lhes situam os passos nas sendas tenebrosas do crime... Todas essas falhas acompanham o Espírito, além da armadura de carne que a morte consome?

    — Como não? — respondeu o assistente, tristonho. — Cada consciência é uma Criação de Deus e cada existência é um elo sagrado na corrente da vida em que Deus palpita e se manifesta. Responderemos por todos os golpes destrutivos que vibramos nos corações alheios e não nos permitiremos repouso enquanto não consertarmos, valorosos, o serviço de reajuste.

**15.7** Impressionado, meu companheiro persistiu:

— Imaginemos que um homem tenha conduzido uma jovem à comunhão sexual com ele, à caça de mero prazer dos sentidos, prometendo-lhe matrimônio digno, para abandoná-la vilmente ao próprio desencanto, depois de saciado em seus desejos... A pobre criatura, desenganada, sem recursos para refugiar-se no trabalho respeitável, entrega-se ao meretrício. O homem é responsável pelos desatinos que a infelicitada companheira venha a praticar, compreendendo-se que ele não terá marchado sozinho para semelhante aventura?

— É preciso reconhecer que todos responderemos pelos atos que efetuamos — explicou o interlocutor —; contudo, no caso em foco, se o homem não é responsável pelos delitos em que venha a falir a mulher desventurada, é ele, inegavelmente, o autor da desdita em que ela se encontra. E, desencarnando com o remorso da traição praticada, quanto mais luz se lhe faça no entendimento, mais agudo lhe será o pesar de haver cometido a falta. Trabalhará, naturalmente, para levantá-la do abismo a que ela se arrojou por segui-lo, confiante, e reconduzi-la-á à reencarnação, em cujos liames se demorará, aceitando-a por esposa ou filha, de modo a entregar-lhe o puro amor prometido, sofrendo para regenerar-lhe a mente em desequilíbrio e resgatando a sua consciência entenebrecida pela culpa.

— Da mesma forma — aduziu Hilário —, notamos na sociedade terrestre homens arruinados por mulheres desleais que os precipitaram na criminalidade e no vício...

— O processo da reparação é absolutamente o mesmo. A mulher que lançou o companheiro nas sombras do mal, despertando à luz do bem, não descansará enquanto não o reerguer para a dignidade moral, diante das Leis de Deus. Quantas mães vemos no mundo, engrandecidas pela dificuldade e pela renúncia, morrendo cada dia, entre a aflição e o sacrifício, para cuidar de filhos monstruosos que lhes torturam a alma e a carne? Em muitos desses quadros terríveis e emocionantes, oculta-se, divino, o labor da regeneração que só o tempo e a dor conseguem realizar.

— Tudo isso, meu amigo — tornou Hilário com manifesta amargura —, nos obriga a reconhecer que, nas falhas do campo genésico, temos a considerar, acima de tudo, a crueldade mental que praticamos em nome do amor...

**15.8**

— Isso mesmo — aprovou o assistente. — Na perseguição ao prazer dos sentidos, costumamos armar as piores ciladas aos corações incautos que nos ouvem... Contudo, fugindo à palavra empenhada ou faltando aos compromissos e votos que assumimos, não nos precatamos quanto à lei de correspondência, que nos devolve, inteiro, o mal que praticamos e em cuja intimidade as bênçãos do conhecimento superior nos agravam as agonias, uma vez que, no esplendor da luz espiritual, não nos perdoamos pelas nódoas e chagas que trazemos na alma. Isso, para não falar dos crimes passionais, perpetrados na sociedade humana, todos os dias, pelos abusos das faculdades sexuais, destinadas a criar a família, a educação, a beneficência, a arte e a beleza entre os homens. Esses abusos são responsáveis não apenas por largos tormentos nas regiões infernais, mas também por muitas moléstias e monstruosidades que ensombram a vida terrestre, porquanto os delinquentes do sexo, que operaram o homicídio, o infanticídio, a loucura, o suicídio, a falência e o esmagamento dos outros, voltam à carne, sob o impacto das vibrações desequilibrantes que puseram em ação contra si próprios, e são, muitas vezes, as vítimas da mutilação congênita, da alienação mental, da paralisia, da senilidade precoce, da obsessão enquistada, do câncer infantil, das enfermidades nervosas de variada espécie, dos processos patogênicos inabordáveis e de todo um cortejo de males, decorrentes do trauma perispirítico que, provocando desajustes nos tecidos sutis da alma, exige longos e complicados serviços de reparação a se exteriorizarem com o nome de inquietação, angústia, doença, provação, desventura, idiotia, sofrimento e miséria. Aliás, muito antes da pompa terminológica das escolas psicanalíticas modernas, que se permitem arrojadas conjeturas acerca das flagelações mentais, há quase vinte séculos ensinou-nos Jesus que "todo aquele que comete o mal é escravo do mal"[33] e podemos acrescentar que para sanar o mal a que houvermos escravizado o coração, é imprescindível sofrer a purgação que o extirpa.

5.9     A conversação como que esmorecia; no entanto, Hilário, interessado em dirimir as dúvidas que lhe escaldavam a cabeça, tomou novamente a palavra e indagou sem preâmbulos:

— E os problemas inquietantes da inversão?

Silas deu-se pressa em aclarar:

— Não será preciso alongar elucidações. Considerando-se que o sexo, na essência, é a soma das qualidades passivas ou positivas do campo mental do ser, é natural que o Espírito acentuadamente feminino se demore séculos e séculos nas linhas evolutivas da mulher, e que o Espírito marcadamente masculino se detenha por longo tempo nas experiências do homem. Contudo, em muitas ocasiões, quando o homem tiraniza a mulher, furtando-lhe os direitos e cometendo abusos, em nome de sua pretensa superioridade, desorganiza-se ele próprio a tal ponto que, inconsciente e desequilibrado, é conduzido pelos agentes da Lei Divina a renascimento doloroso, em corpo feminino, para que, no extremo desconforto íntimo, aprenda a venerar na mulher sua irmã e companheira, filha e mãe, diante de Deus, ocorrendo idêntica situação à mulher criminosa que, depois de arrastar o homem à devassidão e à delinquência, cria para si mesma terrível

---

[33] Nota do autor espiritual: *João*, 8:34.

alienação mental para além do sepulcro, requisitando, quase sempre, a internação em corpo masculino, a fim de que, nas teias do infortúnio de sua emotividade, saiba edificar no seu ser o respeito que deve ao homem, perante o Senhor. Nessa definição, porém, não incluímos os grandes corações e os belos caracteres que, em muitas circunstâncias, reencarnam em corpos que lhes não correspondem aos mais recônditos sentimentos, posição solicitada por eles próprios, no intuito de operarem com mais segurança e valor não só o acrisolamento moral de si mesmos, como também a execução de tarefas especializadas, por meio de estágios perigosos de solidão, em favor do campo social terrestre que se lhes vale da renúncia construtiva para acelerar o passo no entendimento da vida e no progresso espiritual.

Compreendemos que Silas se desincumbira brilhantemente da tarefa de esclarecer-nos, condensando, em palavras singelas, luminosa síntese de vasto assunto que, decerto, em nossa conceituação exigiria vários compêndios para ser devidamente analisado.

Meu colega, contudo, como quem desejava estudar todas as questões tangentes, voltou a interrogar:

— Já que nos detemos, em matéria de sexologia, na Lei de Causa e Efeito, como interpretar a atitude dos casais que evitam os filhos, dos casais dignos e respeitáveis, sob todos os pontos de vista, que sistematizam o uso dos anticoncepcionais?

Silas sorriu de modo estranho e falou:

— Se não descambam para a delinquência do aborto, na maioria das vezes são trabalhadores desprevenidos que preferem poupar o suor, na fome de reconforto imediatista. Infelizmente para eles, porém, apenas adiam realizações sublimes, às quais deverão fatalmente voltar, porque há tarefas e lutas em família que representam o preço inevitável de nossa regeneração. Desfrutam a existência, procurando inutilmente enganar a si mesmos; no entanto, o tempo espera-os, inexorável, dando-lhes a conhecer que a redenção nos pede esforço máximo. Recusando acolhimento a novos filhinhos, quase sempre programados para eles antes da reencarnação, emaranham-se nas futilidades e preconceitos das experiências de subnível, para acordarem, depois do túmulo, sentindo frio no coração...

— E o aborto provocado, assistente? — inquiriu Hilário, sumamente interessado. — Diante da circunspecção com que a sua palavra reveste o assunto, é de se presumir seja ele falta grave...

— Falta grave?! Será melhor dizer doloroso crime. Arrancar uma criança ao materno seio é infanticídio confesso. A mulher que o promove ou que venha a coonestar semelhante delito é constrangida, por leis irrevogáveis, a sofrer alterações deprimentes no centro genésico de sua alma, predispondo-se geralmente a dolorosas enfermidades, quais sejam a metrite, o vaginismo, a metralgia, o enfarte uterino, a tumoração cancerosa, flagelos esses com os quais, muita vez, desencarna, demandando o Além para responder, perante a Justiça Divina, pelo crime praticado. É, então, que se reconhece rediviva, mas doente e infeliz, porque, pela incessante recapitulação mental do ato abominável, por meio do remorso, reterá por tempo longo a degenerescência das forças genitais.

— E como se recuperará dos lamentáveis acidentes dessa ordem?

O assistente pensou por momentos rápidos e acrescentou:

— Imaginem vocês a matriz mutilada ou deformada na mesa da cerâmica. Decerto que o oleiro não se utilizará dela para a modelagem de vaso nobre, mas aproveitar-lhe-á o concurso em experimentos de segunda e terceira classe... A mulher que corrompeu voluntariamente o seu centro genésico receberá de futuro almas que viciaram a forma que lhes é peculiar e será mãe de criminosos e suicidas, no campo da reencarnação, regenerando as energias sutis do perispírito por meio do sacrifício nobilitante com que se devotará aos filhos torturados e infelizes de sua carne, aprendendo a orar, a servir com nobreza e a mentalizar a maternidade pura e sadia, que acabará reconquistando ao preço de sofrimento e trabalho justos...

Inexplicavelmente, Hilário emudeceu e, diante da lógica em que se baseavam as anotações de Silas, não tive coragem de prosseguir perguntando, absorvido então pelo temor de aprofundar em excesso num terreno em que terminaria por esbarrar nos detritos de meus próprios erros, preferindo, assim, o silêncio para reaprender e pensar.

# 16
# Débito aliviado

**16.1**   Em nossos estudos da Lei de Causa e Efeito, não nos esqueceremos de Adelino Correia, o irmão da fraternidade pura.

Na véspera de belo acontecimento que nos permitiremos narrar, visitamo-lo em companhia de Silas, que no-lo apresentou nas atividades de um templo espírita cristão.

Ouvimo-lo em preciosos comentários do Evangelho, sob o influxo de iluminados instrutores, dos quais assimilava as correntes mentais com a docilidade confiante de um homem profundamente habituado à oração.

Falara com mestria, arrancando-nos lágrimas pela emotividade com que nos tangia as fibras mais íntimas. Singelamente trajado, denotava a condição do trabalhador em experiências difíceis. Mas o estágio de prova a que parecia enredar-se era mais amplo. Adelino revelava longa faixa de eczema na pele à mostra. Certa porção da cabeça, os ouvidos e muitos pontos da face exibiam placas vermelhas, sobre as quais se formavam diminutas vesículas de sangue, ao passo que as demais regiões da epiderme surgiam gretadas, evidenciando uma afecção cutânea largamente cronicificada. Além disso, acanhado e tristonho, indicava tormentos ocultos a lhe dominarem a mente. Contudo, trazia nos olhos, maravilhosamente lúcidos, a marca da humildade.

Vários amigos espirituais assistiam-no atentos.

16.2

Doce velhinha desencarnada abeirou-se de nós e, demonstrando gozar da intimidade do orientador de nossas excursões, falou-lhe, afetuosa:

— Assistente amigo, venho rogar-lhe socorro em benefício da saúde de nosso Adelino. Noto-o mais incomodado, ultimamente, pela dor das feridas não cicatrizadas...

— Sim, sim... — respondeu Silas, cordialmente — o caso dele merece de todos nós especial carinho.

— Porque pensa ele nas necessidades dos outros, sem refletir nas necessidades próprias... — acrescentou a anciã, comovida.

O assessor de Druso prosseguiu com carinho:

— Dois de nossos médicos o vêm assistindo atenciosamente, quando se encontra ausente do vaso físico por influência do sono.

E, afagando-lhe a cabeça:

— Esteja tranquila. Correia, em breve, estará plenamente restaurado.

Os múltiplos serviços da casa desdobravam-se eficientes, e Adelino, dentro deles, atraía-nos a atenção pela segurança espiritual com que se conduzia.

Cercado pelas vibrações radiantes dos seus pensamentos, centralizados no santo objetivo do bem, afigurava-se-nos um companheiro vestido de luz.

Alguns instantes após o afastamento da velhinha, apareceu-nos simpático rapaz, igualmente já desenfaixado da matéria física, que, depois de saudar-nos, rogou, reverente, ao nosso orientador:

— Peço vênia para solicitar-lhe valioso obséquio...

— Fale sem receio.

**16.3**     E o jovem recém-chegado explicou, de olhos úmidos:

— Meu caro assistente, sei que o nosso Adelino vem atravessando certa crise financeira... Pelo muito que auxilia os outros, descura-se das suas próprias necessidades. Pelo amparo que ele oferece constantemente à minha pobre mãe encarnada, insisto no apoio de sua amizade para que seja favorecido. Ainda na semana passada, ouvindo as súplicas de minha genitora viúva, em grande penúria para atender ao tratamento de dois dos meus manos enfermos, procurei-o, em lágrimas, transmitindo-lhe apelos mentais para que nos protegesse, e, sem qualquer vacilação, acreditando obedecer aos seus impulsos, visitou-nos a casa, entregando à minha sofredora mãezinha a importância de que necessitava... Ó meu assistente, rogo-lhe, por amor a Jesus,... Não deixe em dificuldade quem tanto nos auxilia!

Silas acolheu a petição com risonha benevolência e disse:

— Descansemos. Adelino permanece na rede de simpatia fraternal que teceu para o asilo de si mesmo. Incumbem-se muitos amigos de supri-lo com os recursos indispensáveis ao fiel desempenho da tarefa a que se dedicou. As circunstâncias na luta material harmonizar-se-ão em favor dele, atendendo-lhe aos méritos conquistados.

Efetivamente, o serviço espontâneo na afetuosa defesa do amigo que ali enxergávamos, prestativo e confiante, era um tema de amizade e gratidão a estudar.

— Dir-se-ia — observou Hilário, intrigado — que todos os tarefeiros em trânsito nesta casa são devedores do irmão sob nossa vista...

— Sim — aprovou Silas, paciente —, os créditos de Adelino são realmente enormes, não obstante os débitos a que ainda está preso... Cultiva, no entanto, a ventura de substancializar a fé e o conhecimento superior que os mensageiros de Jesus lhe confiam em obras de genuíno amor fraternal, a lhe granjearem larga soma de reconhecimento.

Logo após, o mentor amigo recomendou-nos aproveitar os minutos em atuação fraternal, no instituto evangélico em que nos abrigávamos, até que pudéssemos tomar contato mais amplo com o servidor, cuja existência atual se desdobrava sob os auspícios da Mansão que nos patrocinava os estudos. **16.4**

Em face da simpatia que Adelino despertava igualmente em nós, acercamo-nos dele, a fim de ofertar-lhe, de algum modo, o contingente de nossas forças, na movimentação dos passes magnéticos que passara agora a administrar em favor de alguns enfermos.

Era curioso pensar que nós mesmos, no primeiro encontro fortuito, nos sentíamos prontos a partilhar-lhe as tarefas, tão somente atraídos por sua irradiante bondade.

A abnegação, em toda a parte, é sempre uma estrela sublime. Basta mostrar-se para que todos gravitemos em torno de sua luz.

Findo o serviço da noite, Silas e nós acompanhamo-lo ao reduto doméstico.

Esperava-o, no limiar, a genitora que, evidentemente, ultrapassava os 60 anos.

Silas deu-se pressa em no-la apresentar, explicando:

— É nossa irmã Leontina, carinhosa mãe de Correia, mãe e amiga a tutelar-lhe a existência.

Reparando na avançada madureza do amigo que nos tomava a atenção, meu colega indagou:

— Adelino não é casado?

— Sim, nosso irmão é casado, mas não conta com a presença da esposa.

A resposta dava-nos a entender que o companheiro atravessava provas perante as quais nos cabia respeitosa discrição.

E, enquanto mãe e filho se entregavam a doce entendimento, Silas fez-nos penetrar em aposento próximo.

**16.5**     Junto à porta de entrada, alinhavam-se três leitos, ocupados por outras tantas criancinhas.

Loura menina de seus 9 a 10 anos presumíveis, ao lado de dois petizes, recordava a Branca de Neve entre dois anões.

Todos dormiam placidamente.

Afagando a boneca viva, o assistente informou:

— Esta é Marisa, a filhinha de Correia, de quem a mãezinha se distanciou em definitivo há seis anos.

Designando, em seguida, os dois meninos, aduziu:

— E estes pequeninos são Mário e Raul, dois enjeitados que Adelino abraçou por filhos do coração.

Hilário e eu, adivinhando as aflições ocultas que decerto enxameavam na existência do chefe da casa, silenciávamos, de propósito, em reverente expectativa.

Entendendo-nos a atitude, Silas passou a falar-nos mais longamente, aclarando:

— Para exaltar o santificante esforço de um amigo, a fim de estudarmos juntos um processo de dívida aliviada, permitimo-nos algo dizer a respeito do passado recente do companheiro que visitamos, agora empenhado ao labor do seu resgate.

Qual se quisesse centralizar os recursos da memória, emudeceu por instantes e, finalmente, continuou:

— Em meados do século precedente, Adelino era filho bastardo de um jovem muito rico que o recebeu das mãos da genitora escrava, que desencarnou ao trazê-lo à luz. Martim Gaspar, o moço afazendado que lhe foi o pai solteiro, era homem de coração enrijecido, muito cedo acostumado ao orgulho tiranizante, em face da incúria do lar em que nascera. Abusava das donzelas cativas a seu talante e, em muitas ocasiões, vendeu-as com os próprios filhos recém-natos para lhes não ouvir os choros e petitórios. Temido na casa-grande da qual se fizera absoluto senhor, por morte do velho pai, que, em vão, buscara tardiamente controlar-lhe os instintos, sabia usar o tronco e o chicote, sem qualquer compaixão. Era execrado pela maioria dos servos e bajulado de quantos lhe obtinham os favores, a troco de lisonja servil. Entretanto, para o filho Martim — o mesmo Adelino de agora —, a sua ternura e dedicação não mostravam limites. Inexplicavelmente para ele mesmo, amava-o com desvelado enternecimento, a ponto de providenciar-lhe educação esmerada na própria fazenda. Entre pai e filho estabeleceram-se, dessa forma, os mais santos laços afetivos. Eram companheiros inseparáveis nos jogos e nos estudos, no serviço e na caça. Foi assim que Gaspar, não obstante cruel para com os outros rebentos da própria carne, nas senzalas sofredoras, não hesitou em legitimá-lo como filho, perante as autoridades do tempo, tornando-o partícipe de seu nome e de sua herança. Pai e filho contavam, respectivamente, 43 e 21 anos de idade, quando Gaspar, embora solteirão amadurecido, resolveu casar-se em grande metrópole, desposando Maria Emília, leviana jovem de vinte primaveras que, trazida à grande casa rural, desenvolveu sobre o enteado estranha fascinação. Martim, extremamente amado pelo genitor, atraído agora para os encantos feminis da madrasta, passou a experimentar torturantes conflitos sentimentais. Ele, que se julgava o melhor amigo de Gaspar, entrou a detestá-lo. Não lhe tolerava a posse sobre a mulher que desejava, sabendo-se por ela ardentemente querido, porquanto Maria Emília, pretextando essa ou aquela necessidade, sabia isolá-lo em viagens diversas, nas quais lhe exacerbava a afeição juvenil. Ambos souberam furtar-se a qualquer desconfiança e, totalmente entregue à paixão que o requestava, o jovem Martim, desprevenido, planejou o medonho parricídio em que se enliçou, desventurado. Sabendo o genitor acamado, em tratamento do fígado enfermo, tomou a cooperação de dois capatazes da sua inteira confiança, Antônio e Lucídio, igualmente verdugos de meninas cativas, e, certa noite, administrou-lhe

**16.7** uma poção entorpecente, com aprovação da madrasta... Tão logo se pôs o doente a dormir, coadjuvado pelos dois cúmplices que odiavam o patrão, espalhou substâncias resinosas no leito paterno, simulando, logo após, o incêndio no qual o mísero Gaspar, em horríveis padecimentos, se ausentou do corpo. Conduzido o pai ao sepulcro e apoderando-se-lhe dos haveres, tentou a felicidade ao pé de Maria Emília; todavia, o genitor desencarnado, a inflamar-se em cólera, envolveu-o em nuvens de fluidos inflamados, contra os quais o infeliz não possuía defesa... Apegando-se ao afeto da companheira, Martim procurou anestesiar a consciência e esquecer... esquecer... Confiou a fazenda aos cuidados de ambos os cúmplices do tenebroso delito e, arrimando-se à companhia da mulher, demandou a Europa, em busca de repouso e distração. Tudo, porém, debalde... Ao fim de cinco anos de resistência, tombou integralmente vencido, sob o jugo do Espírito paternal que o cercava, incessantemente, apesar de invisível. Abriu-se-lhe a pele em chaga, como se chamas ocultas o requeimassem. Circunscrito ao leito de dor e constantemente empolgado pelo remorso, recapitulava mentalmente a morte do genitor, em urros de martírio selvagem... Não sabia, desse modo, senão chorar, gritando a esmo o arrependimento de que se via possuído, no que foi interpretado à conta de louco pela própria companheira, que se dava pressa em reconhecer-lhe a suposta alienação mental, de modo a inocentar-se perante os amigos e servidores. Foi algemado a semelhante suplício que Martim recebeu escárnio e abandono, dentro do próprio círculo doméstico, vindo a expirar em tremenda flagelação. Martim Gaspar, o genitor assassinado, aguardou-o no túmulo, arrastando-o para as sombras infernais, onde passou a exercer pavorosa vingança... O desditoso filho desencarnado sofreu terríveis humilhações e indescritíveis tormentos, durante 11 anos sucessivos, em cárceres de treva, até que, amparado por mensageiros de Jesus, que lhe promoveram o resgate, ingressou em nosso instituto, ao que fui informado, em lamentável situação. Tendo entrado em sintonia com o genitor, sequioso de vindita, pelas brechas mentais do remorso e do arrependimento tardio, foi hipnotizado por gênios perversos, que o fizeram sentir-se dominado de chamas torturantes. Fixada a imaginação dele em semelhante quadro de angústia, o próprio Martim nutria com o pensamento culposo as labaredas em que se torturava sem consumir-se, até que foi convenientemente aliviado e socorrido por nossos instrutores, por meio de recursos magnéticos que lhe sanaram o doloroso desequilíbrio. Devotou-se, então, depois de melhorado, aos serviços mais duros de nossa organização, conquistando com o tempo apreciáveis lauréis que lhe valeram a volta à esfera humana, com o direito de iniciar o pagamento da larga dívida em que se onerou, desavisado. Cultuando a prece com a renovação do mundo íntimo, renasceu de espírito inclinado à fé religiosa, ardente e operante, encontrando no Espiritismo com Jesus, ao influxo dos amigos desencarnados que o assistem, precioso campo de fortalecimento moral e trabalho digno, no qual tem sabido estender, com louvável aproveitamento das horas, o seu raio de ação no estudo edificante e na caridade pura, atraindo em seu favor as mais amplas simpatias, por parte de irmãos encarnados e desencarnados, que lhe devem generosidade e carinho. Atirado a imensas dificuldades materiais, desde cedo cresceu órfão de pai, uma vez que não valorizou no passado a ternura paterna, lutando com extrema pobreza e com enfermidade constante... Custodiado, porém, por benfeitores da nossa Mansão, foi conduzido a um templo espírita, ainda muito jovem, onde, submetido a tratamento da epiderme esfogueada, entrou no conhecimento de nossa renovadora Doutrina... A leitura dos princípios espíritas, ao sol do Evangelho do Senhor, constituiu para ele recordações naturais dos ensinamentos assimilados em nossa casa, antes da reencarnação.

**16.8**

Desde aí, aceitou nobremente a responsabilidade de viver e buscou, acima de tudo, aplicar a si próprio as diretrizes regeneradoras da fé que abraça. Disciplinou-se. Rendeu sincero preito às suas obrigações e, não obstante os entraves orgânicos, muito moço se dedicou às representações comerciais, de cujos labores retira os abençoados recursos que sabe repartir com necessitados numerosos, reservando para si tão somente o indispensável. Não é um rico da Terra, na acepção do conceito, mas um trabalhador da fraternidade que sabe dar o próprio coração naquilo que distribui. Trilhando o caminho da simplicidade e da renúncia edificante, modificou as impressões de muitos dos companheiros de outro tempo, que, nas baixas camadas da sombra, se lhe haviam transformado em perseguidores e desafetos, obsessores esses que, observando-lhe os exemplos novos, se sentiam moralmente desarmados para os conflitos que se propunham manter. É assim que não deixa de ressarcir as suas culpas, sofrendo-lhes o gravame em si mesmo. Entretanto, pelos valores que entesoura, devotado ao bem alheio, resgata o pretérito com o alívio possível, ganhando tempo e adquirindo novas bênçãos. Ajudando os outros, desbasta, dia a dia, o montante dos seus débitos, uma vez que a Misericórdia do Pai celestial permite que os nossos credores atenuem o rigor da cobrança, sempre que nos vejam oferecendo ao próximo necessitado aquilo que lhes devemos...

**16.9**   Silas confiou-se a pausa breve, mas Hilário, tanto quanto eu, fascinado por sua exposição clara e sensata, rogou, sedento de ensino:

— Continue, assistente. Esta lição viva ilumina-nos de esperança... Como se explica estar Adelino ganhando tempo?

Nosso amigo sorriu e acrescentou:

— Correia, que não merecia a ventura do lar tranquilo por haver arruinado o lar paterno, casou-se e padeceu o abandono da companheira que lhe não entendeu o coração.

Avançando para a terna Marisa, que dormia, acentuou:

— Assim, pela vida útil a que se consagra e pela caridade incessante que passou a exercer, atraiu para junto de si, como filha da sua carne, a antiga madrasta que desviou dos braços paternais, hoje reencarnada junto dele para reeducar-se ao calor de seus exemplos nobres, guardando a dor de saber-se filha de pobre mulher que renegou o tálamo conjugal, tanto quanto ela mesma o menosprezou no passado recente. Mas... não é apenas essa a vantagem de Adelino...

Silas pousou levemente a destra nos pequenos que ressonavam e prosseguiu:

— Dedicando-se de alma e corpo à sua renovação com o Cristo, nosso amigo recolheu como filhos adotivos os dois cúmplices do parricídio tremendo, os antigos capatazes Antônio e Lucídio, que, abusando de humildes donzelas escravizadas, de quem furtavam os filhinhos para exterminar ou vender, não encontraram senão o alcoice por berço, vindo para o círculo afetivo do companheiro de outro tempo, no sangue africano que tanto enxovalharam, de modo a lhe receberem o amparo moral à reforma precisa.

Enquanto nos edificávamos com o precioso ensinamento, Silas observou:

— Como é fácil de reconhecer, nosso irmão, por meio da responsabilidade espírita cristã, corretamente sentida e vivida, conquistou a felicidade de reencontrar os laços do pretérito criminoso para o necessário reajuste, ao passo que, se houvesse desertado da luta pela irreflexão da companheira ou se tivesse cerrado a porta do coração a dois meninos infelizes, teria adiado para futuros séculos o nobre trabalho que está fazendo agora...

Dispúnhamo-nos a formular novas indagações, mas Correia despedira-se da mãezinha e viera ocupar um leito modesto, não longe das crianças.

**16.11**     Demonstrando hábitos respeitáveis, sentou-se em prece.

Foi quando Silas, recomendando-nos cooperação, abeirou-se dele e aplicou-lhe passes magnéticos, esclarecendo-nos, logo após:

— Ainda pela utilidade que sabe imprimir aos seus dias, Adelino mereceu a limitação da enfermidade congenial de que é portador. Tendo sofrido, por longo tempo, o trauma perispirítico do remorso, por haver incendiado o corpo do próprio pai, nutriu em si mesmo estranhas labaredas mentais que, como já lhes disse, o castigaram intensamente Além-Túmulo... Renasceu, por isso, com a epiderme atormentada por vibrações calcinantes que, desde cedo, se lhe expressaram na nova forma física por eczema de mau-caráter... Semelhante moléstia, em face da dívida em que se empenhou, deveria cobrir-lhe todo o corpo durante muitos e angustiosos lustros de sofrimento, mas, pelos méritos que ele vai adquirindo, a enfermidade não tomou proporções que o impeçam de aprender e trabalhar, porquanto granjeou a ventura de continuar a servir, pelo seu impulso espontâneo na plantação constante do bem.

A essa altura, talvez porque o dono da casa se dispusesse ao refúgio dos travesseiros, o assistente convidou-nos à retirada.

De volta à Mansão, prosseguiu nosso amável mentor tecendo brilhantes comentários a respeito do "amor que cobre a multidão dos pecados", segundo a lição do Evangelho, quando Hilário, interpretando-me as indagações, considerou de improviso:

— Assistente, com uma elucidação assim tão clara, é justo aspiremos a saber determinadas minudências que a ela digam respeito. Poderemos, acaso, inteirar-nos quanto à situação de Martim Gaspar, o genitor que padeceu o martírio do fogo em sua carne?

Porque Silas se detivesse em silêncio, meu colega continuou:

— Terá ciência do trabalho renovador de Adelino? Devotar-lhe-á, ainda, menosprezo e ódio?

— Martim Gaspar — respondeu, por fim, o interlocutor **16.1**
—, infatigável que era na violência, foi igualmente tocado pelos exemplos de nosso amigo. Observando-lhe a transformação, abandonou as companhias indesejáveis a que se adaptara e rogou asilo em nosso instituto, vai para alguns anos, onde aceitou severas disciplinas...

— E onde se encontra agora? — insistiu Hilário, ansioso. — Porventura será permitido vê-lo, para observar-lhe as alterações?

Nesse instante, porém, varávamos a entrada do santuário de nossas obrigações, e Silas, sem mais possibilidades de alongar-se, afagou os ombros de nosso companheiro, dizendo:

— Acalme-se, Hilário. É possível estejamos de regresso ao assunto em breves horas.

Despedimo-nos, conservando as anotações, à maneira de estudo interrompido aguardando sequência.

No dia seguinte, porém, grata surpresa visitou-nos o coração.

Quando o relógio anunciou alta noite na extensa faixa planetária em que se mantinha o nosso domicílio, o assistente veio buscar-nos, prestimoso.

Demandaríamos à esfera carnal, mas, naquela hora, em companhia de Druso, o orientador da instituição.

Regozijamo-nos, embora curiosos.

Era a primeira vez que viajaríamos com o grande mentor que nos conquistara a mais ampla reverência. E, se é verdade que o privilégio nos alegrava, ao mesmo tempo indagávamos do motivo pelo qual se ausentaria ele da casa que não lhe dispensava a presença.

Entretanto, não houve oportunidade para longas divagações.

Em companhia de Druso, que se fazia seguir por Silas, por duas das irmãs altamente responsáveis em serviços da Mansão e por nós outros, utilizamo-nos do meio mais rápido para a excursão, cujo objetivo desconhecíamos, porquanto a maior autoridade nos trabalhos normais do instituto decerto não disporia de tempo para uma viagem que não fosse a mais curta possível.

6.13   Grande era o meu desejo de provocar o verbo do assistente para a conversação educativa acerca do problema que abordáramos na noite anterior; todavia, a presença de Druso como que nos inibia a disposição de ferir qualquer tema que não partisse dele mesmo, cuja dignidade não nos privava da expressão livre, mas nos infundia incoercível respeito.

Foi assim que no trajeto ligeiro lhe ouvimos a conceituação oportuna e sábia sobre múltiplas questões de justiça e trabalho, admirando-lhe, cada vez mais, a cultura e a benevolência.

Espantado, no entanto, reconheci que a nossa equipe estacionou à porta do lar de Adelino, que deixáramos na véspera.

Dois auxiliares que conhecíamos de perto esperavam-nos no limiar.

Depois de recíprocas saudações, um deles avançou para Druso e anunciou reverente:

— Diretor, o pequenino recém-nato estará conosco dentro de meia hora.

O grande mentor agradeceu e convidou-nos a acompanhá-lo.

Na paisagem doméstica que nos era familiar, o relógio marcava 2h20 da madrugada.

Atônitos, seguimos o orientador que tomara a vanguarda, penetrando o aposento em que Adelino, ao que nos foi permitido supor, começava a dormir.

Druso acariciou-lhe a fronte por momentos e vimos Correia erguer-se do corpo de carne, qual se fora movido por alavancas magnéticas poderosas, caindo nos braços do grande orientador, à maneira de criança enternecida e feliz.

— Meu amigo — disse-lhe Druso, entre grave e terno —, chegou a hora do reencontro...

Correia começou a chorar, pávido de emoção, sem conseguir desenfaixar-se-lhe dos braços acolhedores. 16.1

— Oremos juntos — acrescentou o bondoso amigo.

E, levantando os olhos para o alto, sob nossa profunda atenção, Druso suplicou:

*Deus de Bondade, Pai de Infinito Amor, que criaste o tempo como incansável guardião de nossas almas destinadas ao teu seio, fortalece-nos para a renovação necessária!...*

*Tu, que nos conheces os crimes e deserções, concede-nos a bênção das dores e das horas para redimi-los, unge-nos com o entendimento de tuas leis, para que não repilamos as oportunidades do resgate!*

*Emprestaste-nos os tesouros do trabalho e do sofrimento, como favores de tua Misericórdia, para que nos consagremos à reabilitação dolorosa, mas justa...*

*Nós, os prisioneiros da culpa, somos também operários de nossa libertação, ao bafejo de eu carinho.*

*Ó Pai, infunde-nos coragem para que nossas fraquezas sejam esquecidas, inflama em nosso Espírito o entusiasmo santo do bem, para que o mal não nos apague os bons propósitos, e conduze-nos pelo carreiro da renunciação para que a nossa memória não se aparte de Ti!...*

*Que possamos orar como Jesus, o Divino Mestre que nos enviaste aos corações, a fim de que nos rendamos, de todo, aos teus Desígnios!...*

Depois de leve pausa, repetiu em pranto a prece dominical:

— *Pai Nosso, que estás nos Céus, santificado seja o teu nome. Venha a nós o teu Reino. Faça-se a tua vontade, assim na Terra como nos Céus. O pão nosso de cada dia dá-nos hoje. Perdoa-nos as nossas dívidas, assim como perdoamos aos nossos devedores. Não nos deixes cair em tentação e livra-nos de todo mal, porque teus são o reino, o poder e a glória para sempre. Assim seja.*

**6.15** Quando a sua voz emudeceu, profunda emotividade exercia sobre nós inexpressável domínio.

Reconduzido ao veículo carnal, Adelino acordou em copiosas lágrimas...

Reconhecia-se-lhe o júbilo íntimo, se bem não pudesse guardar a consciência integral da comunhão conosco.

Findos alguns minutos de expectação, que transcorreram céleres, escutamos lá fora o choro convulso de uma criança tenra...

Enlaçado por Druso, o dono da casa ausentou-se do leito e, incontinente, abriu a porta que comunicava o interior com a calçada externa, em cujas lajes, vigiado por amigos da Mansão, pobre recém-nato vagia aflitivamente.

Tomado de surpresa, Correia ajoelhou-se, enquanto o grande orientador lhe disse com segurança:

— Adelino, eis o pai ofendido que, enjeitado pelo coração materno que ainda não mereceu, vem ao encontro do filho regenerado!

Correia não lhe ouviu a palavra na acústica da carne, mas registrou-a no templo mental, como apelo do amor celeste que lhe trazia ao coração mais uma criança abandonada e infeliz... Tomado de alegria, para ele inexplicável, abraçou o pequerrucho com espontâneo gesto de amor e, após conchegá-lo de encontro ao peito, voltou para dentro, gritando jubiloso:

— Meu filho!... Meu filho!...

Silas, entre Hilário e eu, comunicou nos emocionado:

— Martim Gaspar retorna à experiência física, asilando-se nos braços do filho que o desprezou.

Não tivemos, contudo, qualquer ensejo a mais dilatada conversação. Druso, enxugando as lágrimas, advertiu-nos em voz alta, qual se estivesse falando para si mesmo:

— Oxalá, quando estivermos de novo em pleno nevoeiro da carne, possamos, também nós, abrir o coração ao excelso amor de Jesus, para que não venhamos a falir nas provas necessárias!...

E havia tanto recolhimento e tanta angústia naquele olhar que nos habituara ao mais doce enternecimento e ao mais profundo respeito que, de volta à Mansão, nenhum de nós ousou quebrar-lhe o doloroso e expressivo silêncio.

# 17
# Dívida expirante

**17.1**   Era agora num hospital, em triste pavilhão de indigentes, a nova lição que Silas nos reservava.

Ganhando o interior, diversos companheiros acolheram-nos gentis. E, após saudações amigas, um deles, o atendente Lago, avançou para o mentor de nossos estudos, cientificando:

— Assistente, o nosso Leo parece gastar os derradeiros recursos da resistência...

Silas agradeceu a informação e explicou que vínhamos justamente para colaborar no descanso de que se fazia credor.

E atravessando longa fila de leitos pobres, nos quais enfermos jaziam padecentes, ao pé de alguns desencarnados em trabalho assistencial, estacamos junto de um doente esquálido e angustiado.

À mortiça claridade de pequena lâmpada, destinada à vigília da noite, vimos Leo, que uma tuberculose pulmonar arrastava ao pelourinho da morte.

**17.2** Não obstante a dispneia, mostrava o olhar calmo e lúcido, revelando perfeita conformação aos padecimentos que o conduziam ao termo da experiência.

Recomendou-nos Silas observar-lhe o corpo; entretanto, não havia muita particularidade a destacar, porquanto os pulmões quase destruídos, por conta de sucessivas formações cavitárias, haviam provocado tamanho abatimento orgânico, que o vaso físico sob nossos olhos não era mais que um trapo de carne, agora aberto à multiplicação de bacilos vorazes, aliados a exércitos microbianos de variada espécie, a se apinharem, dominadores, na intimidade dos tecidos, assim como inimigos implacáveis a se lhe apoderarem dos restos, senhoreando todos os postos-chaves da defensiva.

Achava-se Leo, desse modo, no veículo denso, à maneira de um homem irremediavelmente condenado à expulsão da sua própria casa.

Todos os sintomas da morte patenteavam-se iniludíveis.

O coração fatigado assemelhava-se a motor exausto, incapaz de liquidar os problemas da circulação sanguínea, e todos os implementos da aparelhagem respiratória esmoreciam, desnorteados, sob inexorável asfixia.

Leo, moribundo, era um viajante habilitado à grande romagem, tão somente à espera do sinal de partida.

Ainda assim, estava sereno e portava-se com bravura.

Tão acentuada se lhe evidenciava a acuidade mental que quase nos percebia a presença.

Silas, que lhe acariciava a fronte com a destra generosa, disse-nos atencioso:

— Já que vieram para observar um processo de dívida expirante, podem algo perguntar ao companheiro, cuja memória se revela, tanto quanto possível, consciente e vigilante.

— Ouvir-nos-á, porém? — inquiriu Hilário, entre surpreso e compungido.

**17.3** — Não com os tímpanos da carne; contudo, assinalar-nos-á qualquer indagação em Espírito — esclareceu o assistente afetuoso.

Dominado de intensa simpatia, inclinei-me sobre o irmão em rude prova, atraído pela fé que lhe abrilhantava as pupilas e, abraçando-o, indaguei em voz alta:

— Leo, amigo, reconhece-se você no limiar da vida verdadeira? Sabe que deixará o corpo em breves horas?

O interpelado, crendo raciocinar por si mesmo, registrou-me a inquirição, palavra por palavra, qual se lhe fossem transmitidas ao cérebro por fios invisíveis. E, como se conversasse a sós consigo, *falou pensando*:

— Oh! sim, a morte!... Sei que, provavelmente esta noite, chegarei ao justo fim...

Desdobrando o nosso diálogo, acrescentei:

— Não tem receio?

— Nada posso temer... — refletiu muito calmo.

E, movendo os olhos com esforço, buscou fitar na alva parede da enfermaria uma pequena escultura do Cristo crucificado, refletindo de si para consigo:

— Nada posso recear em companhia do Cristo, meu Salvador... Ele também foi vilipendiado e esquecido... Terá vomitado sangue na cruz do martírio, Ele que era puro, varado pelas chagas da ingratidão... Por que não me resignar à cruz do meu leito, suportando, sem reclamar, as golfadas de sangue que de quando em quando me anunciam a morte, eu que sou pecador necessitado da complacência divina?!

— Você é católico-romano?

— Sim...

Meditei na sublimidade do sentimento cristão, vivo e sincero, seja qual for a escola religiosa em que se exprima, e prossegui, afagando-lhe o peito opresso:

— Nesta hora de tanta significação para o seu caminho, **17.4** sinto a ausência de seus familiares humanos...

— Ah! meus familiares... meus afetos... — respondeu, *falando mentalmente*. — Meus pais teriam sido no mundo os meus únicos amigos... No entanto, demandaram o túmulo quando eu era simplesmente um jovem enfermo... Separado de minha mãe, vi-me entregue aos desajustes orgânicos... Logo após, meu irmão Henrique não hesitou em declarar-me incapaz... Por direito à herança, cabiam-lhe grandes bens; contudo, prevalecendo-se do meu infortúnio, o mano obteve da Justiça, com meu próprio assentimento, a documentação com que se fazia meu tutor... Bastou, porém, a consecução dessa medida para que se transformasse para mim num verdugo cruel... Apossou-se-me de todos os recursos... Internou-me num hospício, em que amarguei longos anos de isolamento... Sofri muito... Alimentei-me com o pão recheado de fel, destinado pelo mundo aos que lhe penetram as portas como réprobos do berço, porque o desequilíbrio mental me perseguia desde a idade mais tenra... Quando algo melhorado, fui constrangido a deixar o manicômio. Recorri-lhe à porta, mas expulsou-me sem compaixão... Fiquei apavorado, vencido... Ó meu Deus, como escarnecer assim de um irmão doente e infeliz? Debalde impetrei socorro à Justiça. Legalmente, Henrique era o único senhor dos haveres de nossa casa... Envergonhado, busquei outros climas... Tentei o trabalho digno, mas apenas obtive, em meu favor, a profissão de vigia noturno, passando a rondar vasto edifício comercial, amparado por um homem caridoso, condoído de minha fome... O frio da noite, porém, encontrava-me ao desabrigo e, a breve tempo, adquiri uma febre insidiosa que passou a devorar-me devagarinho... Não sei quanto tempo estive, assim, chumbado a indefinível desânimo... Certa feita, caí fatigado sobre a poça de sangue que se me derramava da boca e criaturas piedosas me angariaram o leito em que me refugio...

**17.5** — E que opinião mantém você acerca de Henrique? Lembra-se dele com mágoa?

Qual se mergulhasse a memória em ondas de enternecimento e saudade, Leo deixou que as lágrimas se lhe entornassem dos olhos, em dolorosa quietude mental.

Em seguida, monologou por dentro:

— Pobre Henrique!... Não deverei, antes, lastimá-lo? Acaso, não deverá ele igualmente morrer? De que lhe terá valido a apropriação indébita se será também um dia alijado do corpo? Por que me reportaria a perdão, se ele é mais infeliz que eu mesmo?

E, tornando a pousar os olhos na figura do Cristo, continuou:

— Jesus, escarnecido e espancado, esqueceu ofensas e deserções... Içado à cruz, não clamou contra os amigos que o haviam lançado à humilhação e ao sofrimento... Não teve uma palavra de censura para os truculentos algozes... Em vez de incriminá-los, pedira ao Pai Celeste amorosa proteção para todos... E Jesus foi o Embaixador de Deus entre os homens... Com que direito julgarei, assim, meu próprio irmão, se eu, alma necessitada de luz, não posso penetrar os divinos juízos da Providência?

Aquietara-se Leo em pranto, buscando internar a mente no templo de amor da prece.

A humildade a que se recolhia tocava-me o coração.

Ergui-me de olhos úmidos.

Para sondar-lhe a grandeza da alma, não seria preciso alongar o interrogatório.

Hilário, que se mostrava comovido até as lágrimas, desistiu de qualquer consulta, apenas inquirindo ao assistente se o agonizante estava reencarnado sob os auspícios da Mansão, ao que Silas informou, prestativo:

— Sim, Leo vive tutelado por nossa casa. Aliás, temos algumas centenas de criaturas que, não obstante materializadas na carne, permanecem ligadas à nossa instituição pelas raízes dos débitos a que se prendem, geralmente todas elas em estágios difíceis de regeneração, porque delinquentes em reajuste. Renascem no mundo sob a guarda de nosso estabelecimento socorrista, mas naturalmente ainda enleadas, de certo modo, aos parceiros do pretérito, com cuja influência tomam contato, consolidando as qualidades morais de que necessitam, por meio dos conflitos interiores que podemos classificar como a forja da tentação.

— Como é belo apreciar o amor paternal de Deus que a tudo atende no lugar próprio!... — clamou Hilário. **17.6**

— Sem dúvida — considerou Silas, sensatamente —, a Lei de Deus determina o progresso e a dignidade para todos. Sabem vocês que, por via de regra, os desencarnados que se asilam na Mansão constituem grande ajuntamento de criminosos e viciados...

E, modificando a inflexão de voz, acrescentou:

— ...como eu mesmo. Ali recebemos atenção e carinho, assistência e bondade, reeducando-nos, às vezes, por muitos anos... Contudo, é imperioso observar que, recolhendo a generosidade dos benfeitores e instrutores que nos garantem aquele pouso de amor, apenas acumulamos débitos com a proteção imerecida, compromissos esses que precisamos resgatar, igualmente em serviço ao próximo. Todavia, a fim de que nos habilitemos para as tarefas do bem genuíno, é imprescindível purgar a nossa condição inferior, agravada na culpa, porquanto o conhecimento elevado, adquirido em nossa organização, vale mais como teoria nobilitante, que nos cabe substancializar na prática correspondente, para que se incorpore, em definitivo, ao nosso patrimônio moral. Eis por que, depois do aprendizado breve ou longo em nosso instituto, somos novamente internados na esfera da carne e, aí, é óbvio que, apesar de protegidos por nossos mentores, deveremos sofrer a aproximação dos antigos comparsas de nossos delitos, para demonstrar aproveitamento e assimilação do amparo recebido.

**17.7**   Ao nosso lado, porém, Leo contava os derradeiros minutos no veículo denso e notamos que o assistente não desejava ausentar-se do caso dele, para que lhe guardássemos a lição.

Talvez por isso mesmo, Silas ministrou-lhe energias novas ao peito exausto, por meio de passes balsamizantes, falando-nos em seguida:

— Vocês ouviram as alegações mentais do companheiro que se despede...

Hilário, que ardia de curiosidade tanto quanto eu, faminto de novas elucidações, indagou reverente:

— Em que ponto será lícito considerar a presente desencarnação de Leo como débito expirante?

Nosso interlocutor fixou expressivo gesto e informou:

— Decerto, não me reportarei à conta integral de nosso amigo, perante a Lei. Não disponho pessoalmente de recursos informativos para relacionar-lhe as dívidas e créditos no tempo. Referir-me-ei, por isso, tão somente à culpa que o atormentava quando ingressou em nossa casa, segundo os apontamentos que lá poderemos compulsar.

O agonizante agora, de nervos asserenados pelo socorro magnético, parecia quase ouvir-nos.

Sustentando-lhe a fronte suarenta, Silas, atencioso, prosseguiu, depois de leve pausa:

— Leo enfileirou mentalmente para nós as amargas recordações dos dias recentes que tem vivido, detendo-se particularmente na enfermidade que o martiriza desde o berço, nos tormentos do hospício e na dureza de um irmão que o sentenciou à extrema penúria... Vejamos, porém, a razão das dores com que pune a si mesmo e por que mereceu a felicidade de ressarcir para sempre o débito particular, agora na pauta de nosso estudo... Em princípios do século passado, era ele filho dileto de abastados fidalgos citadinos que, desencarnados muito cedo, lhe confiaram o próprio irmão doente, o jovem Fernando, cuja existência fora marcada por implacável idiotia. Ernesto, no entanto — pois era esse o nome de nosso Leo, na existência última —, tão logo se viu sem a presença dos genitores, deu-se pressa em alijar o irmão do seu convívio, cioso do governo total sobre a avantajada fortuna de que ambos se faziam herdeiros. Além disso, moço habituado aos saraus do seu tempo, estimava as recepções esmeradas, nas quais o palacete da família descerrava as portas brasonadas às relações elegantes, e, orgulhoso da paisagem doméstica, envergonhava-se de ombrear com o irmão, por ele proibido de comparecer aos seus ágapes sociais. Todavia, porque Fernando, mentecapto, não lhe atendesse às ordens, em razão da incapacidade de apreendê-las, providenciou gradeada prisão ao fundo da residência, onde o rapaz enfermo foi excluído da comunidade familiar. Encarcerado e sozinho, desfrutando apenas a intimidade de alguns escravos, Fernando passou a viver engaiolado, qual se fora infeliz animal. Enquanto isso, Ernesto, casado, dava largas aos caprichos da mulher, em extensas viagens de recreio, nas quais desperdiçava seus bens, em jogatinas e extravagâncias. Depois de algum tempo, esgotado nas finanças de que podia dispor, apenas conseguiria reequilibrar-se por morte do mano irresponsável; no entanto, o jovem mentalmente enfermo dava mostras de grande fortaleza física, não obstante certa bronquite crônica que muito o incomodava. Observando-lhe o desequilíbrio respiratório, Ernesto planejou levá-lo a moléstia mais grave, na esperança de remetê-lo com rapidez ao sepulcro, recomendando aos servos que o libertassem, todas as noites, num grande pátio, em que Fernando repousasse ao relento. O moço, porém, denotava enorme resistência e, embora sofresse novos achaques, assim exposto à intempérie, durante quase dois anos superou valorosamente a provação a que fora submetido. Entrementes, padecia Ernesto o cerco de angústia econômica sempre

**17.9** mais grave, que somente o quinhão amoedado de Fernando, entregue ao comando de velhos amigos, conforme a vontade paterna, poderia solucionar. Em razão disso, envilecido pela fome de ouro, certa noite liberou dois escravos delinquentes, algemados em seu domicílio, sob a condição de se exilarem para terras distantes e, após vê-los partir, sob o nevoeiro da madrugada, buscou o leito do irmão, enterrando-lhe um punhal no peito inerme... Na manhã seguinte, ante o choro dos servos, a lhe mostrarem o cadáver, fê-los admitir que os cativos fujões teriam sido os autores do crime e, inocentando-se com astúcia, entrou na posse dos bens que pertenciam ao morto, com plena aprovação dos magistrados terrestres. Foi assim que, apesar de regalada existência na carne, ao aportar no Além-Túmulo atravessou extensa faixa de expiações. Fernando, o irmão desditoso, com absoluta magnanimidade, esqueceu-lhe as ofensas; no entanto, vergastado pelos remorsos, Ernesto entrou em comunhão com impassíveis agentes da sombra, que o fizeram presa de inomináveis torturas, por se recusar a segui-los nas práticas infernais. Conservando no imo da alma a lembrança da vítima, por meio da percussão mental do arrependimento sobre os centros perispiríticos, enlouqueceu de dor, vagueando, por vários lustros, em tenebrosas paisagens, até que, recolhido à nossa instituição, foi convenientemente tratado para o reajuste preciso. Não obstante recuperado, as reminiscências do crime absorviam-lhe o Espírito de tal sorte que, para o retorno à marcha evolutiva normal, implorou o regresso à carne, a fim de experimentar a mesma vergonha, a mesma penúria e as mesmas provas por ele infligidas ao irmão indefeso, pacificando, desse modo, a consciência intranquila. Amparado em seus propósitos de resgate por eminentes instrutores, tornou ao campo físico, carreando na própria alma os desequilíbrios que assimilou além do sepulcro, com os quais renasceu alienado mental, como o próprio Fernando no passado recente, tendo amargado, na posição de Leo, todos os infortúnios por ele impostos ao irmão debilitado e infeliz. Ressurgiu, dessa forma, na esfera carnal, desditoso e doente. Cedo conheceu a orfandade, foi colhido de surpresa pela secura e vilania de um irmão insensato que o ilhou no ambiente sombrio de um manicômio e, para não faltar particularidade alguma ao quadro expiatório, padeceu como guarda-noturno o frio e os temporais a que expusera a vítima indefesa... Entretanto, pela humildade e paciência com que tem sabido aceitar os golpes reparadores, conquistou a felicidade de encerrar em definitivo o débito a que nos reportamos.

Porque emudecesse o orientador, preocupado em atender o agonizante, então banhado pelo suor característico da morte, Hilário indagou:

— Assistente, como entender que o nosso companheiro está liquidando a dívida a que se refere?

— Pois não veem? — observou Silas, admirado.

E, indicando a grande hemoptise[34] que começava, ajuntou:

— Qual Fernando, que desencarnou com o tórax perfurado por lâmina assassina, Leo igualmente se despede do corpo com os pulmões em frangalhos. Contudo, pelo procedimento correto que adotou perante a Lei, atravessa o mesmo suplício, mas no leito, sem escândalos destrutivos, embora esteja vertendo o próprio sangue pela boca, tal qual sucedeu ao mano espezinhado e vencido. Cumpre-se o aresto da Justiça, apenas com a diferença de que, em vez do gládio de ferro, temos aqui batalhões de bacilos assassinos...

Talvez porque nos visse o assombro ante a lição, ocupado embora na assistência ao moribundo, rematou com grave tom de voz:

— Quando a nossa dor não gera novas dores e nossa aflição não cria aflições naqueles que nos rodeiam, nossa dívida está

---

[34] N.E.: Expectoração de sangue proveniente dos pulmões, traqueia e brônquios, mais comumente observável na tuberculose pulmonar.

em processo de encerramento. Muitas vezes, o leito de angústia entre os homens é o altar bendito em que conseguimos extinguir compromissos ominosos, pagando nossas contas, sem que o nosso resgate a ninguém mais prejudique. Quando o enfermo sabe acatar os celestes desígnios, entre a conformação e a humildade, traz consigo o sinal da dívida expirante...

**7.11**  Silas, contudo, não pôde continuar.

Leo, em oração, debatia-se nos estertores da morte.

O assistente enlaçou-o com carinhoso enternecimento e exorou o amparo divino, como se o doente desventurado lhe fosse um filho do coração.

Envolvido nas irradiações suaves da prece, Leo adormeceu, diante de nossas lágrimas.

Porque perguntássemos quanto ao motivo pelo qual não o arrebataríamos, de imediato, ao vaso cadavérico, para transportá-lo conosco à Mansão, o assistente informou-nos conciso:

— Não dispomos de autoridade para desligá-lo do corpo. Semelhante responsabilidade não nos compete.

E, comunicando aos vigilantes que missionários da libertação viriam, em breves horas, em socorro do companheiro que descansava, meditativo e emocionado propôs-nos regressar à Mansão.

# 18
# Resgates coletivos

**8.1**   Entendíamo-nos com Silas, acerca de variados problemas, quando expressivo chamamento de Druso nos reuniu ao diretor da casa, em seu gabinete particular de serviço.

O chefe da Mansão foi breve e claro.

Apelo urgente da Terra pedia auxílio para as vítimas de um desastre aviatório.

Sem alongar-se em minúcias, informou que a solicitação se repetiria, dentro de alguns instantes, e conviria esperar a fim de examinarmos o assunto com a eficiência precisa.

Com efeito, mal terminara o apontamento e sinais algo semelhantes aos do telégrafo de Morse se fizeram notados em curioso aparelho. Druso ligou tomada próxima e vimos um pequeno televisor em ação, sob vigorosa lente, projetando imagens movimentadas em tela próxima, cuidadosamente encaixada na parede, a pequena distância.

Qual se acompanhássemos curta notícia em cinema sonoro, contemplamos, surpreendidos, a paisagem terrestre.

**18.2** Sob a crista de serra alcantilada e selvagem, destroços de grande aeronave guardavam consigo as vítimas do acidente. Adivinhava-se que o piloto, certamente enganado pelo traiçoeiro oceano de espessa bruma, não pudera evitar o choque com os picos graníticos que se salientavam na montanha, silenciosos e implacáveis, à maneira de medonhos torreões de fortaleza agressiva.

Em pleno quadro inquietante, um ancião desencarnado, de semblante nobre e digno, formulava requerimento comovedor, rogando à Mansão a remessa de equipe adestrada para a remoção de seis das catorze entidades desencarnadas no doloroso sinistro.

Enquanto Druso e Silas combinavam medidas para a tarefa assistencial, Hilário e eu olhávamos, espantados, o espetáculo inédito para nós ambos.

A cena aflitiva parecia desenrolar-se ali mesmo.

Oito dos desencarnados no acidente jaziam em posição de choque, algemados aos corpos, mutilados ou não; quatro gemiam, jungidos aos próprios restos, e dois deles, não obstante ainda enfaixados às formas rígidas, gritavam desesperados, em crises de inconsciência.

Contudo, amigos espirituais, abnegados e valorosos, velavam ali, calmos e atentos.

Figurando-se cascata de luz vertendo do Céu, o auxílio do alto vinha, solícito, em abençoada torrente de amor.

O quadro patético era tão real à nossa observação que podíamos ouvir os gemidos daqueles que despertavam desfalecentes, as preces dos socorristas e as conversações dos enfermeiros que concertavam providências à pressa...

De alma confrangida, vimos desaparecer a notícia televisada, enquanto Silas cumpria as ordens do comandante da instituição com admirável eficiência.

Em poucos instantes, diversos operários da casa puseram-se em marcha, na direção do local minuciosamente descrito.

**18.3**   Voltando ao gabinete em que lhe aguardávamos o retorno, Silas ainda se entendeu com o orientador, por alguns minutos, com respeito ao serviço em foco.

Foi então que Hilário e eu indagamos se não nos seria possível a participação na obra assistencial que se processava, no que Druso, paternalmente, não concordou, explicando que o trabalho era de natureza especialíssima, requisitando colaboradores rigorosamente treinados.

Cientes de que o generoso mentor poderia dispensar-nos mais tempo, aproveitamos o ensejo para versar a questão das provas coletivas.

Hilário abriu campo livre ao debate, perguntando, respeitoso, por que motivo era rogado o auxílio para a remoção de seis dos desencarnados, quando as vítimas eram catorze.

Druso, no entanto, replicou em tom sereno e firme:

— O socorro no avião sinistrado é distribuído indistintamente; contudo, não podemos esquecer que se o desastre é o mesmo para todos os que tombaram, a morte é diferente para cada um. No momento serão retirados da carne tão somente aqueles cuja vida interior lhes outorga a imediata liberação. Quanto aos outros, cuja situação presente não lhes favorece o afastamento rápido da armadura física, permanecerão ligados, por mais tempo, aos despojos que lhes dizem respeito.

— Quantos dias? — clamou meu colega, incapaz de conter a emoção de que se via possuído.

— Depende do grau de animalização dos fluidos que lhes retêm o Espírito à atividade corpórea — respondeu-nos o mentor. — Alguns serão detidos por algumas horas, outros, talvez, por longos dias... Quem sabe? Corpo inerte nem sempre significa libertação da alma. O gênero de vida que alimentamos no estágio físico dita as verdadeiras condições de nossa morte. Quanto mais chafurdamos o ser nas correntes de baixas ilusões, mais tempo gastamos para esgotar as energias vitais que nos aprisionam à matéria pesada e primitiva de que se nos constitui a instrumentação fisiológica, demorando-nos nas criações mentais inferiores a que nos ajustamos, nelas encontrando combustível para dilatados enganos nas sombras do campo carnal, propriamente considerado. E quanto mais nos submetamos às disciplinas do Espírito, que nos aconselham equilíbrio e sublimação, mais amplas facilidades conquistaremos para a exoneração da carne em quaisquer emergências de que não possamos fugir por força dos débitos contraídos perante a Lei. Assim é que "morte física" não é o mesmo que "emancipação espiritual".

— Isso, no entanto — considerei —, não quer dizer que os demais companheiros acidentados estarão sem assistência, embora coagidos a temporária detenção nos próprios restos.

**18.**

— De modo algum — ajuntou o amigo generoso —, ninguém vive desamparado. O Amor Infinito de Deus abrange o Universo. Os irmãos que se demoram enredados em mais baixo teor de experiência física compreenderão, gradativamente, o socorro que se mostram capazes de receber.

— Todavia — reparou Hilário —, não serão atraídos por criaturas desencarnadas de inteligência perversa, já que não podem ser resguardados de imediato?

Druso estampou significativa expressão facial e ponderou:

— Sim, na hipótese de serem surdos ao bem, é possível se rendam às sugestões do mal, a fim de que, pelos tormentos do mal, se voltem para o bem. No assunto, entretanto, é preciso considerar que a tentação é sempre uma sombra a atormentar-nos a vida, de dentro para fora. A junção de nossas almas com os poderes infernais verifica-se em relação com o inferno que já trazemos dentro de nós.

A explicação não poderia ser mais clara.

**18.5**   Talvez por isso, algo desconcertado pelo esclarecimento direto, meu companheiro que, tanto quanto eu, não desejava perder a oportunidade de mais ampla conversação, acentuou humildemente:

— Nobre instrutor, decerto não temos o direito de questionar qualquer determinação que lhe dimane da autoridade; ainda assim, estimaria conhecer mais profundamente as razões pelas quais nos é defeso o trabalho de colaboração nos serviços pertinentes ao socorro nos resgates de conjunto. Não poderíamos, acaso, cooperar com os obreiros desta casa, nas expedições de auxílio às vítimas de acidentes diversos, de modo a pesquisar as causas que os determinaram? Indiscutivelmente a Mansão, com as responsabilidades de que se encontra investida, desincumbir-se-á de trabalhos dessa espécie todos os dias...

— Quase todos os dias — corrigiu Druso, sem pestanejar.

E, fitando Hilário de estranha maneira, aduziu:

— É imperioso observar, porém, que vocês coletam material didático para despertamento de nossos irmãos encarnados, quase todos eles em fase importante de luta, no acerto de contas com a Justiça Divina. Analisando os resgates dessa ordem, vocês fatalmente seriam compelidos à autópsia de situações e problemas suscetíveis de plasmar imagens destrutivas no ânimo de muitos daqueles que ambos se propõem auxiliar.

Esboçando leve sorriso em que deixava transparecer a humildade que lhe adornava o espírito de escol, aditou:

— Parece-me que não seríamos capazes de comentar um desastre de grandes proporções, no campo dos homens, sem lhes insuflar o vírus do medo, tanta vez portador do desânimo e da morte.

A palavra do orientador, serena e evangélica, reajustava-nos os impulsos menos edificantes.

Inegavelmente, a Terra jaz repleta de criaturas, tanto quanto nós, algemadas a escabrosos compromissos, carentes de ação contínua para o necessário reequilíbrio. Não seria justo atormentá-las com pensamentos de temor e flagelação, quando por meio do bem, sentido e praticado, podemos cada hora arredar de nossos horizontes as nuvens de sofrimentos prováveis.

Assinalando-nos a atitude inequívoca de compreensão e de obediência, como não podia deixar de ser, o chefe da instituição continuou em tom afável, depois de ligeira pausa:

18.6

— Imaginemos que fossem analisar as origens da provação a que se acolheram os acidentados de hoje... Surpreenderiam, decerto, delinquentes que, em outras épocas, atiraram irmãos indefesos do cimo de torres altíssimas, para que seus corpos se espatifassem no chão; companheiros que, em outro tempo, cometeram hediondos crimes sobre o dorso do mar, pondo a pique existências preciosas, ou suicidas que se despenharam de arrojados edifícios ou de picos agrestes, em supremo atestado de rebeldia perante a Lei, os quais, por enquanto, somente encontraram recurso em tão angustioso episódio para transformarem a própria situação. Quantos milhares de irmãos encarnados possuímos nós, em cujas contas com os tribunais divinos figuram débitos desse jaez? Entretanto, não desconhecemos que nós, consciências endividadas, podemos melhorar nossos créditos, todos os dias. Quantos romeiros terrenos, em cujos mapas de viagem constam surpresas terríveis, são amparados devidamente para que a morte forçada não lhes assalte o corpo, em razão dos atos louváveis a que se afeiçoam!... Quantas intercessões da prece ardente conquistam moratórias oportunas para pessoas cujo passo já resvala no cairel[35] do sepulcro?!... Quantos deveres sacrificiais granjeiam, para a alma que os aceita de boa mente, preciosas vantagens na vida superior, onde providências se improvisam para que se lhes amenizem os rigores da provação necessária?! Sabemos nós que,

---

[35] N.E.: Margem, borda.

arremessando no espaço duas ondas sonoras, de maneira que as vibrações do campo mais denso de uma sejam equivalentes ao campo menos denso da outa, recolhemos o silêncio como resultado. Assim é que, gerando novas causas com o bem praticado hoje, podemos interferir nas causas do mal praticado ontem, neutralizando-as e reconquistando, com isso, o nosso equilíbrio. Desse modo, creio mais justo incentivarmos o serviço do bem, por meio de todos os recursos ao nosso alcance. A caridade e o estudo nobre, a fé e o bom ânimo, o otimismo e o trabalho, a arte e a meditação construtiva constituem temas renovadores, cujo mérito não será lícito esquecer, na reabilitação de nossas ideias e, consequentemente, de nossos destinos.

18.7     Entregara-se o chefe a mais longa pausa e, movido pelo propósito de aprender, indaguei de Druso se ele mesmo não teria acompanhado algum processo de resgate coletivo, em que os Espíritos interessados não teriam outro recurso senão a morte violenta como remate aos dias do corpo denso, ao que o instrutor respondeu presto:

— Guardo em minha experiência alguns casos expressivos que seria justo relacionar; no entanto, reportar-nos-emos simplesmente a um deles, atentos ao imediatismo de nossas obrigações.

Depois de momentos rápidos em que naturalmente apelava para a memória, comentou benevolente:

— Há trinta anos, desfrutei o convívio de dois benfeitores, a cuja abnegação muito devo neste pouso de luz. Ascânio e Lucas, assistentes respeitados na esfera superior, integravam-nos a equipe de mentores valorosos e amigos... Quando os conheci em pessoa, já haviam despendido vários lustros no amparo aos irmãos transviados e sofredores. Cultos e enobrecidos, eram companheiros infatigáveis em nossas melhores realizações. Acontece, porém, que depois de largos decênios de luta, nos prélios da fraternidade santificante, suspirando pelo ingresso nas esferas mais elevadas, para que se lhes expandissem os ideais de santidade e beleza, não demonstravam a necessária condição específica para o voo anelado. Totalmente absortos no entusiasmo de ensinar o caminho do bem aos semelhantes, não cogitavam de qualquer mergulho no pretérito, por isso que, muitas vezes, quando nos fascinamos pelo esplendor dos cimos, nem sempre nos sobra disposição para qualquer vistoria aos nevoeiros do vale... Dessa forma, passaram a desejar ardentemente a ascensão, sentindo-se algo desencantados pela ausência de apoio das autoridades que lhes não reconheciam o mérito imprescindível. Dilatava-se o impasse, quando um deles solicitou o pronunciamento da Direção Geral a que nos achamos submissos. O requerimento encontrou curso normal até que, em determinada fase, ambos foram chamados a exame devido. A posição imprópria que lhes era característica foi carinhosamente analisada por técnicos do plano superior, que lhes reconduziram a memória a períodos mais recuados no tempo. Diversas fichas de observação foram extraídas do campo mnemônico, à maneira das radioscopias dos atuais serviços médicos no mundo e, por intermédio delas, importantes conclusões surgiram à tona... Em verdade, Ascânio e Lucas possuíam créditos extensos, adquiridos em quase cinco séculos sucessivos de aprendizado digno, somando as cinco existências últimas nos círculos da carne e as estações de serviço espiritual, nas vizinhanças da arena física; no entanto, quando a gradativa auscultação lhes alcançou as atividades do século XV, algo surgiu que lhes impôs dolorosa meditação... Arrebatadas ao arquivo da memória e a doer-lhes profundamente no Espírito, depois da operação magnética a que nos referimos, reapareceram nas fichas mencionadas as cenas de ominoso[36] delito por ambos cometido, em 1429, logo após a libertação de Orléans, quando formavam

---

[36] N.E.: Odioso, execrável.

no exército de Joana d'Arc... Famintos de influência junto aos irmãos de armas, não hesitaram em assassinar dois companheiros, precipitando-os do alto de uma fortaleza no território de Gâtinais, sobre fossos imundos, embriagando-se nas honrarias que lhes valeram, mais tarde, torturantes remorsos além do sepulcro. Chegados a esse ponto da inquietante investigação, pela respeitabilidade de que se revestiam foram inquiridos pelos poderes competentes se desejavam ou não prosseguir na sondagem singular, ao que responderam negativamente, preferindo liquidar a dívida, antes de novas imersões nos depósitos da subconsciência. Desse modo, em vez de continuarem insistindo na elevação a níveis mais altos, suplicaram, ao revés, o retorno ao campo dos homens, no qual acabam de pagar o débito a que aludimos.

18.9
— Como? — indagou Hilário, intrigado.

— Já que podiam escolher o gênero de provação, em vista dos recursos morais amealhados no mundo íntimo — informou o orientador —, optaram por tarefas no campo da aeronáutica, a cuja evolução ofereceram as suas vidas. Há dois meses regressaram às nossas linhas de ação, depois de haverem sofrido a mesma queda mortal que infligiram aos companheiros de luta no século XV.

— E o nosso caro instrutor visitou-os nos preparativos da reencarnação agora terminada? — inquiri com respeito.

— Sim, por várias vezes os avistei antes da partida. Associavam-se a grande comunidade de Espíritos amigos, em departamento específico de reencarnação, no qual centenas de entidades com dívidas mais ou menos semelhantes às deles também se preparavam para o retorno à carne, abraçando, assim, trabalho redentor em resgates coletivos.

— E todos podiam selecionar o gênero de luta em que saldariam as suas contas? — perguntei, ainda, com natural interesse.

— Nem todos — disse Druso, convicto. — Aqueles que possuíam grandes créditos morais, qual acontecia aos benfeitores a que me reporto, dispunham desse direito. Assim é que a muitos vi habilitando-se para sofrer a morte violenta, em favor do progresso da aeronáutica e da engenharia, da navegação marítima e dos transportes terrestres, da ciência médica e da indústria em geral, verificando, no entanto, que a maioria, por força dos débitos contraídos e consoante os ditames da própria consciência, não alcançava semelhante prerrogativa, cabendo-lhe aceitar sem discutir amargas provas, na infância, na mocidade ou na velhice, em acidentes diversos, desde a mutilação primária até a morte, de modo a redimir-se de faltas graves.

— E os pais? — inquiriu meu colega, alarmado. — Em que situação surpreenderemos os pais dos que devem ser imolados ao progresso ou à justiça, na regeneração de si mesmos? A dor deles não será devidamente considerada pelos poderes que nos controlam a vida?

— Como não? — respondeu o orientador. — As entidades que necessitam de tais lutas expiatórias são encaminhadas aos corações que se acumpliciaram com elas em delitos lamentáveis, no pretérito distante ou recente, ou ainda aos pais que faliram junto dos filhos, em outras épocas, a fim de que aprendam na saudade cruel e na angústia inominável o respeito e o devotamento, a honorabilidade e o carinho que todos devemos na Terra ao instituto da família. A dor coletiva é o remédio que nos corrige as falhas mútuas.

Estabelecera-se longa pausa.

A lição como que nos impelia a rápidos mergulhos no mundo de nós mesmos.

Hilário, contudo, insatisfeito como sempre, perguntou irrequieto:

— Instrutor amigo, imaginemos que Ascânio e Lucas, após a vitória de que nos dá notícia, continuem anelando a subida aos Planos Mais-Altos... Precisarão, para isso, de nova consulta ao passado?

**8.11**   — Caso não demonstrem a condição específica indispensável, serão novamente submetidos à justa auscultação para o exame e seleção de novos resgates que se façam precisos.

— Isso quer dizer que ninguém se eleva ao Céu sem quitação com a Terra?

O interlocutor sorriu e completou:

— Será mais lícito afirmar que ninguém se eleva a pleno Céu, sem plena quitação com a Terra, porquanto a ascensão gradativa pode verificar-se, não obstante invariavelmente condicionada aos nossos merecimentos nas conquistas já feitas. Os princípios de relatividade são perfeitamente cabíveis no assunto. Quanto mais céu interior na alma, pela sublimação da vida, mais ampla incursão da alma nos céus exteriores, até que se realize a suprema comunhão dela com Deus, nosso Pai. Para isso, como reconhecemos, é indispensável atender à justiça, e a Justiça Divina está inelutavelmente ligada a nós, uma vez que nenhuma felicidade ambiente será verdadeira felicidade em nós, sem a implícita aprovação de nossa consciência.

O ensinamento era profundo.

Cessamos a inquirição e, como serviço urgente requeria a presença de Druso, em outra parte, retiramo-nos em demanda do templo da Mansão, com o objetivo de orar e pensar.

# 19
# Sanções e auxílios

**19.1** Depois do entendimento com os internados, o instrutor Druso aquiesceu em dispensar-nos alguns minutos de conversação educativa.

Explanara brilhantemente sobre o problema das provas na experiência terrestre. Alertara-nos quanto à necessária renovação mental nos padrões do bem, destacando a necessidade do estudo, para a assimilação do conhecimento superior, e do serviço ao próximo, para a colheita de simpatia, sem os quais todos os caminhos da evolução surgem complicados e difíceis de ser transitados.

Junto dele, enquanto prelecionava, fora colocada singular escultura — uma estátua notável que reproduzia o corpo humano, transparente aos nossos olhos, à qual apenas faltava o sopro espiritual para revelar-se viva.

Patenteavam-se, ali, à nossa visão, todos os órgãos e apetrechos do carro físico, sob a proteção do sistema nervoso e do sistema sanguíneo.

O coração, à maneira de um grande pássaro no ninho das 19.2
artérias enrodilhadas na árvore dos pulmões; o fígado, à feição
de um condensador vibrante; o estômago e os intestinos como
digestores técnicos, e os rins, quais aparelhos complexos de filtragem, convidavam-nos a profunda admiração; contudo, nosso
maior interesse concentrava-se no sistema endocrínico, no qual
as glândulas se salientavam por figurações de luz. A epífise, a
hipófise, a tireoide, as paratireoides, o timo, as suprarrenais, o
pâncreas e as bolsas genésicas caracterizavam-se, perfeitas, sobre
o fundo vivo dos centros perispirituais, que se combinavam uns
com os outros, em sutilíssimas ramificações nervosas, singularmente ajustadas, por intermédio dos plexos, emitindo cada centro irradiações próprias, constituindo-se o conjunto num todo
harmônico, que nos impelia à contemplação extática.

Percebendo-nos a surpresa, o chefe da casa disse bondoso:

— Habitualmente convidamos a atenção de nossos internados para os veículos de nossas manifestações, mostrando-lhes,
quanto possível, a correspondência entre nossos estados espirituais e as formas de que nos servimos. É indispensável compreendamos que todo mal por nós praticado conscientemente
expressa, de algum modo, lesão em nossa consciência, e toda
lesão dessa espécie determina distúrbio ou mutilação no organismo que nos exterioriza o modo de ser. Em todos os planos do
Universo, somos Espírito e manifestação, pensamento e forma.
Eis o motivo por que, no mundo, a Medicina há de considerar
o doente como um todo psicossomático, se quiser realmente
investir-se da arte de curar.

E, tocando a bela escultura à nossa vista, continuou:

— Da mente clareada pela razão, sede dos princípios superiores que governam a individualidade, partem as forças que
asseguram o equilíbrio orgânico, por intermédio de raios ainda
inabordáveis à perquirição humana, raios esses que vitalizam os

centros perispiríticos, em cujos meandros se localizam as chamadas glândulas endócrinas, que, a seu turno, despedem recursos que nos garantem a estabilidade do campo celular. Como é óbvio, nas criaturas encarnadas esses elementos se consubstanciam nos hormônios diversos que atuam sobre todos os órgãos do corpo físico, por meio do sangue. O homem comum, que já conhece a tiroxina e a adrenalina, energias fabricadas pela tireoide e pelas suprarrenais, com influência decisiva no trabalho circulatório, nos nervos e nos músculos, não ignora que todas as demais glândulas de secreções internas produzem recursos que decidem sobre saúde e enfermidade, equilíbrio e desequilíbrio nos indivíduos encarnados. Ora, em substância, como é fácil de ver, todos os estados acidentais das formas de que nos utilizamos, no espaço e no tempo, dependem, assim, do comando mental que nos é próprio. É por isso que a justiça, sendo instituto fundamental de ordem, na Criação, começa invariavelmente em nós mesmos, em toda e qualquer ocasião que lhe defraudemos os princípios. A evolução para Deus pode ser comparada a uma viagem divina. O bem constitui sinal de passagem livre para os cimos da vida superior, enquanto o mal significa sentença de interdição, constrangendo-nos a paradas mais ou menos difíceis de reajuste.

19.3  Aproveitando breve pausa, Hilário observou:

— É admirável o trabalho educativo em andamento nas zonas inferiores, com vistas à reencarnação...

— Inegavelmente — respondeu o instrutor. — É preciso informar a todos os nossos irmãos, em vias de retorno ao círculo dos homens, que o corpo carnal, com as tarefas que lhe são consequentes, vale por verdadeiro prêmio da Bondade Divina, que é necessário valorizar. Aqui, nas esferas purgatoriais, contamos com verdadeiras multidões de criaturas desencarnadas que procedem do mundo, em deploráveis crises alucinatórias, após mal-

19.4  versarem os bens da vida humana. Muitas, por infelicidade da própria ignorância, não puderam acomodar-se a qualquer tipo de concepção religiosa; entretanto, milhões de pessoas, longe do respeito pela fé maternal que as esclarecia nos compromissos esposados perante Deus, entregavam-se, conscientemente, à crueldade mental, cavando ruína e amargura para si mesmas, porque o mal infligido a outrem era sempre mal que amontoavam sobre as suas cabeças. É assim que, desentrançadas da matéria densa, aqui aportam, batidas pelo remorso e pelo arrependimento, padecendo frustrações lamentáveis, quando não estacionam por tempo mais ou menos longo em furnas expiatórias, nas quais, presas de antigos adversários ou de velhos comparsas do vício, sofrem tristes alterações em seus centros de força, a se lhes expressarem na mente por desequilíbrios funestos. Depois de acolhidas em nosso pouso de amor, refazem-se pouco a pouco... A reencarnação retificadora, isto é, a internação na carne em condições penosas, surge por alternativa inevitável. Será preciso renascer, suportando os obstáculos tremendos, oriundos da desarmonia perispirítica criada por nós mesmos. Ainda assim, quanto possível, antes do novo berço entre os homens, é imprescindível melhorar as contas... Daí o motivo por que instituições qual a nossa funcionam em vários campos das regiões inferiores, que, na velha teologia, equivalem a regiões infernais... O que, porém, existe, de fato, é o imenso umbral, situado entre a Terra e o Céu, dolorosa região de sombras, erguida e cultivada pela mente humana, em geral rebelde e ociosa, desvairada e enfermiça. Os companheiros desencarnados que despertam, devagarinho, para a responsabilidade de viver, encarando face a face o imperativo do renascimento difícil no mundo, passam a trabalhar aqui laboriosamente, vencendo óbices terríveis e superando tempestades de toda a sorte, para a conquista dos méritos que descuraram durante a permanência no corpo, de modo a implantarem, no próprio Espírito, os valores morais de que não prescindem para a sustentação de novas e abençoadas lutas no plano material.

**19.5** O orientador, mostrando o olhar coruscante de entendimento e carinho, à feição do professor emérito e bondoso que deseja o progresso dos aprendizes, fez longa pausa e perguntou-nos:

— Compreenderam?

— Sim, sim... — respondemos a um só tempo, interessados em maior amplitude da lição.

— É assim que todos nós — continuou ele —, para o recomeço das lides carnais, solicitamos o regime de sanções, ou alguém, quando não disponhamos do direito de fazê-lo, no-lo obtém, suplicando-o, em nosso benefício, às autoridades superiores.

— Regime de sanções? — indagou Hilário, surpreendido.

— Perfeitamente. Não nos reportamos aqui às medidas de natureza moral, pelas quais enfrentamos, compreensivelmente, na família consanguínea ou na intimidade da luta, a reaproximação com os Espíritos de que sejamos devedores de paciência e ternura, tolerância e sacrifício, na solução de certas dívidas que nos obscureçam a senda, mas sim a providências retificantes, depois de muitas quedas reiteradas nos mesmos deslizes e deserções, que imploramos em favor de nós e em nós mesmos, quais sejam as deficiências congeniais com que ressurgimos no berço físico. Aqueles que por vezes diversas perderam vastas oportunidades de trabalho na Terra, pela ingestão sistemática de elementos corrosivos, como sejam o álcool e outros venenos das forças orgânicas, tanto quanto os inveterados cultores da gula, quase sempre atravessam as águas da morte como suicidas indiretos e, despertando para a obra de reajuste que lhes é indispensável, imploram o regresso à carne em corpos desde a infância inclinados à estenose do piloro, à ulceração gástrica, ao desequilíbrio do pâncreas, à colite e às múltiplas enfermidades do intestino que lhes impõem torturas sistemáticas, embora suportáveis, no decurso da existência inteira. Inteligências notáveis, com sucessivas quedas morais, pela leviandade com que se utilizaram do esporte e da dança, espalhando desespero e infortúnio nos corações afetuosos e sensíveis, pedem formas orgânicas ameaçadas de paralisia e reumatismo, visitadas de achaques e neoplasmas diversos, que lhes obstem os movimentos demasiado livres. Companheiros que, em muitas circunstâncias, se deixaram envenenar pelos olhos e pelos ouvidos, comprometendo-se em vasta rede de criminalidade, por meio da calúnia e da maledicência, imploram veículos fisiológicos castigados por deficiências auditivas e visuais que lhes impeçam recidivas desastrosas. Intelectuais e artistas que despedem sagrados recursos do Espírito na perversão dos sentimentos humanos, por intermédio da criação de imagens menos dignas, rogam aparelhos cerebrais com inibições graves e dolorosas para que, nas reflexões de temporário ostracismo, possam desenvolver as esquecidas qualidades do coração. Homens e mulheres que abusaram de dotes físicos, manobrando a beleza e a perfeição das formas para disseminar a loucura e o sofrimento naqueles que lhes admitiam as falsas promessas, solicitam corpos vulneráveis às dermatoses aflitivas, quais o eczema e a tumoração cutânea, ou portadores de alterações da tireoide que os constranjam a reiteradas lutas educativas. Grandes faladores que escarneceram da divina missão do verbo, conturbando multidões ou enlouquecendo almas desprevenidas, suplicam doenças das cordas vocais, para que, atravessando afonias periódicas, desistam de tumultuar os Espíritos por intermédio da palavra brilhante. E milhares de pessoas que transformaram o santuário do sexo numa forja de perturbações para a vida alheia, arruinando lares e infelicitando consciências, imploram equipamentos físicos atormentados por lesões importantes no campo genésico, experimentando, desde a puberdade, inquietantes desequilíbrios ovarianos e testiculares. A cegueira, a mudez, a idiotia, a surdez,

**19.6**

a paralisia, o câncer, a lepra, a epilepsia, o diabete, o pênfigo, a loucura e todo o conjunto das moléstias dificilmente curáveis significam sanções instituídas pela Misericórdia Divina, portas adentro da Justiça Universal, atendendo-nos aos próprios rogos, para que não venhamos a perder as bênçãos eternas do Espírito a troco de lamentáveis ilusões humanas.

19.7 — Mas existem institutos especiais que providenciem, por exemplo, as irregularidades orgânicas pedidas para a reencarnação? — perguntou meu colega, intrigado.

O interlocutor generoso sorriu significativamente e acentuou:

— Sim, Hilário, a bondade do Senhor é infinita e permite-nos a graça de suplicar os impedimentos a que nos referimos, porque o reconhecimento de nossas fraquezas e transgressões nos faz imenso bem ao Espírito endividado. A humildade, em qualquer situação, acende luz em nossas almas, gerando, em torno de nós, abençoados recursos de simpatia fraterna. Entretanto, ainda mesmo que não pedíssemos a aplicação das penas de que necessitamos, nossa posição não se modificaria, porquanto a prática do mal opera lesões imediatas em nossa consciência, que, entrando em condição desarmônica, desajusta, ela própria, os centros de força em que se mantém. Desse modo, os nossos institutos de trabalho para a reencarnação colaboram para que todos venhamos a receber na ribalta terrestre a vestimenta carnal merecida.

— Então, de que vale a súplica, rogando essa ou aquela medida, atinente à nossa reeducação?

— Oh! não formule semelhante problema! — falou Druso em voz grave. — A prece, no sentido a que aludimos, é sempre um atestado de boa vontade e compreensão, no testemunho da nossa condição de Espíritos devedores... Sem dúvida, não poderá modificar o curso das leis, diante das quais nos fazemos réus sujeitos a penas múltiplas, mas renova-nos o modo de ser, valendo não só como abençoada plantação de solidariedade em nosso benefício, mas também como vacina contra reincidência no mal. Além disso, a prece faculta-nos a aproximação com os grandes benfeitores que nos presidem os passos, auxiliando-nos a organização de novo roteiro para a caminhada segura.

Meu companheiro guardou, reverente, o ensinamento e considerou: **19.8**

— Caro instrutor, depreendemos da elucidação que, ao nos reencarnarmos, conduzimos conosco os remanescentes de nossas faltas, que nos partilham o renascimento, na máquina fisiológica, como raízes congeniais dos males que nós mesmos plantamos...

— Perfeitamente — acentuou o mentor amigo —, nossas disposições, para com essa ou aquela enfermidade no corpo terrestre, representam zonas de atração magnética que dizem de nossas dívidas diante das Leis Eternas, exteriorizando-nos as deficiências do Espírito.

Druso meditou alguns instantes, como se estivesse ponderando no íntimo a gravidade do assunto, e apreciou:

— Nossas assertivas não excluem, decerto, a necessidade da assepsia e da higiene, da medicação e do cuidado preciso, no tratamento dos enfermos de qualquer procedência. Desejamos simplesmente acentuar que a alma ressurge no equipamento físico transportando consigo as próprias falhas a se lhe refletirem na veste carnal, como zonas favoráveis à eclosão de determinadas moléstias, oferecendo campo propício ao desenvolvimento de inúmeros vírus, bacilos e bactérias, capazes de conduzi-la aos mais graves padecimentos, de acordo com os débitos que haja contraído, mas também carreia consigo as faculdades de criar no próprio cosmo orgânico todas as espécies de anticorpos, imunizando-se contra as vicissitudes carnais, faculdades essas que pode ampliar consideravelmente pela oração, pelas disciplinas retificadoras a que se afeiçoe, pela resistência mental ou pelo serviço ao próximo com que atrai preciosos recursos em seu favor. Não podemos esquecer que o bem é o verdadeiro antídoto do mal.

**19.9** — Ainda assim — ajuntou Hilário —, será lícito recordar que os animais igualmente sofrem moléstias diagnosticáveis, como sejam a aftosa, a raiva e a pneumonia...

— Como também as plantas experimentam enfermidades peculiares, reclamando adubos e fungicidas — completou o mentor, sorrindo.

E acrescentou:

— A dor é ingrediente dos mais importantes na economia da vida em expansão. O ferro sob o malho, a semente na cova, o animal em sacrifício, tanto quanto a criança chorando, irresponsável ou semiconsciente, para desenvolver os próprios órgãos, sofrem a dor-evolução, que atua de fora para dentro, aprimorando o ser, sem a qual não existiria progresso. Em nosso estudo, porém, analisamos a dor-expiação, que vem de dentro para fora, marcando a criatura no caminho dos séculos, detendo-a em complicados labirintos de aflição, para regenerá-la perante a Justiça... É muito diferente...

— Curioso! — exclamou Hilário — não havia pensado ainda em semelhantes conceitos... Dor-evolução, dor-expiação...

— Como temos ainda dor-auxílio — atalhou Druso, benevolente.

— Como assim?

E, percebendo a surpresa que se nos estampava no rosto, o orientador aduziu:

— Em muitas ocasiões, no decurso da luta humana, nossa alma adquire compromissos vultosos nesse ou naquele sentido. Habitualmente, logramos vantagens em determinados setores da experiência, perdendo em outros. Às vezes, interessamo-nos vivamente pela sublimação do próximo, olvidando a melhoria de nós mesmos. É assim que, pela intercessão de amigos devotados à nossa felicidade e à nossa vitória, recebemos a bênção de prolongadas e dolorosas enfermidades no envoltório físico, seja para evitar-nos a queda no abismo da criminalidade, seja, mais frequentemente, para o serviço preparatório da desencarnação, a fim de que não sejamos colhidos por surpresas arrasadoras, na transição da morte. O enfarte, a trombose, a hemiplegia, o câncer penosamente suportado, a senilidade prematura e outras calamidades da vida orgânica constituem, por vezes, dores-auxílio, para que a alma se recupere de certos enganos em que haja incorrido na existência do corpo denso, habilitando-se, por meio de longas reflexões e benéficas disciplinas, para o ingresso respeitável na Vida Espiritual.

19.10

Druso, no entanto, a essa altura, foi chamado a outras linhas de ação, deixando-nos entregues aos nossos pensamentos.

# 20
# Comovente surpresa

**20.1** Durante três anos estivemos quase que diariamente na Mansão Paz, estudando lições preciosas e aprendendo a servir.

Ali, ao pé de Druso, na comunhão fraternal de Silas e junto de outros amigos prestimosos, recolhemos experiências e apontamentos sublimes.

Em verdade, o sofrimento, naquele pouso castigado de extrema luta, era a nota constante em todas as direções.

Muitas vezes, a casa tremia nos alicerces sob convulsões magnéticas indescritíveis; noutras ocasiões, sob o ataque de legiões ferozes, assemelhava-se a fortaleza, em regime de sítio inquietante, que só a Misericórdia Divina poderia salvar.

Todavia, em quaisquer emergências, Druso convocava-nos a todos à oração e nossas preces nunca ficaram sem resposta. Suprimentos e recursos, diretrizes e bálsamos fluíam invariavelmente dos planos superiores, amparando-nos a necessidade ou subtraindo-nos a indecisão.

O orientador da casa constituía para nós o mais elevado padrão de intangibilidade moral, não obstante a humildade com que pautava todas as atitudes.

**20.2**

Nunca lhe surpreendemos o mínimo gesto em desacordo com o nobre e extenso mandato de que dispunha. Sabia ser firme sem rispidez, justo sem parcialidade, bondoso sem fraqueza. Valorizava não apenas o conselho dos grandes Espíritos que nos visitavam o cenáculo, mas também os votos humildes dos míseros sofredores que nos batiam à porta. Mantinha amorosa reverência diante dos supervisores da Mansão, a cujos avisos atendia, presto, tanto quanto mostrava o melhor carinho no desvelo incessante em favor dos infelizes que nos rogavam concurso e entendimento. Desdobrava-se. Não se circunscrevia ao venerável mister do administrador central, a quem devíamos homenagem constante. Era o conselheiro devotado de todos os assessores, o médico dos internados, o mentor das expedições e o enfermeiro tolerante e simples, sempre que as circunstâncias o exigissem.

Contudo, onde lhe notávamos a mais impressionante assiduidade era justamente à cabeceira dos desditosos irmãos, recolhidos nos tenebrosos desfiladeiros em que se situava a instituição.

Noite a noite, sempre que desejássemos, podíamos acompanhar-lhe os serviços magnéticos, junto de Silas, identificando criaturas infortunadas que, a se desvairarem nas sombras, haviam perdido a noção de si mesmas, dementadas pela viciação ou transtornadas pelo próprio desespero.

Era sempre doloroso encarar os companheiros disformes e irreconhecíveis que a flagelação mental ensandecera.

Por mais de uma vez, Hilário e eu desfizéramo-nos em pranto à frente daquelas torvas fisionomias que o extremo desequilíbrio imobilizava em terrível prostração ou amotinava em crises de loucura.

**20.3**   Druso, porém, inclinava-se sobre todos os infelizes, sempre com a mesma ternura. Depois da oração costumeira, articulava operações magnéticas assistenciais e, logo após, com a devida segurança, interrogava os recém-recolhidos, enquanto fixávamos anotações diversas, atinentes à colaboração que nos cabia desenvolver.

Duas, três, quatro horas despendia ele, pessoalmente, cada noite, no trabalho socorrista que considerava sagrado, sem que nenhum dos companheiros encontrasse a menor oportunidade de substituí-lo. À exceção dele, todos nos revezávamos na cooperação solicitada ou espontânea, no serviço de amparo e consulta aos irmãos que o mergulho indiscriminado nas sombras havia enlouquecido.

Foi assim que, certa noite para nós inesquecível, pobre mulher cadaverizada foi trazida pelos enfermeiros à sala de nossas atividades habituais para o socorro necessário.

O corpo seviciado, que imundos trapos mal cobriam, as mãos cujos dedos terminavam em forma de garras e o semblante completamente alterado por terrível hipertrofia falavam sem palavras dos longos tormentos de que fora vítima.

Embora preliminarmente atendida pela enfermagem da Mansão, a infortunada criatura exalava nauseante bafio.

Druso, no entanto, qual acontecia noutros casos, afagava-lhe a fronte com paternal carinho.

Finda a prece com que assinalava o início da tarefa assistencial, começou a aplicação de passes, acordando-lhe as energias. Em seguida, notando que fundos gemidos se lhe exteriorizavam do peito, o abnegado amigo concentrou os seus potenciais de força magnética no cérebro da infeliz, que começou a mover-se, subitamente reanimada.

Via-se claramente que Druso interferia no córtex encefálico, incentivando-a ao necessário despertamento.

Foi então que a boca hirta, arrastada hipnoticamente à movimentação, descerrou-se, de leve, e gritou:
— Druso!... Druso... compadece-te de mim!...
Surpreendidos, vimos o chefe da Mansão cambalear, quase desfalecente, qual se fora atingido por invisíveis raios de angústia e morte. Mas a estupefação não o atingira tão somente. Silas, fazendo-se lívido, avançou para ele, enlaçando-lhe o busto, como se lhe temesse a queda inevitável.

Algo de estranho ocorria, cujo sentido, de pronto, não conseguíamos perceber.

Buscando dominar-se, o venerável diretor ergueu os olhos lúcidos para o alto, em pranto mudo, invocando a inspiração divina, na linguagem da prece silenciosa em que a alma se comunica particularmente com Deus, e, após momentos rápidos, perguntou à infeliz:
— Irmã, que tens a dizer-nos?

A interpelada abriu os olhos que se reviravam nas órbitas, sem qualquer expressão de lucidez, e, parecendo temer a presença de inimigos ocultos, clamou triste:
— Tragam meu esposo!... Druso me perdoará... Estou cansada, vencida... Por Amor de Deus, libertem-me!... Libertem-me!... Quero ar!... Ar puro!... Não terei pago suficientemente o meu crime?... Não creio que Deus nos criasse para o inferno sem-fim. Se errei, conscientemente, adquirindo grande culpa, não desconheço... que as minhas penas reparadoras... têm sido igualmente enormes!... Conduzam-me à presença de meu esposo... para que me ajoelhe... Druso retirar-me-á do local dos réprobos... Compreenderá que não sou assim tão cruel, como querem que eu seja... Meu marido era sumamente bondoso, tratava-me como um pai!... Há quantos anos padeço, ó Senhor?! Tu que curaste os leprosos e os endemoninhados, estende-me os braços de amor! Retira-me do inferno a que fui arrastada!...

Ajuda-me, ó Cristo!... Deixa que eu recolha do esposo que humilhei o perdão de que necessito, para que a minha consciência possa orar com fervor!... O remorso é fogo que me consome!... Piedade!... Piedade!... Piedade!...

**20.5**     Ante o intervalo que se fizera espontâneo, vimos que o grande condutor jazia entregue a lágrimas copiosas.

Pela primeira vez aos nossos olhos, Silas interferiu no socorro magnético.

Apesar do espanto que se lhe estampava na face, com a tácita aprovação do chefe que lhe cedia o lugar em silêncio, interrogou preocupado e indeciso:

— Como te chamas?

— Aída... — foi a resposta que nos despertou mais acurada atenção.

O assistente, contudo, no evidente propósito de obter mais informes, tão seguros quanto possíveis, continuou indagando em voz trêmula:

— Aída, se és a esposa de Druso como nos fazes crer, não te recordas de mais alguém? De mais alguém que te partilhasse no mundo a vida no lar?

— Oh! sim... — retrucou a interlocutora com indizível carinho — lembro-me... lembro-me... Meu esposo trazia um filho das primeiras núpcias, um jovem médico de nome Silas...

E, dando-nos a conhecer a extrema fixação mental a que se ajustava, exclamou sussurrante:

— Onde está Silas que também não me ouve? A princípio... contrariava-se com a minha presença... entretanto... com o tempo... tornou-se-me um filho do coração, condescendente amigo... Silas!... Sim... sim... quem me fez recordar o passado?!...

Agigantava-se-nos a constrangedora surpresa.

Ambos os socorristas caíram de joelhos em pranto insofreável.

Num átimo, entendemos tudo, rememorando a noite inolvidável em que Silas algo nos falara de sua história comovente. **20.6**

A pobre dementada era Aída, a madrasta sofredora.

Somente agora percebíamos que o instrutor e o assistente haviam sido, entre os homens, pai e filho... Daí, a discreta intimidade com que se associavam, automaticamente, em todos os serviços.

Decerto — pensei —, haviam abraçado aflitiva missão naquele perseguido instituto de caridade, não apenas atendendo aos desencarnados infelizes, mas também com elevados objetivos do coração.

Entretanto, não consegui divagar muito tempo, uma vez que Druso, num gesto enternecedor, recolheu a infortunada criatura nos braços generosos e, genuflexo, após conchegá-la de encontro ao peito, exclamou para o alto, com voz sumida em lágrimas:

— Obrigado, Senhor!... Os penitentes como eu encontram igualmente o seu dia de graças!... Agora que me devolves ao coração criminoso a companheira que envenenei no mundo, dá-me forças para que eu possa erguê-la do abismo de sofrimento a que se precipitou por minha culpa!...

Notava-se-lhe o esforço para continuar clamando pela compaixão celeste; no entanto, os soluços embargaram-lhe de todo a voz, enquanto vasto jorro de safirina luz fluía do teto, como se a Infinita Bondade respondesse, de imediato, à comovente súplica.

Silas, extremamente abatido, ajudou-o a levantar-se e ambos se afastaram, carregando consigo aquele trapo de mulher, com a solene emoção de quem havia conquistado precioso troféu.

Informados de que o serviço magnético não teria prosseguimento naquela noite, retiramo-nos para nosso aposento particular, confiando-nos ao estudo das nossas impressões.

No dia seguinte, entretanto, Silas veio ao nosso encontro.

**20.7**   Tocava-se da alegria misteriosa de quem solucionara um problema longamente sofrido. E, lembrando-nos o estudo da Lei de Causa Efeito, explicou-se rápido.

Druso e ele tinham sido pai e filho na existência última, e, tendo ambos recebido a necessária permissão para trabalhar em busca de Aída, cuja perda haviam provocado, devotavam-se ao serviço da Mansão, sob o beneplácito de amigos do plano superior. Ao preço de tremendas lutas na própria recuperação, chegaram a conquistar amizades sólidas e experiências notáveis; contudo, a recordação da jovem sacrificada constituía-lhes envenenado acúleo nos refolhos do ser. Assim era que, para mais ampla elevação na Luz Infinita, necessitavam ressarcir o infamante débito.

E acentuava, esperançoso, com ignota ventura a luzir-lhe no olhar:

— Dentro de três dias, meu pai deixará o encargo de orientador da instituição, alçando-se, por fim, à companhia de minha mãe, para regressarem brevemente à reencarnação que os espera, sob a guarda de alguns amigos nossos. Meu pai partirá primeiramente, pouco depois minha abnegada genitora o seguirá para a internação na carne e, mais tarde, quando se consorciarem na esfera dos homens, recolher-me-ão nos braços, na condição de primogênito, para que nós três venhamos a receber Aída, sofredora, em nossos corações. Conceder-nos-á Jesus a felicidade de resgatar a imensa dívida, com a assistência amorosa de minha mãe, que renunciou à alegria da ascensão imediata, em nosso benefício... Como podem observar, nós mesmos, segundo a Lei, buscamos a Justiça por nossas próprias mãos.

O assistente mostrava na face o deslumbramento de uma criança feliz.

— E você? — perguntou Hilário, de chofre. — Continuará você ainda aqui?

— Não — respondeu o companheiro generoso. — Com o afastamento de meu pai, obtive permissão para ingressar em grande educandário, no qual me habilitarei para as novas tarefas na medicina humana, com vistas à minha próxima romagem terrestre.

O comunicado alterava-nos o programa.

Convinha, de nossa parte, encerrar os estudos na generosa instituição, porquanto Druso e Silas, desde a primeira hora, haviam sido ali nosso apoio claro e fiel.

Abracei o assistente, sentindo-lhe a falta por antecipação.

Silas era mais um amigo de quem me devia apartar.

Felicitei-o pela vitória alcançada e, com ele, consideramos igualmente o impositivo de nosso adeus.

A mudança administrativa na casa não nos encorajaria qualquer dilação.

Para nós também a partida fazia-se inadiável.

O denodado companheiro enlaçou-nos com irreprimível carinho e lágrimas de sublime reconhecimento jorraram-nos dos olhos.

Quem admitirá que a separação seja apenas uma flor triste na Terra dos homens?

Decorridos três dias sobre a nossa derradeira conversação, achávamo-nos no maior recinto do grande instituto de socorro espiritual.

O instrutor e o assistente despediam-se dos amigos.

O enorme salão estava repleto.

No largo estrado em que se destacava a direção, Druso aparecia ladeado pelo instrutor Aranda, a quem passaria o governo do estabelecimento, e pela esposa querida, aquela que lhe ofertara no mundo os sonhos doces do primeiro matrimônio, cujos olhos serenos exprimiam irradiante bondade.

Outros benfeitores, incluindo o nosso caro Silas, ali também se encontravam, atenciosos e emocionados.

**20.9**    Na multidão dos ouvintes, estávamos nós, renteando com os assessores e funcionários do grande hospital-escola, ao pé de mais de trezentos internados.

Todos os enfermos, abrigados e servidores vinham trazer a Druso preciosos testemunhos de reconhecimento.

As manifestações comovedoras multiplicavam-se, incessantes.

Enquanto música leve nascia de instrumentos ocultos, espalhando-se em surdina, todos os doentes, em fila movimentada, queriam dizer uma palavra ao abnegado instrutor que os acolhera generoso.

Velhinhos trêmulos abençoavam-lhe o nome, irmãs, cujo aspecto falava de laboriosa renovação, ofertavam-lhe as flores torturadas e tristes que o clima inquietante da Mansão era capaz de produzir, entidades diversas, recuperadas ao hálito de seu incansável devotamento, endereçavam-lhe expressões respeitosas e amigas, enquanto jovens inúmeros lhe osculavam as mãos...

Para todos possuía Druso uma frase de enternecimento e carinho.

Choro discreto surgia aqui e ali...

Todos devíamos, ao mentor admirável, esclarecimento e esperança, energia e consolação.

O novo chefe, após a cerimônia simples da transmissão de responsabilidades, levantou-se e prometeu dirigir a casa com lealdade a nosso Senhor Jesus Cristo. Para falar a verdade, porém, não creio que o instrutor Aranda, recém-chegado a casa, pudesse naquela hora atrair-nos mais dilatada atenção, e, tão logo se acomodou na poltrona que a solenidade lhe reservava, Druso ergueu-se e rogou permissão para orar à despedida.

Todas as frontes penderam silenciosas, enquanto a voz dele se elevou para o Infinito, à maneira de melodia emoldurada de lágrimas.

**20.1** *Senhor Jesus! — clamou, humilde — neste instante em que te oferecemos o coração, deixa que nossa alma se incline, reverente, para agradecer-te as bênçãos de luz que a tua incomensurável bondade aqui nos concedeu em cinquenta anos de amor...*

*Tu, Mestre, que ergueste Lázaro do sepulcro, levantaste-me também das trevas para a alvorada remissora, lançando no inferno de minha culpa o orvalho de tua compaixão...*

*Estendeste os braços magnânimos ao meu Espírito mergulhado na lodosa corrente do crime.*

*Trouxeste-me do pelourinho do remorso para o serviço da esperança.*

*Reanimaste-me quando minhas forças desfaleciam...*

*Nos dias agoniados, foste o alimento de minhas ânsias; nas sendas mais escabrosas, eras, em tudo, o meu companheiro fiel.*

*Ensinaste-me, sem ruído, que somente pela recuperação do respeito a mim mesmo, no pagamento de meus débitos, é que poderei empreender a reconquista de minha paz...*

*E confiaste-me, Senhor, o trabalho neste pouso restaurador, como assistência constante de tua benevolência infinita, a fim de que eu pudesse avançar das sombras da noite para o fulgor de novo dia!...*

*Agradeço-te, pois, os instrutores que me deste, a cuja devoção afetuosa tão pesado tenho sido, os companheiros generosos que tantas vezes me suportaram as exigências e os irmãos enfermos que tantos ensinamentos preciosos me trouxeram ao coração!...*

*E agora, Senhor, que a esfera dos homens me descerrará de novo as portas, acompanha-me, por acréscimo de misericórdia, com a graça de tua Bênção.*

*Não permitas que o reconforto do mundo me faça esquecer-te e constrange-me ao convívio da humildade para que o orgulho me não sufoque.*

**20.11** *Dá-me a luta edificante por mestra do meu resgate e não retires o teu olhar de sobre os meus passos, ainda que, para isso, deva ser o sofrimento constante a marca de meus dias.*

*E, se possível, deixa que os irmãos desta casa me amparem com os seus pensamentos em orações de auxílio, para que, no pedregoso caminho da regeneração de que careço, não me canse de louvar-te o excelso amor para sempre!...*

Calou-se Druso, em pranto.

No recinto, choviam pequenos flocos luminescentes, à maneira de estrelas minúsculas que se desfaziam, de leve, tocando-nos a fronte...

Lá fora, gritava a tempestade em convulsões terríveis.

Cá dentro, todavia, reinava em nós a certeza de que, além da faixa das trevas, o céu ilimitado resplendia eternamente em luz...

Reunimo-nos a Silas e, juntos, abeiramo-nos do abnegado instrutor para as últimas saudações, porque também nós, Hilário e eu, deveríamos partir, já que a nossa tarefa estava encerrada.

Druso enlaçou-nos paternalmente e, talvez porque nos demorássemos no abraço carinhoso, tentando definir-lhe o nosso imenso afeto, pousou em nós o olhar, falando comovido:

— Deus nos abençoe, meus filhos!... Um dia, reencontrar-nos-emos de novo...

Com a voz embargada de emoção, beijamos-lhe a destra em profundo silêncio, porque somente as lágrimas poderiam algo dizer de nossa gratidão e de nosso enternecimento, no adeus inesquecível...

# Índice geral[37]

## A

Aborto
 crime doloroso – 15.11
 enfermidade regeneradora – 15.11
 infanticídio confesso – 15.11

Abuso sexual
 enfermidades – 15.8
 regiões infernais – 15.8

Ação e reação *veja* Causa e efeito

Adélia
 Luís – 9.1

Adelino
 vantagens – 16.10

Afetividade
 laços – 2.3

Afinidade
 ligação no passado – 15.1

Aída
 Druso – 20.5
 Silas – 20.5

Alfabeto Morse – 4.10

Alienação mental
 suicídio – 12.8

Alma humana
 consciência – 7.7

Alma infeliz
 precipício abismal – 5.7

Alzira
 Antônio Olimpo – 3.12, 8.3
 prece – 8.4
 vitória do amor – 10.19

Amor
 considerações – 14.12
 malconduzido – 2.7
 feminino – 12.4

Ascânio
 história – 18.7

Ascenção espiritual
 condição necessária – 18.8, 18.11
 consulta ao passado – 18.10
 crime odioso – 18.8

## B

Beleza física
 mau uso – 10.3

Belfegor
 Jean Weier – 4.9

Bem
 conceito – 7.6

---
[37] N.E.: Remete à numeração presente à margem das páginas.

# Índice geral

Bens universais
  Providência Divina – 7.4

Branly
  receptor – 4.10

Bruxaria
  clichê mental – 4.8
  igrejas cristãs – 4.8

## C

Cães
  choupana de Orzil – 5.5

Calvário maternal – 12.11

Câmara cristalina
  finalidade – 6.4
  interferência mental – 6.5

Caravana-comboio
  recém-desencarnados – 4.2

Caridade
  ordem e – 1.4

Carma *veja* Causa e efeito

Casamento
  ligação de aprendizado – 14.12
  vínculo do passado – 14.9

Causa e efeito
  mecanismo – 9.16
  carma dos hindus – 1.2
  Casa de Deus – 7.3
  reino vegetal – 7.7
  sinais – 7.7

Cenáculo
  Mansão paz – 3.4

Circunstância reflexa
  suicídio – 7.9

Clarindo
  confissão – 10.10

Cláudio
  assistente – 4.2

Colo uterino
  passe magnético – 10.4

Complexo de Édipo – 15.1

Comunhão sexual – 15.7

Comunicação eletrônica
  – 18.1, 18.2

Confissão
  Clarindo – 10.10
  Druso – 20.6
  Leo – 17.4
  Leonel – 10.11
  Sabino – 13.8

Conflitos interiores
  tentação – 17.6

Conflitos sentimentais – 15.6

Congregação religiosa
  esferas mais altas – 11.10

Conhecimento
  responsabilidade – 7.6

Consciência
  alma humana – 7.7
  Justiça Divina – 7.9
  purgação – 1.5

Conversação ideada – 13.7

Corpo humano
  distúrbio no organismo – 19.2
  funcionamento – 19.2

Correia, Adelino
  assistência espiritual – 16.2
  dificuldades – 16.3
  estágio de prova – 16.1
  família – 16.5

## Índice geral

história – 16.5
vantagens cármicas – 16.11

**Crendice**
clichês mentais – 4.8
temporária vitalidade – 4.8

**Criança**
pesadelo provocado – 14.6

**Crime**
atenuantes – 10.14
passional – 15.8

**Cristo**
influência – 15.3
Boa-Nova – 15.5

**Cruz**
significado – 11.7

**Cura**
sono – 13.6

## D

Débito congelado – 13.9

Débito estacionário – 13.10

**Débito expirante**
características – 17.10
Leo – 17.2, 17.7

Deficiências congeniais – 19.5

Deformação perispiritual – 20.2

Delírio psíquico *veja* Obsessão

**Delito**
enfermidade – 19.6
lesa-fraternidade – 6.4
sanção reencarnatória – 19.4

**Demônios**
Collin de Plancy – 4.8
Desastre aviatório – 18.1

Espíritos socorristas – 18.3
prova coletiva – 18.3

**Desdobramento**
interesse pessoal – 8.9
Marina – 12.9

**Desejo central**
obsessão – 8.12
pensamento – 8.12
reflexos – 8.12

**Desencarnado**
assistência espiritual – 17.1
identificação – 3.8
inteligência perversa – 18.4
localização – 9.14
obsidiado – 3.8
reclamação – 2.9
sono pacífico – 10.13

**Desligamento do Espírito**
missionários da libertação – 17.11

Destino – 2.5
recomposição – 7.11

Determinismo – 7.8

**Deus**
gênios angélicos – 7.3
inferno – 1.7

Diálogo mental – 13.7

**Divórcio**
medicação violenta – 14.9
providência contra o crime – 14.9

**Dor**
auxílio – 19.9, 19.10
encéfalo – 3.9
evolução – 19.9
expiação – 19.9
função – 12.10
orgulho ferido – 12.10

# Índice geral

**Druso**
Aída – 20.5
assistência pessoal – 20.3
caráter – 20.2
confissão – 20.6
história – 1.6
Mansão paz – 1.2
mulher sofredora – 20.3
prece – 6.5, 6.6, 16.14, 20.10
preleção – 2.2
reencarnação – 20.7
reencontro – 20.4

# E

**Egito**
deuses pagãos – 1.1
intercâmbio mediúnico – 1.1

**Ego**
manifestações instintivas – 15.2

**Egolatria**
consequências – 6.9

**Elementos corrosivos**
ingestão – 19.5

**Encarnados**
débitos – 18.6

**Enfermidade**
abuso sexual – 15.8
causa – 2.3, 19.5
delito – 19.6
disciplina retificadora – 19.8
Equilíbrio orgânico – 19.2
plantas e animais – 19.9
psicosfera – 5.9
zona de atração magnética – 19.8

**Espiritismo**
ajuda no ressarcimento – 16.8

**Espíritos revoltados**
barreira de luz – 12.2

**Espíritos sofredores**
aspectos – 12.2

**Estudo**
caminho da evolução – 19.1

**Expiação**
ventre materno – 7.12

# F

**Família**
regeneração – 15.10

**Ficha mnemônica** – 18.8

**Flagelação compreensível** – 5.5

**Formas-pensamentos** –
5.9, 8.15, 8.16

**Freud, Sigmund**
campo emotivo – 15.3
chagas do sentimento – 15.3
instinto sexual – 15.2
sensações eróticas – 15.3

# G

**Gaspar, Martim**
Mundo Espiritual – 16.12

**Grandes Trevas**
desfiladeiro – 3.1

# H

**Halo vital**
Corsino – 5.8

**Hertz, Henry**
ondulações elétricas – 4.10

**Hibernação espiritual** – 13.10

**Hipnose**
ilusão – 8.14

## Índice geral

pesadelo – 3.9

História
Adelino Correia – 16.5
Ascânio – 18.7
Ildeu – 14.10
Laudimira – 10.6
Lucas – 18.7
Marina – 12.6, 12.7
Sabino – 13.6
Leo – 17.7

## I

Igreja cristã
bruxaria – 4.8

Ildeu
família – 14.1
história – 14.10
plano homicida – 14.4
resgate interrompido – 14.13

Imagens mentais – 14.6

Imanização fluídica – 13.3

Indigentes
pavilhão – 17.1

Infância
amnésia temporária – 15.2
educação – 7.11
mentalidade – 7.13

Inferno
definição – 1.6
Deus – 1.7, 9.15
estágios – 1.7
função – 3.4
gênios do – 1.7

Ingratidão filial – 4.4

Instinto sexual
mente – 15.2

Sigmund Freud – 15.2

Intuição espiritual
músico – 10.16

Inversão sexual
causas – 15.9
renúncia construtiva – 15.9

## J

Julgamento
perdão – 17.5

Justiça Divina
consciência – 7.9

## L

Lar
instituição venerável – 15.4
merecimento – 16.9

Laudimira
cesariana – 10.3
colo uterino – 10.4
história – 10.6
infanticídio 10.7
Mansão paz – 10.9
perseguidores noturnos – 10.2
trevas – 10.6

Lei de correspondência – 15.8

Leo
débito expirante – 17.2, 17.7
confissão – 17.4
história 17.7

Leonel
confissão – 10.11
obsessor inteligente – 8.11

Libertação espiritual – 7.10

Libido
instinto sexual – 15.2

## Índice geral

Livre-arbítrio
    delinquência – 7.9

Lopes, Teixeira
    escultura – 11.8

Loucura
    telepatia – 3.1

Lucas
    história – 18.7

Luís
    Adélia – 9.1
    pessimismo – 9.2
    situação espiritual – 8.2

## M

Macedo
    tarefa socorrista – 4.4

Madalena
    condição espiritual – 6.4

Mãe
    arrependimento – 2.7
    desventura – 2.7
    orientação indevida – 2.7

Mal
    conceito – 7.6
    Jesus – 7.7

Mansão paz
    agulha de vigilância – 3.5
    assessores – 2.2
    assistência, requisitos – 5.3
    canhões de bombardeio – 3.6
    cenáculo – 3.4
    Mosteiro São Bernardo – 1.2
    muralha – 3.6
    Nosso lar – 1.2
    parlatório – 11.3
    serviço nas sombras – 5.5
    templo – 11.5

Marcela
    desdobrada com Silas – 14.8
    desperta pelos Espíritos – 14.6

Marconi
    telégrafo sem fio – 4.10

Marina
    ambiente espiritual – 12.4
    autoagravamento – 12.8
    conta agravada – 12.6
    desdobramento – 12.9
    história – 12.6, 12.7
    reencontro com a mãe – 12.9
    tentativa de suicídio – 12.5
    Zilda – 12.7

Martim, Gaspar
    retorno à carne – 16.15

Maternidade
    anticoncepcionais – 15.10
    recusa – 15.10

Memória do passado espiritual
    compulsão – 2.11
    culpa – 2.9
    enigmas – 2.9
    esquecimento – 2.9
    intervenção – 3.1
    limite – 9.15
    região inferior – 10.8

Menezes, Bezerra de
    nicho – 11.11
    presença simultânea – 11.12

Mente
    considerações – 2.10
    força criativa – 5.14
    Instinto sexual – 15.2
    pensamentos – 5.14
    sede dos princípios superiores – 19.2

Mesquinhez
    obsessão – 8.2

# Índice geral

Ministro Sânzio
  câmara cristalina – 6.8

Miragens técnicas – 8.16

Morte
  corpo – 1.5
  emancipação espiritual
    – 18.3, 18.4
  fluidos animalizados – 18.3
  sintomas – 17.2

Motorista assassino – 5.11

Mulher
  trabalho de oração – 12.4

Mundo Espiritual
  controle de informações – 18.5
  faltas – 7.12

# N

Nichos vazios
  criação mental – 11.8
  significado – 11.7

# O

Obsessão
  causa – 8.10
  Clarindo e Leonel – 8.2
  delírio psíquico – 8.13
  desejo central – 8.12
  hipnose – 8.13
  mesquinhez – 8.2
  vingança – 8.10

Obsessor
  complicação cármica – 7.12
  Leonel – 8.11
  onzenário – 8.7
  prática da caridade – 16.12
  reforma do obsidiado – 16.8
  serviçais – 8.11

Olímpio, Antônio
  Alzira – 8.3
  casario – 8.7
  criminoso – 3.11
  egolatria – 6.9
  esposa – 3.12
  família – 6.10
  irmãos – 3.12
  processo – 8.1
  reencarnação – 10.13

Onzenário
  obsessor – 8.7

Oração *ver* Prece

Orfandade
  causa – 16.8

Orzil
  história – 5.6

# P

Paixão
  consequências – 12.7

Parlatório
  Espíritos reencarnados – 11.3

Passado espiritual
  esquecimento – 2.9

Passe
  desintegração de forças – 3.10
  dispersivo – 3.10
  magnético – 8.5

Pensamento
  circuito fechado – 13.10
  dinâmico – 4.10
  velocidade – 4.10
  vítimas – 5.3

Percussão mental – 17.9

Perdão

## Índice geral

julgamento – 17.5
reencontro – 10.18

**Perispírito**
deformação – 3.9

**Pessimismo**
exemplo – 9.2

**Plancy, Collin de**
demônios – 4.8

**Planos inferiores** – 3.3
habitantes – 1.6
memória espiritual – 10.9

**Planos infernais** – 3.3

**Plantas medicinais** – 13.5

**Poliana**
ajuda fora do corpo – 13.4
diagnóstico – 13.2
medicação espiritual – 13.3
plantas medicinais – 13.5

**Popoff**
antena – 4.10

**Prazer**
diversidade – 15.4
inútil – 5.13

**Prece**
Alzira – 8.4
Bezerra de Menezes – 11.11
como fazer – 11.7
Druso – 16.4, 20.10
função – 19.7
passe magnético – 8.5
resposta – 11.10, 13.5, 20.1

**Prestação de contas**
região infernal – 11.1

**Prisão corporal** – 13.8

**Programa espiritual**

cesariana – 10.3

**Propriedade**
conceito – 7.5

**Prova coletiva**
escolha – 18.9
pais – 18.10

**Providência Divina**
bens universais – 7.4
equidade – 7.4

## R

**Recém-desencarnado**
caravana-comboio – 4.2
condição – 4.4, 18.2
desastre aviatório – 18.2

**Reencarnação**
Antônio Olímpio – 10.13
bênção do esquecimento – 10.7
condição para – 9.12
fracassos – 10.6, 10.7
frustração – 3.1
pendente – 3.3
planejamento – 9.13
planos inferiores – 3.3
planos infernais – 3.3
planos superiores – 3.3
preparo – 10.5, 10.13
recapitulação – 14.11
remanescente das faltas – 19.8
sanções – 19.4
simpatia espiritual – 10.13

**Reencarnante**
fluidos grosseiros – 3.1

**Região infernal**
prestação de contas – 11.1

**Remorso** – 15.7

**Renovação** – 2.5

# Índice geral

Reparação
　processo – 15.7

Resgate coletivo – 18.7

Resgate interrompido – 14.13, 14.8

## S

Sabino
　aspecto físico – 13.6
　campo íntimo – 13.6
　conversação ideada – 13.7, 13.8
　débito congelado – 13.9
　débito estacionário – 13.10
　delitos – 13.9
　hibernação espiritual – 13.10
　história – 13.6
　prisioneiro do corpo – 13.8
　rebeldia excepcional – 13.10

Sala de oração
　médiuns de sustentação – 6.2, 6.3

Salvação – 1.3

Santo(a)
　alma julgada – 11.10

Sânzio, Ministro do Nosso Lar
　carma – 7.3

Sensações eróticas
　Sigmund Freud – 15.3

Sexo
　amor – 15.4, 15.5
　considerações – 15.3
　mente – 15.5

Silas
　Aída – 20.5
　Antônio Olímpio – 8.1
　confissão – 9.5
　formas-pensamentos – 5.9
　lamentações – 5.9
　madrasta sofredora – 20.6
　oração – 13.4
　reencarnação – 20.7

Sílvia
　condição espiritual – 6.4

Sofrimento
　programação – 17.9

Sonho – 8.15

Sono
　reparador – 8.6
　poder de cura – 13.6

Suicídio
　alienação mental – 12.8
　atenuantes – 12.8
　circunstâncias reflexas – 7.9
　consequências – 12.8
　ilustração de – 7.9
　intercessão espiritual – 12.6
　involuntário – 9.11
　prece antes do – 12.5

## T

Telepatia alucinatória – 3.1

Tema básico *veja* Desejo central

Tempestade magnética – 1.3

Templo
　cruz – 11.5
　Espíritos revoltados – 12.2
　nichos vazios – 11.5, 11.6
　oração – 11.6 – 11.5
　paisagem externa – 11.13, 12.1

Tentação
　conflitos interiores – 17.6
　origem – 18.4

Terezinha de Lisieux – 11.9

# Índice geral

Terra
    serviço espiritual – 1.3

Treva
    convulsão da Natureza – 1.3

Túmulos
    Espíritos guardiões – 3.8

## U

Umbral
    campo terrestre – 5.1
    chegada ao – 11.2
    localização – 19.4

## V

Vastação purificadora – 5.4

Veiga
    história – 5.8

Velhice
    consagração à fé – 7.13

Vigilantes espirituais – 14.5

Vingadores
    escola – 8.12

Vingança
    obsessão – 8.10

Virgem de Nazaré – 11.9

Vocação inata – 10.10

Volitação – 10.2, 13.2

Vontade
    abuso – 2.4

## W

Weier, Jean
    Belfegor – 4.9

## Z

Zilda
    retorno à carne – 12.8
    suicídio – 12.8

Zonas infernais
    habitantes – 1.6
    trabalho – 6.3

# O QUE É ESPIRITISMO?

O ESPIRITISMO É UM CONJUNTO DE PRINCÍPIOS E LEIS revelados por Espíritos Superiores ao educador francês Allan Kardec, que compilou o material em cinco obras que ficariam conhecidas posteriormente como a Codificação: *O livro dos espíritos*, *O livro dos médiuns*, *O evangelho segundo o espiritismo*, *O céu e o inferno* e *A gênese*.

Como uma nova ciência, o Espiritismo veio apresentar à Humanidade, com provas indiscutíveis, a existência e a natureza do Mundo Espiritual, além de suas relações com o mundo físico. A partir dessas evidências, o Mundo Espiritual deixa de ser algo sobrenatural e passa a ser considerado como inesgotável força da Natureza, fonte viva de inúmeros fenômenos até hoje incompreendidos e, por esse motivo, são tidos como fantasiosos e extraordinários.

Jesus Cristo ressaltou a relação entre homem e Espírito por várias vezes durante sua jornada na Terra, e talvez alguns de seus ensinamentos pareçam incompreensíveis ou sejam erroneamente interpretados por não se perceber essa associação. O Espiritismo surge então como uma chave, que esclarece e explica as palavras do Mestre.

A Doutrina Espírita revela novos e profundos conceitos sobre Deus, o Universo, a Humanidade, os Espíritos e as leis que regem a vida. Ela merece ser estudada, analisada e praticada todos os dias de nossa existência, pois o seu valioso conteúdo servirá de grande impulso à nossa evolução.

# CARIDADE: AMOR EM AÇÃO

Sede bons e caridosos: essa a chave que tendes em vossas mãos. Toda a eterna felicidade se contém nesse preceito: "Amai-vos uns aos outros". KARDEC, Allan. *O evangelho segundo o espiritismo*, cap. 13, it. 12.

A Federação Espírita Brasileira (FEB), em 20 de abril de 1890, iniciou sua *Assistência aos Necessitados* após sugestão de Polidoro Olavo de S. Thiago ao então presidente Francisco Dias da Cruz. Durante oitenta e sete anos, esse atendimento representava o trabalho de auxílio espiritual e material às pessoas que o buscavam na Instituição. Em 1977, esse serviço passou a chamar-se Departamento de Assistência Social (DAS), cujas atividades assistenciais nunca se interromperam.

Desde então, a FEB, por seu DAS, desenvolve ações socioassistenciais de proteção básica às famílias em situação de vulnerabilidade e risco socioeconômico. Fortalece os vínculos familiares por meio de auxílio material e orientação moral-doutrinária com vistas à promoção social e crescimento espiritual de crianças, jovens, adultos e idosos.

Seu trabalho alcança centenas de famílias. Doa enxovais para recém-nascidos, oferece refeições, cestas de alimentos, cursos para jovens, serviços de convivência e fortalecimento de vínculos para idosos e organiza doações de itens que são recebidos na Instituição e repassados a quem necessitar.

Essas atividades são organizadas pelas equipes do DAS e apoiadas com recursos financeiros da Instituição, dos frequentadores da Casa e por meio de doações recebidas, num grande exemplo de união e solidariedade.

Seja sócio-contribuinte da FEB, adquira suas obras e estará colaborando com o seu Departamento de Assistência Social.

# LITERATURA ESPÍRITA

Em qualquer parte do mundo, é comum encontrar pessoas que se interessem por assuntos como imortalidade, comunicação com Espíritos, vida após a morte e reencarnação. A crescente popularidade desses temas pode ser avaliada com o sucesso de vários filmes, seriados, novelas e peças teatrais que incluem em seus roteiros conceitos ligados à Espiritualidade e à alma.

Cada vez mais, a imprensa evidencia a literatura espírita, cujas obras impressionam até mesmo grandes veículos de comunicação devido ao seu grande número de vendas. O principal motivo pela busca dos filmes e livros do gênero é simples: o Espiritismo consegue responder, de forma clara, perguntas que pairam sobre a Humanidade desde o princípio dos tempos. Quem somos nós? De onde viemos? Para onde vamos?

A literatura espírita apresenta argumentos fundamentados na razão, que acabam atraindo leitores de todas as idades. Os textos são trabalhados com afinco, apresentam boas histórias e informações coerentes, pois se baseiam em fatos reais.

Os ensinamentos espíritas trazem a mensagem consoladora de que existe vida após a morte, e essa é uma das melhores notícias que podemos receber quando temos entes queridos que já não habitam mais a Terra. As conquistas e os aprendizados adquiridos em vida sempre farão parte do nosso futuro e prosseguirão de forma ininterrupta por toda a jornada pessoal de cada um.

Divulgar o Espiritismo por meio da literatura é a principal missão da FEB, que, há mais de cem anos, seleciona conteúdos doutrinários de qualidade para espalhar a palavra e o ideal do Cristo por todo o mundo, rumo ao caminho da felicidade e plenitude.

# O EVANGELHO NO LAR

*Quando o ensinamento do Mestre vibra entre quatro paredes de um templo doméstico, os pequeninos sacrifícios tecem a felicidade comum.*[1]

Quando entendemos a importância do estudo do Evangelho de Jesus, como diretriz ao aprimoramento moral, compreendemos que o primeiro local para esse estudo e vivência de seus ensinos é o próprio lar.

É no reduto doméstico, assim como fazia Jesus, no lar que o acolhia, a casa de Pedro, que as primeiras lições do Evangelho devem ser lidas, sentidas e vivenciadas.

O espírita compreende que sua missão no mundo principia no reduto doméstico, em sua casa, por meio do estudo do Evangelho de Jesus no Lar.

Então, como fazer?

Converse com todos que residem com você sobre a importância desse estudo, para que, em família, possam compreender melhor os ensinamentos cristãos, a partir de um momento de união fraterna, que se desenvolverá de maneira harmônica e respeitosa. Explique que as reflexões conjuntas acerca do Evangelho permitirão manter o ambiente da casa espiritualmente saneado, por meio de sentimentos e pensamentos elevados, favorecendo a presença e a influência de Mensageiros do Bem; explique, também, que esse momento facilitará, em sua residência, a recepção do amparo espiritual, já que auxilia na manutenção de elevado padrão vibratório no ambiente e em cada um que ali vive.

Convide sua família, quem mora com você, para participar. Se mora sozinho, defina para você esse momento precioso de estudo e reflexões. Lembre-se de que, espiritualmente, sempre estamos acompanhados.

Escolha, na semana, um dia e horário em que todos possam estar presentes.

O tempo médio para a realização do Evangelho no Lar costuma ser de trinta minutos.

---

[1] XAVIER, Francisco Cândido. *Luz no lar*. Por Espíritos diversos. 12. ed. 7. imp. Brasília: FEB, 2018. Cap. 1.

As crianças são bem-vindas e, se houver visitantes em casa, eles também podem ser convidados a participar. Se não forem espíritas, apenas explique a eles a finalidade e importância daquele momento.

O seguinte roteiro pode ser utilizado como sugestão:

1. Preparação: leitura de mensagem breve, sem comentários;
2. Início: prece simples e espontânea;
3. Leitura: *O evangelho segundo o espiritismo* (um ou dois itens, por estudo, desde o prefácio);
4. Comentários: breves, com a participação dos presentes, evidenciando o ensino moral aplicado às situações do dia a dia;
5. Vibrações: pela fraternidade, paz e pelo equilíbrio entre os povos; pelos governantes; pela vivência do Evangelho de Jesus em todos os lares; pelo próprio lar...
6. Pedidos: por amigos, parentes, pessoas que estão necessitando de ajuda...
7. Encerramento: prece simples, sincera, agradecendo a Deus, a Jesus, aos amigos espirituais.

As seguintes obras podem ser utilizadas nesse momento tão especial:

- *O evangelho segundo o espiritismo*, como obra básica;
- *Caminho, verdade e vida*; *Pão nosso*; *Vinha de luz*; *Fonte viva*; *Agenda cristã*.

Esse momento no lar não se trata de reunião mediúnica e, portanto, qualquer ideia advinda pela via da intuição deve permanecer como comentário geral, a ser dito de maneira simples, no momento oportuno.

No estudo do Evangelho de Jesus no Lar, a fé e a perseverança são diretrizes ao aprimoramento moral de todos os envolvidos.

## Edições
# AÇÃO E REAÇÃO

| EDIÇÃO | IMPRESSÃO | ANO | TIRAGEM | FORMATO |
|---|---|---|---|---|
| 1 | 1 | 1957 | 15.044 | 12,5X18,5 |
| 2 | 1 | 1959 | 10.029 | 12,5X18,5 |
| 3 | 1 | 1965 | 10.029 | 12,5X18,5 |
| 4 | 1 | 1972 | 10.000 | 13X18 |
| 5 | 1 | 1976 | 10.029 | 13X18 |
| 6 | 1 | 1978 | 10.200 | 13X18 |
| 7 | 1 | 1980 | 10.200 | 13X18 |
| 8 | 1 | 1982 | 10.200 | 13X18 |
| 9 | 1 | 1983 | 10.200 | 13x18 |
| 10 | 1 | 1985 | 15.200 | 13x18 |
| 11 | 1 | 1986 | 20.200 | 13x18 |
| 12 | 1 | 1987 | 25.200 | 13x18 |
| 13 | 1 | 1989 | 20.200 | 13x18 |
| 14 | 1 | 1991 | 20.000 | 13x18 |
| 15 | 1 | 1993 | 15.000 | 13x18 |
| 16 | 1 | 1994 | 15.000 | 13x18 |
| 17 | 1 | 1996 | 15.000 | 13x18 |
| 18 | 1 | 1997 | 15.000 | 13x18 |
| 19 | 1 | 1998 | 10.000 | 12,5x17,5 |
| 20 | 1 | 1999 | 5.000 | 12,5x17,5 |
| 21 | 1 | 2001 | 3.000 | 12,5x17,5 |
| 22 | 1 | 2001 | 5.000 | 12,5x17,5 |
| 23 | 1 | 2002 | 10.000 | 12,5x17,5 |
| 24 | 1 | 2003 | 10.000 | 12,5x17,5 |
| 25 | 1 | 2004 | 5.000 | 12,5x17,5 |
| 26 | 1 | 2004 | 15.000 | 12,5x17,5 |
| 27 | 1 | 2006 | 5.000 | 12,5x17,5 |
| 28 | 1 | 2007 | 10.000 | 12,5x17,5 |

| EDIÇÃO | IMPRESSÃO | ANO | TIRAGEM | FORMATO |
|---|---|---|---|---|
| 28 | 2 | 2008 | 10.000 | 12,5x17,5 |
| 28 | 3 | 2009 | 10.000 | 12,5x17,5 |
| 28 | 4 | 2010 | 10.000 | 12,5x17,5 |
| 28 | 5 | 2011 | 12.000 | 12,5x17,5 |
| 28 | 6 | 2012 | 8.000 | 12,5x17,5 |
| 29 | 1 | 2003 | 5.000 | 14x21 |
| 29 | 2 | 2007 | 2.000 | 14x21 |
| 29 | 3 | 2008 | 3.000 | 14x21 |
| 29 | 4 | 2010 | 5.000 | 14x21 |
| 29 | 5 | 2003 | 5.000 | 14x21 |
| 29 | 6 | 2007 | 2.000 | 14x21 |
| 29 | 7 | 2008 | 3.000 | 14x21 |
| 29 | 8 | 2010 | 5.000 | 14x21 |
| 30 | 1 | 2013 | 5.000 | 14x21 |
| 30 | 2 | 2013 | 20.000 | 14x21 |
| 30 | 3 | 2015 | 6.000 | 14x21 |
| 30 | 4 | 2015 | 4.500 | 14X21 |
| 30 | 5 | 2016 | 7.000 | 14X21 |
| 30 | 6 | 2016 | 5.000 | 14X21 |
| 30 | 7 | 2017 | 6.000 | 14X21 |
| 30 | 8 | 2017 | 5.000 | 14X21 |
| 30 | 9 | 2018 | 4.000 | 14x21 |
| 30 | 10 | 2018 | 3.000 | 14x21 |
| 30 | 11 | 2019 | 3.200 | 14x21 |
| 30 | 12 | 2019 | 4.000 | 14x21 |
| 30 | 13 | 2020 | 8.000 | 14x21 |
| 30 | 14 | 2021 | 7.000 | 14x21 |
| 30 | 15 | 2023 | 5.500 | 14x21 |
| 30 | 16 | 2024 | 4.000 | 14x21 |
| 30 | 17 | 2024 | 4.500 | 14x21 |

**FEB editora**
Livro espírita para um novo mundo
www.febeditora.com.br
@febeditoraoficial
@febeditora

Conselho Editorial:
*Carlos Roberto Campetti*
*Cirne Ferreira de Araújo*
*Evandro Noleto Bezerra*
*Geraldo Campetti Sobrinho – Coord. Editorial*
*Jorge Godinho Barreto Nery – Presidente*
*Maria de Lourdes Pereira de Oliveira*
*Miriam Lúcia Herrera Masotti Dusi*

Produção Editorial:
*Elizabete de Jesus Moreira*

Revisão:
*Davi Miranda*
*Perla Serafim*

Capa e Diagramação:
*Evelyn Yuri Furuta*

Projeto Gráfico:
*Rones José Silvano de Lima – instagram.com/bookebooks_designer*

Foto Chico Xavier:
*Grupo Espírita Emmanuel (GEEM)*

Foto de Capa:
*http://www.shutterstock.com/ Willyam Bradberry*
*http://www.dreamstime.com/ Harlanov*
*http://www.dreamstime.com/ Serp*

Normalização Técnica:
*Biblioteca de Obras Raras e Documentos Patrimoniais do Livro*

Esta edição foi impressa pela Plenaprint Gráfica e Editora Ltda., Guarulhos, SP, com tiragem de 6 mil exemplares, todos em formato fechado de 140x210 mm e com mancha de 104x168 mm. Os papéis utilizados foram o Off white bulk 58 g/m² para o miolo e o Cartão 250 g/m² para a capa. O texto principal foi composto em fonte Adobe Garamond Pro 12/15 e os títulos em Adobe Garamond Pro 28/30. Impresso no Brasil. *Presita en Brazilo*

FSC
www.fsc.org
MISTO
Papel | Apoiando
o manejo florestal
responsável
FSC® C140275